Mit der Reihe *SI-Diskurse | Gesellschaft – Kirche – Religion* werden Beiträge an der Schnittstelle von Theologie und Sozialwissenschaften bzw. Kirche, Gesellschafts- politik und Öffentlichkeit in den wissenschaftlichen und öffentlichen Diskurs eingespielt. Die Beiträge speisen sich aus Tagungen des Sozialwissenschaftlichen Instituts der Evangelischen Kirche in Deutschland (SI) und anderen Zusammenhän- gen der Forschung des SI. Empirische Befunde und konzeptionelle Überlegungen aus Religionssoziologie, Theologie, Ethik und Ökonomie werden präsentiert und kontrovers diskutiert. Im Zentrum stehen Fragen zur religiösen Kommunikation und Praxis in der Gegenwartsgesellschaft, zum gesellschaftlichen Zusammenhalt und zum sozialen Ausgleich, zum zivilgesellschaftlichen Engagement und zur digitalen Transformation von Wirtschaft und Gesellschaft.

Das Sozialwissenschaftliche Institut der EKD (SI) bearbeitet empirisch in inter- disziplinärer Verbindung von Theologie und Sozialwissenschaften kirchen- und religionssoziologische, gesellschaftspolitische und soziale Fragen. Die Forschungs- ergebnisse der Projekte werden als Broschüren, in Buchreihen und auf der Insti- tutswebseite (www.siekd.de) veröffentlicht. Träger des SI ist die EKD in Koopera- tion mit der Evangelisch-lutherischen Landeskirche Hannovers.

SI-Diskurse | Gesellschaft – Kirche – Religion

herausgegeben vom
Sozialwissenschaftlichen Institut
der Evangelischen Kirche in Deutschland (SI)

Band 6

Georg Lämmlin | Hilke Rebenstorf
Jil Weisheit [Hrsg.]

Religion – Kirche – Vorurteil

Diskussion eines Forschungsprojektes zu
Kirchenmitgliedschaft und politischer Kultur

EVANGELISCHE VERLAGSANSTALT
Leipzig

Sozialwissenschaftliches
Institut der Evangelischen
Kirche in Deutschland

Onlineversion
Nomos eLibrary

Die Deutsche Nationalbibliothek verzeichnet diese Publikation in
der Deutschen Nationalbibliografie; detaillierte bibliografische
Daten sind im Internet über http://dnb.d-nb.de abrufbar.

ISBN 978-3-7560-0458-4 (Print) Nomos Verlagsgesellschaft mbH & Co. KG, Baden-Baden
ISBN 978-3-7489-3952-8 (ePDF) Nomos Verlagsgesellschaft mbH & Co. KG, Baden-Baden

ISBN 978-3-374-07453-2 (Print) Evangelische Verlagsanstalt (EVA), Leipzig

Inhaltsverzeichnis

Inhaltsverzeichnis

3. Implikationen für Kirche, Forschung und Praxis

Einleitung

Von Georg Lämmlin und Hilke Rebenstorf

Am 16. und 17. Mai 2022 wurden die Ergebnisse der EKD-Verbundstudie „Zwischen Nächstenliebe und Abgrenzung" auf einer Tagung in der Evangelischen Bildungsstätte Schwanenwerder Berlin vorgestellt, kommentiert und diskutiert. Die Tagung wurde von der Evangelischen Akademie zu Berlin, gefördert durch das Bundesministerium für Familie, Senioren, Frauen und Jugend, und der Evangelischen Kirche in Deutschland in Kooperation mit dem Sozialwissenschaftlichen Institut der EKD und der Bundesarbeitsgemeinschaft Kirche und Rechtsextremismus organisiert und durchgeführt. Mit diesem Sammelband werden die Beiträge zur Tagung in modifizierter und teilweise erweiterter Form dokumentiert. Erarbeitet wurde die Studie in einem Forschungsverbund mit drei unterschiedlichen Fragestellungen und methodischen Herangehensweisen. Die erste Fragestellung einer repräsentativen Erhebung politischer Einstellungen, Vorurteile und Religiosität bei Kirchenmitgliedern im Verhältnis zur Gesamtbevölkerung wurde von Gert Pickel, Oliver Decker, Alexander Yendell (Universität Leipzig), Antonius Liedhegener (Universität Luzern), Stefan Huber (Universität Bern) und Susanne Pickel (Universität Duisburg-Essen) bearbeitet, die zweite Fragestellung zur Analyse vorurteilsbezogener Narrative in Online-Kommunikaten durch Kristin Merle und Anita Watzel (Universität Hamburg) und die dritte Fragestellung zum Umgang mit politischen Konflikten in Kirchengemeinden von Claudia Schulz, Manuela Barriga Morachimo und Maria Rehm (Evangelische Hochschule Ludwigsburg).

Irmgard Schwaetzer, ehemalige Präses der EKD-Synode, zeichnet zu Beginn die Vorgeschichte und Entwicklung des Forschungsverbundes zum Thema Kirchenmitgliedschaft und politische Kultur nach, aus dem die Ergebnisse hervorgegangen sind. Ausgangspunkt war die Verunsicherung, die durch zunehmende öffentliche Aufmärsche von Rechtsextremisten um das Jahr 2010 in der evangelischen Kirche ausgelöst wurde. In einem Beschluss 2012 räumte die Synode die Existenz von rechtsextremen, antidemokratischen und rassistischen Einstellungen auch in der Kirche ein und beauftragte den Rat der EKD damit, eine entsprechende Untersuchung in Auftrag zu geben. Über Zwischenschritte wurde schließlich im Anschluss an eine Fachtagung 2017 die empirische Studie mit drei unterschiedlichen Fragestellungen auf den Weg gebracht, die von 2019 an in einem gut zweijährigen Forschungsprojekt in dem Verbund mehrerer universitärer Kooperationspartner*innen bearbeitet wurde.

Aus der Perspektive der EKD-Steuerungsgruppe, die den Forschungsprozess von Beginn an begleitete, beschreibt und kommentiert *Hilke Rebenstorf*, die mit der wissenschaftlichen Leitung des Projekts beauftragt war, die thematischen, wissenschaftlichen und methodischen Voraussetzungen für die Studie, die dem Beschluss zur Durchführung und der Durchführung selbst zugrunde lagen. Insbesondere macht sie die Herausforderung deutlich, für die Erforschung des Zusammenhangs von Religiosität und Kirchenmitgliedschaft mit Populismus, gruppenbezogener Menschenfeindlichkeit und politischer Kultur ein passgenaues Erhebungsinstrument neu zu entwickeln.

Im Beitrag von *Susanne und Gert Pickel* werden die Ergebnisse der repräsentativen Studie zum Zusammenhang von Religiosität mit Vorurteilen und politischen Einstellungen vorgestellt. Ausgangspunkt der Fragestellung ist die Spannung zwischen der Wahrnehmung, dass auch religiöse Menschen nicht vor rechtspopulistischen Einstellungen oder Verschwörungsglauben geschützt sind, und der Annahme, dass christliche Religiosität durch ihre Verbindung mit Nächstenliebe gegen abwertende Vorurteile und rassistische Einstellungen immunisiert. Sie klären zunächst über die theoretischen Grundlagen zur Bestimmung von Vorurteilen und Autoritarismus auf und referieren dann zentrale Ergebnisse aus der Studie: Grundsätzlich unterscheiden sich Kirchenmitglieder bezüglich Vorurteilen und politischen Einstellungen nicht von der Gesamtbevölkerung. Erst wenn eine Differenzierung zwischen mono- und transreligiöser Orientierung eingeführt wird, die in der Befragung entsprechend operationalisiert worden war, zeigen sich deutliche Unterschiede: Auch wenn Verschwörungsmentalität und autoritäre Einstellungen als Kontrollfaktoren herangezogen werden zeigen sich bei monoreligiös Orientierten höhere Werte bei Vorurteilen als bei der Gesamtbevölkerung, bei transreligiös Orientierten dagegen geringere. Nicht Religiosität überhaupt, sondern ihre spezifische, beispielsweise exklusivistische beziehungsweise inklusive Ausrichtung hat Einfluss auf die Ausprägung von Vorurteilsstrukturen.

Der Kommentar von *Detlev Pollack* stellt zunächst den innovativen Charakter dieses Ansatzes in der differenzierten Erfassung von Religiosität heraus. Anders als die Fokussierung auf die Unterscheidung von mono- und transreligiöser Orientierung sieht er aber die zentrale Rolle beim

Verhältnis von personaler und sozialer Religiosität. Daher wäre aus seiner Sicht die zentrale Frage zu klären, inwieweit Religiosität als soziale Praxis gemeinschaftlich gepflegter Kirchlichkeit vor gruppenspezifischen Vorurteilen schützt. Als weiteren wesentlichen Punkt stellt er das Verhältnis zwischen mono- und transreligiöser Orientierung bei den „Hochreligiösen" heraus, indem er eine Polarisierung der inhaltlichen religiösen Ausrichtung erkennt und darin für das kirchliche Handeln die Herausforderung sieht, einerseits mit der Intensivierung von Religiosität und andererseits mit der Polarisierungstendenz umgehen zu müssen, die dann auch die Polarisierung von politischen Einstellungen und Vorurteilsstrukturen betrifft.

Alexander Yendell analysiert in seinem Beitrag sozialpsychologische Erklärungsmodelle zum Zusammenhang von Religiosität und rechtsextremistischen Einstellungen wie gruppenbezogenen Vorurteilen. Dieses Forschungsfeld stellt eine Erweiterung der klassischen Religionssoziologie dar, die insbesondere seit 9/11 an Bedeutung gewonnen hat. Sie betrifft jedoch nicht nur die konflikthafte Konstellation zwischen westlicher und islamischer Welt, sondern auch den bereits älteren, auf das Judentum angewendeten „Sündenbockmechanismus". Die von Adorno und anderen entwickelte Theorie der autoritären Persönlichkeit ist einer der frühesten Erklärungsansätze, der auf der Vorstellung beruht, dass in der Kindheit erworbene, aber nicht ausgelebte Hassgefühle auf fremde und als minderwertig empfundene Adressaten projiziert werden. Religiöse Vorstellungen spielen dabei eine nicht unbedeutende Rolle, weil „intrinsische" Religiosität zur Hemmung dieser Mechanismen beitragen kann. Hier liegt die Grundlage für die in der Studie wesentliche Differenzierung der Religiositätsmessung und insbesondere der Unterscheidung von Aberglauben. In einem engen Zusammenhang damit steht das Konzept der Verschwörungsmentalität auf der einen Seite und der sozialen Dominanzorientierung auf der anderen. In Kombination mit der Social-Identity-Theorie kommen dabei wiederum Zusammenhänge mit Religiosität in den Blick, sofern es dabei um die Rolle und Form religiöser Gruppenidentitäten in komplexen politischen Konstellationen geht. Sie treten vor allem im Kontext von (wahrgenommener) äußerer Bedrohung auf, die von der Terror-Management-Theorie als grundlegenden Erklärungsansatz herangezogen wird: In realen, wie symbolisch kodifizierten Bedrohungssituationen erhält der Bezug auf eigene Symbolsysteme und die Abwertung anderer besonders Gewicht. Mit Religiosität verbundene pro-soziale Einstellungen können hier wiederum Gegenkräfte bilden. Mit der Deprivationsthese und der Integrated-Threat-Theorie werden diese Bedrohungsaspekte weiter differenziert und in ihrer

Erklärungskraft für die Genese fremdenfeindlicher Einstellungen präzisiert. Die Kontakthypothese wird schließlich als ein „Gegenmodell" herangezogen, das den Abbau von Vorurteilen bewirken beziehungsweise dem Aufbau von Stereotypen entgegenwirken kann. Abschließend ordnet Yendell diese Erklärungsansätze selbst in den Rahmen des Mehrebenen-Ansatzes ein, der die Grundlage der empirischen Studie bildet.

Zum zweiten Teilprojekt, der Analyse von Online-Kommunikaten, die auf die Seenotrettungs-Initiative der EKD (*united4rescue*) reagieren, stellen *Kristin Merle* und *Anita Watzel* die Voraussetzungen und Zugangswege zur Konstruktion eines populistischen Masternarrativs vor, das in den einzelnen Kommunikaten jeweils in einzelnen Momenten und in unterschiedlichen Abwandlungen aufgefunden werden kann. Das Kernmotiv dieses Masternarrativs wird durch die Imagination des „deutschen Volkers" als einer ursprünglichen Größe gebildet und durch seine christliche Sozialstruktur geprägt, das durch feindliche Kräfte in seinem Inneren (Verrat, Eliten) zerstört und durch äußere Kräfte bedroht ist. Die Kirchen beziehungsweise ihrer Vertreter*innen werden in den Kommunikaten als Teil dieser feindlichen Kräfte, insbesondere der Eliten, gesehen und des Verrats an ihrer eigenen (christlichen) Identität bezichtigt. Im Folgenden stellen die Autorinnen zwei wichtige Differenzierungsmerkmale heraus: Das eine sind mit einzelnen Narrativfragmenten einhergehende Affekte, das andere, je nach Kontext, in dem die Online-Kommunikate verfasst wurden, unterschiedliche Gewalthaltigkeiten der Sprache, was nach differenzierten Reaktionen verlangt. Für die Kirche von besonderer Bedeutung ist hier, dass eine auf die eigene Gruppenidentität begrenzte Vorstellung von „Nächstenliebe" zu einer Art Host Ideology wird, mit der das Masternarrativ christliche Vorstellungen nutzt beziehungsweise usurpiert. Der Beitrag mündet in der Frage, wie in einer pluralitätsorientierten Theologie wiederum Abgrenzungen gegen diese Formen der Vereinnahmung möglich sind, ohne Gesprächsfäden abreißen zu lassen.

An diesem Punkt setzt der Beitrag von *Aletta Diefenbach* an, indem sie in einer affektsoziologischen Perspektive nach der affektiven Prägung des Forschungsstandpunktes fragt und seine Auswirkung auf den Forschungsgegenstand diskutiert. Ihre Intention richtet sich darauf, durch den affektsoziologischen Zugang die Vielschichtigkeit der Affektladungen in den analysierten Kommunikaten deutlich zu machen und zu fragen, in welcher Weise der eigene affektive Standpunkt für weitergehende Affizierungsweisen und Gefühle darin sensibilisiert werden kann. Der von den Forscherinnen offengelegte eigene Standpunkt einer „kritischen aufgeklärten Theologie" ist nicht nur positiv affiziert mit Menschenrechten, liberaler Demokratie und Solidarität mit Marginalisierten. Er verortet sich auch selbst in einer pluralitätsgeprägten und pluralitätsfähigen Kirche und Theologie. Gleichwohl ist er von einer affektiven Perspektive auf rechte Narrative geprägt, der vormalig die Momente von Hass und Hetze darin zum Gegenstand macht. Diefenbach zeigt an einem Beispiel, wie auch Aspekte von Aufrichtigkeit und Integrität affektiv adressiert werden und darin weitere Affektivitäts-Dimensionen ins Spiel kommen, die für eine mögliche kirchliche Diskursantwort andere Anschlussmöglichkeiten bieten können. Neben der Distanzierung von den Hatespeech-Gehalten könnte gegebenenfalls auch ein Bezug auf christlich-liberale Werte und religiöse Ideen wie Nächstenliebe in den Kommunikaten Ansatzpunkte für eine erweiterte Sichtweise und Kommunikationsstrategie bieten.

Zentrale Ergebnisse aus ihrer ethnografischen Studie zur politischen Kultur in Kirchengemeinden stellen *Claudia Schulz, Manuela Barriga Morachimo* und *Maria Rehm* vor. In vier Fallstudien zu einer „liberalen" und einer „bürgerlichen Gemeinde West" und einer „traditionellen" und einer „innovativen Gemeinde Ost" wird aufgezeigt, wie die Gemeinden entweder auf externe Impulse mit einer politischen Auseinandersetzung reagieren, beispielsweise auf ein Vorkommnis mit Gewalt im Zusammenhang mit Flüchtlingsaufnahme vor Ort, oder durch eigene Impulse sich politisch engagieren, beispielsweise beim Thema Nachhaltigkeit. Diese konkreten Beispiele werden anhand der Dimensionen Struktur und Rolle, Theologie und soziale Verantwortung analysiert. In allen drei Dimensionen geht es um einen Aushandlungsspielraum in einer Spannung zwischen traditionellen Festlegungen und Erwartungen und den Herausforderungen durch eine neue Praxissituation. Mit der Beschreibung am konkreten Praxisbeispiel des Umgangs mit einem Gewaltereignis, bei dem ein Gemeindemitarbeiter durch einen Menschen mit Fluchterfahrung verletzt wurde, werden vier grundlegende Aspekte herausgearbeitet: „Zeit und Prozess", „Intention des Formats", „Beteiligung und Repräsentation" und „Bearbeitungsmodus". Daraus ergeben sich die Konturen einer Prozessstruktur, von der die Konfliktfähigkeit von Gemeinden ermöglicht und unterstützt und ihre politische Kultur gestärkt wird.

Horst Gorski reflektiert in seinem grundsätzlichen Beitrag die Rolle und Aufgabe von Kirche als Institution im Institutionenzusammenhang der modernen Gesellschaft. Er benennt vor dem Hintergrund der Systemtheorie Niklas Luhmanns das Problem der Moralisierung von Diskursen als eine fundamentale Herausforderung der Kirche, die sich auch im Ansatz des

Verbundprojekts spiegelt. Die Verantwortung von Kirche als Institution, deren Aufgabe in der gesellschaftlichen Integration in das Religionssystem liegt, sieht er in einem Spannungsverhältnis zur Moralisierung von Diskursen, die mit Schließungen und daher auch Exklusion und Polarisierung einhergehen. Demgegenüber wäre es die Aufgabe, Diskursräume offenzuhalten, um Spannungen integrieren und den gesellschaftlichen Zusammenhalt unterstützen zu können. Gleichwohl verweist er auf die Potenziale von Religion als soziale Praxis, die von Kirchengemeinden ermöglicht wird, und sieht darin die Ressource, die Kirche selbstbewusst in die Gesellschaft einzubringen hat: Kirche als Ort sozialer (religiöser) Praxis kann hemmend auf die Entwicklung von Vorurteilen einwirken. Diese Kirche als Ressource einer freien, offenen und demokratischen Gesellschaft zu verstehen, ist der mit der Institution verbundene Kernaspekt. Ihn gilt es mit den anderen Dimensionen des Kirchenbildes, Organisation und Bewegung bis zur NGO, zu vermitteln.

Implikationen für die Forschung am Sozialwissenschaftlichen Institut der EKD (SI) nimmt *Georg Lämmlin* mit seinem Beitrag in den Blick. Neben dem direkten Vergleich einiger Ergebnisse des Verbundprojektes mit Forschungen am SI, die durch Kooperationen im Vorfeld angelegt sind, verweist er insbesondere auf zwei zentrale Themen für weiterführende Forschung. Das eine ist die Frage, welche Faktoren entscheidend sind, dass Theologie zur Host Ideology für Rechtspopulismus wird, das andere die Frage der religiösen Identitätsbildung. Der Rahmen für alle von ihm erwähnten Forschungsfragestellungen stellt die religiöse Kommunikation in verschiedenen Arenen dar, deren Rezeptionsmodi und Responsivitätsgehalt dabei zentrale Bedeutung zukommen.

Olga Janzen fokussiert mit ihrem Beitrag methodische Fragen in der Erforschung von Vorurteilsstrukturen und hierbei insbesondere von Rassismus. Dabei beschreibt sie mehrere Herausforderungen, die die Forschung wie die Forschungsförderung anzugehen haben, soll das gesellschaftliche Phänomen adäquat vermessen und verstanden werden. Dies sind die in der Umfrageforschung zum Einsatz kommenden Indikatoren, deren theoretische Herleitung, die Beschränkung auf die individuelle Einstellungsebene und in besonderem Maße die Befragtenpopulationen. Nur wenn man auch die durch Rassismus Betroffenen und deren Erfahrungen in die Analyse einbezieht, kann man zu einer umfassenden Beschreibung des Phänomens gelangen und es gesellschaftlich bearbeiten.

Ruth Heß vertieft in ihrem Beitrag das Thema, das sich als besonders problematisch erwiesen hat: den Genderdiskurs in der theologischen Debatte. Sie zeigt, wie in einem Dreiklang von Rahmengrammatiken (die vermeintlich von Gott gewollte Zweigeschlechtlichkeit), Applikationen (modernisierte Varianten) und Katalysatoren (Dramati-/Dämonisierungen der liberalen Position) die „Rückkehr zur natürlichen Ordnung" als Notwendigkeit proklamiert wird. Wie dieses funktioniert, zeigt Heß anhand mehrerer Texte von Joseph Ratzinger/Benedikt XVI, in denen das Naturrecht als Rahmengrammatik dient und die modernisierte Applikation die Ökologie des Menschen darstellt. Die detaillierte Analyse zeigt, wie es gelingt, dass sich „[i]m religiösen Gewand [...] illiberale Geschlechterpolitiken von einer säkularen Öffentlichkeit offenbar nur schwer entschlüsseln [lassen]. Wo sie undurchsichtig bleiben, entgehen sie aber auch der kritischen Reflexion." Über diesen Weg finden radikale Positionen des Anti-Genderdiskurses Einzug in die bürgerliche Mitte, die zum Teil durch rasche gesellschaftliche Entwicklungen verunsichert sei. Aufgabe einer Kirche, die eine derartige „Entkernung" ihrer Theologie nicht unwidersprochen hinnehmen wolle, sei es, dem etwas entgegenzusetzen.

In seinem Beitrag zu den Politikkonzepten des Rechtspopulismus – Empörung als Methode – widmet sich *Martin Becher* der Frage, welche Lücken für den Umgang mit menschenfeindlichen und rechtsextremistischen Tendenzen auch nach den Erkenntnissen aus den drei Teilstudien des Verbundprojektes noch bestehen. Für ihn ist es die Frage der Haltung gegenüber den Menschen, bei denen diese Phänomene sichtbar werden. Die rechtspopulistische Kommunikationsstrategie, die Becher mit mehreren Punkten umreißt, spricht seines Erachtens dafür, und die Wahlforschung gibt ihm in diesem Punkt recht, dass besonders die „Somewheres" (D. Goodhardt) erreicht werden. Relevant wäre für die Kirche nunmehr, eine wertschätzende Haltung dieser Personengruppe gegenüber zu entwickeln, die grundsätzlich für die Demokratie (zurück-)gewonnen werden kann.

Henning Flad beschreibt in seinem Beitrag die Geschichte der Bundesarbeitsgemeinschaft Kirche und Rechtsextremismus (BAG K+R), die maßgeblich zur Entstehung der Arbeitsprozesse, die letztlich zum Verbundprojekt führten, beigetragen hat. Im Rahmen des Widerstandes gegen die Demonstrationen Rechtsextremer in Dresden zu den Jahrestagen der Bombardierung der Stadt im Februar 1945 entstanden und 2010 offiziell gegründet, ist das ökumenische Netzwerk mit einer Geschäftsstelle unter dem Dach der Aktion Sühnezeichen Friedensdienste e.V. (ASF) eine Mittlerin zwischen Kirchen und zivilgesellschaftlichen Akteur*innen in allen Bereichen, die den Themenkomplex Antisemitismus, Rassismus, Rechtsextremismus, Gruppenbezogene Menschenfeindlichkeit und Demokratiegefährdung betreffen. Von Beginn gehörte zum Selbstverständnis, dass man nur Teil der Lösung werden könne, wenn man sich selbst als Teil des Problems begreife, das heißt in den eigenen Reihen, in der eigenen Geschichte und Gegenwart, in Theologie und Organisationen, in Schriften und unter Mitgliedern und Mitarbeiter*innen die Augen vor entsprechenden Äußerungen nicht zu verschließen, sondern aktiv zu bearbeiten. Dies erfolgt sowohl durch persönliche Beratung wie durch Veranstaltungen, Schriften und anderem, in denen es auch um die Auseinandersetzung mit Angriffen von rechts gegen die Kirchen, deren Einrichtungen und Vertreter*innen geht.

Wir möchten dieses Vorwort schließen mit Dank an diejenigen, ohne die diese Publikation nicht möglich gewesen wäre. Dies ist zunächst einmal Dr. Jil Weisheit, die das Projekt in der „heißen" Phase koordiniert, die Kommunikation untereinander aufrechterhalten, die Publikationsstrategie miterarbeitet und vor allem auch von Seiten des SI die Tagung maßgeblich vorbereitet und organisiert hat. Wir danken Dr. Petra-Kristin Bonitz für die präzise Durchsicht der Texte und Beate Bernstein vom Nomos-Verlag für die Unterstützung und Zusammenarbeit. Wir danken der Evangelischen Akademie zu Berlin, namentlich Dr. Christian Staffa, für die Tagungsorganisation und der Bundesarbeitsgemeinschaft Kirche und Rechtsextremismus, namentlich Henning Flad, für die konstruktive Zusammenarbeit. Wir danken der Evangelischen Kirche in Deutschland herzlich dafür, dass sie die Durchführung der Tagung finanziell ermöglicht hat, und wir danken der Ratsvorsitzenden, Präses Dr. Annette Kurschus für ihr unterstützendes Grußwort. Und wir danken allen Autor*innen für die Beteiligung an der Tagung und die pünktliche Ablieferung der Texte.

Grußwort zur Tagung „Zwischen Nächstenliebe und Abgrenzung. Ergebnisse der EKD-geförderten Verbundstudie zu Kirche und politischer Kultur" am 16. Mai 2022 in Berlin-Schwanenwerder

Von Annette Kurschus

Das Friedhelm-Eigenbrodt-Axiom, meine sehr verehrten Herren und Damen, liebe Brüder und Schwestern, hat sich bestätigt. So könnte man, extrem zugespitzt, das Ergebnis der Verbundstudie zusammenfassen. Der Begründer dieses nach ihm benannten Axioms hat es auf den griffigen Satz gebracht: *„Italien ist an sich ein wunderbares Land – nur auf die Italiener kann ich verzichten."* Das sagt der Lebemann Dr. Friedhelm Eigenbrodt alias Dieter Hildebrandt in der Kultkomödie „Man spricht deutsch" von Gerhard Polt. Der ist gerade 80 geworden; und sein ätzender und zugleich menschenfreundlicher Humor kam mir gerade recht beim Lesen über ätzendes menschenfeindliches Denken in unserer kirchlichen Mitgliederschaft.

Übertragen auf die Kirche hieße das: *„Die Kirche ist an sich eine wunderbare Einrichtung – nur auf die Mitglieder können wir verzichten."* Die Evangelische Kirche ist großartig, da ist jeder Mensch zu Gottes Ebenbild geschaffen, da ist nicht Jude noch Grieche, nicht Sklave noch Freier, nicht Mann noch Frau. Da hat man gleich drei Frauen an der Spitze, da gibt es keinen Antisemitismus, und gleichgeschlechtliche Liebe gilt als Gottesgeschenk. Da sieht man in jedem Fremden das Angesicht Jesu Christi und liebt den Mitmenschen wie sich selbst – wenn nur die Mitglieder nicht wären! Die nämlich finden die Juden nicht ganz geheuer, stoßen sich an Schwulen, halten die Genderdebatte für Kokolores, meinen, irgendwann müsse es doch mal gut sein mit Frauenrechten, haben Ressentiments gegenüber Fremden und posten auch gern mal den einen oder anderen Hass-Beitrag.

Die Kirchenmitglieder sind ein Spiegelbild der Gesellschaft: Wir sind nicht besser als die anderen. Wir sind auch nicht schlimmer; wer das befürchtet hatte, kann aufatmen.

„Wir": Damit sind wir bei einem der Lieblingsworte kirchlicher Rede. „Wir" ist durchaus kein unschuldiges Wort, eben nicht lediglich ein Personalpronomen in der 1. Person Plural. „Wir" ist ideologieanfällig, es eignet sich ebenfalls bestens als host-ideology, von der in der Studie die Rede ist. „Wir" ist ein Lieblingswort auch des Populismus. Man kann damit die großen Gefühle massieren – und man kann damit Meinungen manipulieren. Es klingt inklusiv, ist aber auch eine Grundvokabel im Wörterbuch des Ausschließens, denn wo ein „Wir" ist, da ist oft auch ein „Die". Um hier bei uns zu bleiben: Reden „wir" hier denn nicht über „die"? Über die Mitglieder, auf die „wir" manchmal am liebsten verzichten möchten?

„Die" sind „wir": Das ist die ungemütliche Erkenntnis der Studie, auch wenn sie irgendwie beruhigend feststellt, dass es Unterschiede gibt. Die aktiven und identifizierten Mitglieder sind im Gros toleranter, nur nicht in Bezug auf Genderfragen und gleichgeschlechtliche Liebe. Das ist keine Petitesse. Ich empfehle Ihnen für die Tagung, besonderes Augenmerk darauf zu legen. Allein dass jemand Mitglied unserer Gemeinde ist, bewahrt ihn nicht in größerem Maß davor, nach rechts zu driften. Und unsere Mitglieder, die mit Populismus poussieren, fühlen sich von dem, was sie in ihrer Kirche hören, nicht so gestört, dass sie deswegen austreten. Sie bleiben. Es gäbe bessere Nachrichten.

Aber auch schlechtere. Wäre es nicht schlechter, diese Menschen wanderten völlig in Parallelwelten aus? Ist es nicht ganz gut, dass sie bleiben? Ist es nicht ganz gut, dass sie noch erreichbar sind – über Gemeindebriefe, in Trauer-, Trau- und Taufgesprächen, im Heiligabendgottesdienst, bei der Konfirmation? Ich meine: Ja. Es hilft doch nichts, auf Ausgrenzung mit Ausgrenzung zu antworten. Das wäre kurzsichtig und spielte letztlich dem Populismus in die Hände.

Gewiss, in Einzelfällen muss es durchaus heißen: Schluss jetzt, Hausverbot!

Aber es geht vor allem um die auf der Kippe; um diejenigen, die oft gar nicht so wirken, aber tatsächlich zutiefst verunsichert sind. Die lassen sich erreichen – durch ein Mehr an Zuhören, Beziehung, Begegnung – und, ja, ein Mehr an Streit. Wie sollte das anders sein? Von Beginn an gab es Koinonia – die Gemeinschaft und Teilhabe – nicht in eitler Eintracht und Harmonie, immer wurde dort auch leidenschaftlich gerungen und gestritten. Der Apostel Paulus klingt häufiger so, als müsse er sich mit seinen eigenen Worten überzeugen: *„Da ist nicht Mann noch Frau …".*

Sie haben sich hier zusammengefunden, um daran weiterzuarbeiten, wie das gehen kann. Sie werden nicht zu Lösungen kommen. Das Problem wird bleiben – und die Aufgabe wird bleiben, sich mit menschenfeindlichen Meinungen auseinanderzusetzen. Wir werden darin nicht nachlassen, denn das Friedhelm-Eigenbrodt-Axiom gilt eben *nicht* für unsere Kirche. Gott sei Dank! Die Kirche ist kein Haufen von Eigenbrötlern, sondern Gemeinschaft der begnadigten Sünder*innen, die das Brot miteinander teilen.

Ich danke der Steuerungsgruppe, die das Projekt einer sozialwissenschaftlichen Verbundstudie zu Kirchenmitgliedschaft und politischer Kultur vorangebracht hat. Im Jahr 2013 wurde die Gruppe eingesetzt – seitdem ist jede Menge Initiative und Ausdauer und Expertise in die Studie geflossen. Nun liegt das Werk vor.

Ich wünsche allen Beteiligten – vor Ort oder digital zugeschaltet – eine gute, ergebnisreiche Tagung.

1.
Einführung

Das Verbundprojekt „Kirchenmitgliedschaft und politische Kultur"

Genese und Entwicklung aus Perspektive der EKD-Synode

Von Irmgard Schwaetzer

Es war ein langer Weg bis zur vorliegenden interdisziplinären Studie „Zwischen Nächstenliebe und Abgrenzung". Es gab lange Überlegungen, wie Erkenntnisse darüber zu erlangen seien, ob evangelische Christ*innen in Bezug auf rechte Einstellungen und Haltungen anders sind als nicht-religiöse Menschen. Der Weg begann in der EKD-Synode 2012.

Schon vorher hatte das Thema Rechtsextremismus in Deutschland die Synodalen bewegt, weil in Demonstrationen deutlich wurde, dass rechte Einstellungen sich in Teilen der Bevölkerung festgesetzt hatten. Auch in manchen Gemeinden wurde eine Verunsicherung spürbar, die sich an der Frage festmachte, wie weit evangelische Christ*innen rechte Einstellungen teilen. 2011 veröffentlichte die Synode einen Beschluss, der die Proteste gegen die großen Neonaziaufmärsche in Dresden 2011 aufgriff. In dem Beschluss wurde das Engagement von zivilgesellschaftlichen Initiativen, die sich für Demokratie und Menschenwürde einsetzen und gegen rassistische, antisemitische und rechtsextreme Einstellungen und Strukturen einstehen, gewürdigt. Die nachhaltige und dauerhafte Unterstützung zivilgesellschaftlichen Engagements für Demokratie und Toleranz und gegen Rechtsextremismus wird gefordert.[1]

Die Debatte um Rechtsextremismus hat sich im Jahr 2012 angesichts offener rechtsextremer, rassistischer und antisemitischer Gewalt verstärkt und verschärft. In ihrem Beschluss zum Rechtsextremismus stellt die Synode 2012 fest, dass es „auch im Raum der Kirche rechtsextremes, antidemokratisches und menschenfeindliches Gedankengut" gibt. Die Synode bittet den Rat, „vorhandene und geplante Erhebungen (in der Mitgliedschaft) zu sichten und auszuwerten und gegebenenfalls eine neue Untersuchung in

---

1 Beschluss zum Engagement gegen Rechtsextremismus vom 9. November 2011, online verfügbar unter: https://www.ekd.de/synode2011/beschluesse/beschluss_engagement_gegen_rechtsextremismus.html (abgerufen am 09.12.22).

Auftrag zu geben". Das soll dazu dienen „biografische Ursachen und gesellschaftliche Kontexte solchen Gedankenguts besser verstehen, die Probleme genauer beschreiben und geeignete Konzepte und Präventionsmaßnahmen für alle Bereiche des kirchlichen Lebens erarbeiten zu können."[2]

Der Rat setzte eine Steuerungsgruppe ein, die beim Kulturbüro Sachsen eine Metaanalyse vorliegender Studien in Auftrag gab, die zwar erste Hinweise geben, aber erwartungsgemäß noch keine weiterführenden Schlussfolgerungen ziehen konnte. Eine Vertiefung der Auswertung vorhandener Daten, die die Synode 2013 beauftragte und am Sozialwissenschaftlichen Institut der EKD durchgeführt wurde, machte Bezüge in zwei Richtungen deutlich. Religion und Religiosität (das knüpft nicht an die Kirchenmitgliedschaft an) weisen Potenzial für zwei gegensätzliche Entwicklungen auf: einerseits kann fundamentale Abschließung und Aufladung mit Ressentiment eintreten, andererseits wird Religion und Religiosität zur Ressource für Toleranz und Schutz vor Vorurteilen.

Bereits in der ersten Auswertung vorhandener Daten 2013 war ein Hinweis auf die Rolle der Kommunikationskultur in einer Gemeinde interessant. Offene Gespräche über als Problem wahrgenommene gesellschaftliche Entwicklungen förderten tolerante Einstellungen, während eine von Tabus geprägte, geschlossene Kommunikation eher rechte Einstellungen förderte.

In ihrem Beschluss 2013 bittet die Synode auch darum, in einer weiteren Studie bei Kirchenmitgliedern „Vorurteilsstrukturen und manifeste menschenfeindliche Einstellungen im Raum der Kirche" aufzudecken und „Möglichkeiten einer angemessenen Prävention und Bildungsarbeit" aufzuzeigen. Die Arbeit soll von einer fachkompetenten Kommission begleitet werden.[3]

In den weiteren Beratungen im Rat und mit der Expertenkommission zu diesem Auftrag der Synode wurde die Komplexität der Fragestellungen und Ansätze deutlich, die verfolgt werden mussten, um zu aussagekräftigen Ergebnissen zu kommen. Klar wurde auch, dass die Kosten eines so komplexen Forschungsansatzes erheblich sein würden.

---

2 Beschluss zum Rechtsextremismus vom 7. November 2012, online verfügbar unter: https://www.ekd.de/synode2012/s12_01_i_4_beschluss_rechtsextremismus.html (abgerufen am 09.12.22).

3 Beschluss zum Rechtsextremismus vom 12. November 2013, online verfügbar unter: https://www.ekd.de/synode2013/s13_i_8_beschluss_rechtsextremismus.html (abgerufen am 09.12.22).

Es wurde deshalb ein weiterer Zwischenschritt gemacht. Eine qualitative Studie wurde 2014 in drei unterschiedlichen Kontexten durchgeführt, nämlich in einer Kirchengemeinde einer westdeutschen Großstadt, einer ostdeutschen Kleinstadtgemeinde und einer Dorfgemeinde in Südwestdeutschland. Im Ergebnis zeigte sich, dass zwar einerseits in allen untersuchten Kontexten „gruppenbezogene Menschenfeindlichkeit" in Form von Antisemitismus, Homophobie und Islamophobie anzutreffen ist, dass aber andererseits auch starke Faktoren von Resilienz festgestellt wurden, insbesondere dort, wo lebendiger persönlicher Glaube und eine Orientierung an gelebter Mitmenschlichkeit zusammengehen[4]. 2016 berichtete der Rat an die Synode dazu: „ein Schlüsselfaktor sind die faktischen, wenn auch gemeinhin impliziten politischen Kulturen in Kirchengemeinden, die sich darin zeigen, ob es Räume für Austausch, Dialog und Begegnung auch über unterschiedliche Grundhaltungen hinweg gibt oder ob der Raum des Sagbaren relativ eng festgelegt ist." Diese qualitative Studie erlaubt keine Aussagen in quantitativer Hinsicht. Es kann also nicht gesagt werden, wie weit die Einstellungen verbreitet sind.

Im August 2017 fand eine wissenschaftliche Tagung statt, die sich mit der Weiterarbeit an dem Thema befasste, das für die Kirche insgesamt vor allem im Hinblick auf Kommunikations- und Beteiligungskulturen in Gemeinden und die zukünftige Ausrichtung von Bildung bedeutsam ist.

Die Fachleute empfahlen ...

a) eine quantitative Studie zum Verhältnis von religiöser Praxis und politischen Haltungen,
b) eine Aufarbeitung von diskriminierenden Texten, Reden, Zuschriften in Bezug auf religiöse Argumentationsmuster,
c) das weitgehend unerforschte Gebiet der internen „politischen Kultur" in Kirchengemeinden zu bearbeiten und herauszufinden, wie Kirche an ihrer sozialen Basis im lokalen Gemeinwesen tatsächlich agiert.

Im schriftlichen Ratsbericht an die Synode 2017 wird über die Fachtagung ausführlich berichtet.[5] Damit war die Grundkonzeption der Studien umrissen, die in den vergangenen drei Jahren durchgeführt wurden.

---

4 Lobermeier, Olaf; Klemm, Jana; Strobl, Rainer (2016): *Abschlussbericht Kirchenmitgliedschaft und politische Kultur. Ausprägungen von Elementen Gruppenbezogener Menschenfeindlichkeit unter Mitgliedern der evangelischen Kirche*, Hannover.
5 Der Bericht kann abgerufen werden unter: https://www.ekd.de/bericht-des-rates-der-ekd-schriftlicher-teil-29810.htm (abgerufen am 09.12.22).

Die Synode hat sich zuletzt 2018 mit dem Themenkomplex befasst. Im Beschluss „Gefahren des Rechtspopulismus – Kirche und Gesellschaft demokratisch gestalten"[6] heißt es in der Präambel, bevor konkrete Forderungen formuliert werden: „Wir sind überzeugt, dass das Evangelium von Jesus Christus Klarheit von uns verlangt. Deshalb können wir uns nicht neutral verhalten, wenn Menschen ausgegrenzt, verachtet, verfolgt oder bedroht werden. Mit vielen anderen auch außerhalb der Kirche stehen wir für eine offene, tolerante und gerechte Gesellschaft."

Eine der konkreten Forderungen lautet: „… eine theologische Weiterarbeit an Kriterien für eine Auseinandersetzung mit nationalistischen, völkischen und rechtspopulistischen Positionen in Auftrag zu geben und Formate entwickeln zu lassen, die eine breite Diskussion über die demokratische Gestaltung unserer Gesellschaft anregen."

Die Ergebnisse der drei Studien zu „Zwischen Nächstenliebe und Abgrenzung" liegen vor. Wir erfahren darin viel über die Lebenswirklichkeit von Christ*innen in einer säkularen Gesellschaft, über die Lebenswirklichkeit evangelischer Gemeinden in Deutschland, über Zusammenhänge von tradierten Bildern und Vorurteilen. Wir bekommen Hinweise darauf, wie wichtig offene Kommunikation und Beteiligung in Gemeinden ist. Wir können Hoffnung haben, dass Veränderung möglich ist. Wir vertrauen darauf, dass Gemeinden in der Einübung einer offenen, transparenten und partizipativen politischen Kultur ihren Teil zur Stärkung der Demokratie und zum Zusammenhalt in der Gesellschaft beitragen.

Materialien

Beschlüsse der Synode der EKD
Umsetzungsberichte des Rates der EKD zu den Beschlüssen der Synode der EKD
Ratsbericht schriftlich 2017
Alle Materialien unter https://www.ekd.de/Synoden-der-EKD-Archiv-19487.htm.

---

6 Online verfügbar unter: https://www.ekd.de/ekd_de/ds_doc/3g-2-Beschluss-zu-G efahren-Rechtspopulismus-Kirche-und-Gesellschaft-demokratisch-gestalten.pdf (abgerufen am 09.12.22).

Das Verbundprojekt „Kirchenmitgliedschaft und politische Kultur"

Genese und Entwicklung aus Perspektive der EKD-Steuerungsgruppe

Von Hilke Rebenstorf

Im November 2012 beschloss die Synode der EKD, den Rat zur Einsetzung einer Steuerungsgruppe „Kirche und Rechtsextremismus" aufzufordern.[1] Diese trat im März 2013 erstmals zusammen. Institutionell vertreten waren darin die Abteilung „Kirche und gesellschaftliche Verantwortung" im Kirchenamt der EKD, die Bundesarbeitsgemeinschaft Kirche und Rechtsextremismus (BAG K+R), die Aktion Sühnezeichen/Friedensdienst (ASF), die evangelische Akademie zu Berlin (eab) und das Sozialwissenschaftliche Institut der EKD (SI). Damit begann ein unglaublich spannender und, unter wissenschaftlichen Gesichtspunkten, nahezu optimaler Prozess des Erkenntnisgewinns und der Wissensgenerierung. Der Auftrag der Steuerungsgruppe bestand darin, vorhandenes (empirisches) Wissen über die Verbreitung rechtsextremen und antidemokratischen Denkens unter Kirchenmitgliedern zu sichten und gegebenenfalls weitere Forschung in Auftrag zu geben, um Ursachen und Zusammenhänge für derartige Einstellungen zu erhellen und damit Konzepte zur Prävention und Bearbeitung zu ermöglichen. Im synodalen Sitzungsrhythmus von jeweils einem Jahr wurden in der Folge Berichte vorgelegt und der Auftrag von der Synode über den Rat jeweils neu präzisiert.

1 Schrittweiser Erkenntnisprozess

Im ersten Schritt wurde eine Meta-Studie in Auftrag[2] gegeben, über empirische Studien zu Rechtsextremismus, Fremdenfeindlichkeit beziehungsweise Rassismus, Antisemitismus. In dieser sollte vergleichend zusammengefasst werden:

---

1 Vgl. dazu den Beitrag von Schwaetzer in diesem Band.
2 Die Meta-Studie wurde 2013 von Mitarbeiter*innen aus dem Kulturbüro Sachsen durchgeführt.

– Welche Populationen wurden untersucht?
– Welche Definitionen angewandt?
– Welche theoretischen Ansätze lagen den Studien zugrunde?
– Wie wurden die verschiedenen Dimensionen von Rechtsextremismus und Vorurteilen operationalisiert?
– Welche Erkenntnisse gab es im Hinblick auf Kirchenmitglieder und Religiosität?

Die meisten Studien waren mit politikwissenschaftlichen Ansätzen durchgeführt worden, das Ergebnis ernüchternd: nach Religiosität war in diesen Studien kaum einmal gefragt worden, und wenn, dann eindimensional. Mit Blick auf Unterschiede in den Vorurteilsstrukturen der Angehörigen unterschiedlicher Konfessionen oder Konfessionslosen zeigten sich uneinheitliche, teils gar widersprüchliche Ergebnisse.

Die Steuerungsgruppe vertrat daher die Ansicht, bevor eine eigene Studie in Auftrag gegeben werden sollte, wäre es besser – und wissenschaftlich redlich – zunächst eine Sekundäranalyse von den der wissenschaftlichen Öffentlichkeit zugänglichen Umfragedaten durchzuführen, in denen sowohl differenzierte Informationen zur Religiosität[3] wie auch zu verschiedenen Vorurteilsdimensionen enthalten sind. 2014 wurden in diesem Sinne die Daten der European Values Study (EVS) von 2008, der Allgemeinen Bevölkerungsumfrage in den Sozialwissenschaften (Allbus) von 2012 sowie des World Values Survey (WVS) von 2013 am SI[4] analysiert. Die Ergebnisse brachten erste empirische Hinweise darauf, dass sowohl das konkrete Gottesbild, der mit der eigenen Religion verknüpfte Wahrheitsanspruch und die allgemeine (A-)Religiosität im Zusammenhang stehen mit verschiedenen Dimensionen der gruppenbezogenen Menschenfeindlichkeit (GMF). Dabei zeigte sich, dass Religiosität in verschiedene Richtungen wirken kann, je nachdem, um welches Vorurteil beziehungsweise welche Dimension der GMF es sich handelt, und welches Gottesbild, welche Intensität der Religiosität und Ähnliches vorliegt.

---

3 Von bestehenden Theorieansätzen ausgehend schien es sinnvoll, Religiosität in verschiedene Dimensionen in Anlehnung an das mehrdimensionale Modell von Huber (Huber, Stefan/Huber, Odilo W. (2012): The Centrality of Religiosity Scale, in: *Religions*, Jg. 3, Heft 3, S. 710–724) zugrunde zu legen, wie das Gottesbild, öffentliche und private religiöse Praxis, religiöse Erfahrung, Bedeutung der Religion im eigenen Leben.
4 Die Analysen nahm die Autorin selbst als Mitglied der Steuerungsgruppe und Mitarbeiterin am SI vor.

Die uneindeutigen Ergebnisse zum Zusammenhang von Religiosität und Vorurteilen beziehungsweise Ablehnung spezifischer Gruppen veranlasste die Steuerungsgruppe zu der Empfehlung, vor einem großangelegten eigenen Forschungsprojekt zunächst eine explorative Pilotstudie aufzulegen, in der mittels qualitativer Methoden dem nachgegangen werden sollte, was als Ambivalenz in den widersprüchlich erscheinenden Ergebnissen der quantifizierenden Forschung durchschien. Zugleich sollte die Möglichkeit ergriffen werden, in so einer Studie auch Kontextfaktoren mit zu berücksichtigen, wie man sie in den sozialen Settings von Kirchengemeinden findet. Dieses Vorhaben wurde 2015 umgesetzt.[5] Auch hier zeigte sich wieder, dass Religiosität je nach Ausprägung und individueller Entwicklung in unterschiedlichem Zusammenhang mit Vorurteilen – hier mit Antisemitismus, Islamfeindlichkeit und Homophobie – steht. Vor allem aber wurde ebenfalls deutlich, dass auch Vorurteile nicht eindimensional sind, sondern tatsächlich Ambivalenzen aufweisen: So bewunderten Befragte durchaus die Frömmigkeit, die sie im Islam zu sehen meinten und befürchteten zugleich eine Überfremdung durch ihn. 2016 wurden die Ergebnisse Synode und Rat präsentiert. Bei einem Fachtag mit Vertreter*innen aus Wissenschaft, Kirchenleitung und Praxis wurde der Bericht zur qualitativen Studie im August 2017 umfassend diskutiert und als Empfehlung abgeleitet, ein Forschungsprojekt von unabhängigen Wissenschaftler*innen durchführen zu lassen, das mit unterschiedlichen Forschungsmethoden und Blickwinkeln den Fragen nach dem Zusammenhang von Kirchenmitgliedschaft, Religiosität, Vorurteilen, Rechtspopulismus, GMF und damit auch der politischen Kultur nachgehen sollte. Hierfür schien es auch unablässig, sowohl die Theologie näher in den Blick zu nehmen, insbesondere Traditionshermeneutiken zu betrachten, an die in Anti-Elitendiskursen im Raum der Kirche bevorzugt angeknüpft wurde, als auch die gemeindliche Ebene – ist doch bekannt, dass Einstellungen sich auf Basis sozialer Interaktionen entwickeln und gestützt werden.

---

5 Die Studie wurde durchgeführt von Mitarbeiter*innen von proVal. Gesellschaft für sozialwissenschaftliche Analyse – Beratung – Evaluation.

2 Beeinflussung des Erkenntnisinteresses durch gesellschaftliche und politische Entwicklungen

Aufmerksamen Beobachter*innen der politischen Landschaft konnte nicht entgehen, was sich in dem Zeitraum, während dem die EKD-Steuerungs-gruppe arbeitete, an politischen Debatten entspann und nachgerade zu manchen gesellschaftlichen Polarisierungen führte, die auch vor der Kirche nicht haltmachten. Diese Entwicklungen blieben nicht ohne Wirkung auf die Fragestellungen, die die Steuerungsgruppe in ihre Arbeit einzubeziehen hatte. So war bereits das Jahr 2013, in dem die erste gemeinsame Sitzung stattfand und ein vorläufiger Fahrplan für die Tätigkeit skizziert wurde, durch zwei relevante Ereignisse geprägt. Innerkirchlich entspannen sich teils heftige Kontroversen nach Veröffentlichung der Orientierungshilfe zu Familien[6], in der nicht-traditionelle Familienformen grundsätzlich aner-kannt wurden, was manchen als Abwertung der klassischen Ehe erschien und vor allem die moderne Gretchenfrage zum Umgang mit Homosexuali-tät an die Oberfläche brachte.[7] Sie verdeutlichte, wie wichtig die Fragen waren, die die Synode mit ihrem Beschluss von 2012 adressiert und der Rat an die Steuerungsgruppe überwiesen hatte. Ebenfalls 2013 wurde die Partei Alternative für Deutschland (AfD) gegründet, damals noch in erster Linie als europaskeptische Wirtschaftspartei. Der sukzessive Wandel der AfD beziehungsweise die interne Kräfteverschiebung zugunsten des rechts-populistischen Flügels setzte Ende 2014 ein, als die ersten Demonstratio-nen der Patriotischen Europäer gegen die Islamisierung des Abendlandes (PEGIDA) in Dresden stattfanden und spätestens 2015 mit der Aufnahme Geflüchteter aus Syrien und anderen Kriegsgebieten, die zuvor in Ungarn gestrandet waren („Wir schaffen das!"), auf weitere Städte übertragen wur-de. Während des gesamten Zeitraumes wurden darüber hinaus auf Bundes-ebene zahlreiche gleichstellungspolitische Maßnahmen durchgeführt und in Gesetze gegossen, die für Anhänger*innen traditioneller Geschlechtsrol-len und Familienbilder eine Herausforderung darstellten. Die in jüngster

---

6 Evangelische Kirche in Deutschland (Hrsg.) (2013): *Zwischen Autonomie und Angewie-senheit. Familie als verlässliche Gemeinschaft stärken*, Gütersloh.

7 Debattenbeiträge verschiedener Veranstaltungen sind dokumentiert bei evangelisch.de, https://familienpapier.evangelisch.de/ (abgerufen am 13.12.2022). Dazu auch: Evange-lische Kirche in Deutschland (Hrsg.) (2013): *Zwischen Autonomie und Angewiesenheit – die Orientierungshilfe der EKD in der Kontroverse*, Hannover. Von nicht-binären Ge-schlechtsidentitäten war damals noch nicht die Rede – daran erkennt man vortrefflich, wie schnell sich Debatten ändern.

Zeit dann noch verstärkt problematisierten identitätspolitischen Diskurse, denen von vielen Seiten sprachpolizeiliches Verhalten vorgeworfen wird, und damit eine Beschneidung des Rechts auf freie Meinungsäußerung verschärften eine bereits auf hohem Erregungsniveau stattfindende öffentliche Debatte noch zusätzlich.

Was gesellschaftspolitisch eine enorme Herausforderung darstellt, für jede*n Einzelne*n im eigenen Umfeld, für Familien, Freundeskreise, Vereine und Ähnliches zum Teil Sprengkraft zu beinhalten schien und in den Kirchen auf allen Ebenen Handlungsbedarf hervorrief, forderte auch die Wissenschaft heraus – und damit auch die Steuerungsgruppe. Stand deren Arbeit – und ihre Bezeichnung als Steuerungsgruppe „Kirche und Rechtsextremismus" machte dies deutlich – noch in einer klassischen Forschungstradition, so erweiterte sich mit den gesellschaftlichen Entwicklungen auch das Feld der Bezugstheorien. Neben der Rechtsextremis- und Vorurteilsforschung wurden nun auch Ansätze der politischen Kulturforschung, Populismustheorien, Persönlichkeitstheorien, Genderforschung, Forschungen zu Sozialkapital und Zivilgesellschaft und das breite Feld der Wissenssoziologie relevant. All diese Forschungsfelder liefen gewissermaßen „auf Hochtouren", fortlaufend wurden neue Ergebnisse empirischer Forschung, meist lokal begrenzt, oder theoretische Weiterentwicklungen publiziert. Es gab auch ein verstärktes Interesse an der Thematik im Hinblick auf Kirchen – man denke an die Kreuze, die bei PEGIDA-Demonstrationen mitgeführt wurden, an Pfarrerpersonen, die bedroht wurden, an Auseinandersetzungen ums Kirchenasyl, an innerkirchliche Debatten um den Umgang mit homosexuellen Partnerschaften. Studien und Literatur zu dem Thema nahmen nahezu dramatisch zu, beantworteten uns aber nicht unsere Fragen beziehungsweise die von EKD-Synode und Rat.

Die Rezeption der erweiterten theoretischen Ansätze und neuerer empirischer Forschung bestärkte die Steuerungsgruppe darin, dass für die Erforschung des Zusammenhangs von Religiosität, Kirchenmitgliedschaft, Vorurteilen, Populismus, GMF und politische Kultur ein zumindest teilweise neues Instrumentarium an Erhebungsinstrumenten entwickelt werden müsste – wollte man nicht immer nur wieder dasselbe zutage fördern, sondern auch versuchen, die in den Vorstudien erkennbaren Ambivalenzen sowie die Übergänge von Konservatismus, Skepsis, Unsicherheit und Besorgnis hin zu manifesten Vorurteilen, Abwertungen, (Rechts-)Populismus und Demokratiefeindlichkeit zu ergründen. Deshalb war eine Bedingung, die den Forschungsteams gestellt wurde, die Kooperation untereinander – um die angestrebten Synergieeffekte auch tatsächlich erzielen zu können – und mit der Steuerungsgruppe. Da die Steuerungsgruppe selbst interdisziplinär zusammengesetzt ist, gab es in diesem Punkt eine Arbeitsteilung, in dem diejenigen Mitglieder, die mit einem Forschungsansatz und einer Methode besonders vertraut waren, mit dem entsprechenden Teilprojekt in engem Austausch standen. Regelmäßig stattfindende Workshops sowohl in den Teilprojekten wie auch mit allen Teilprojekten und der Steuerungsgruppe – während der Corona-Phase online – stellten diesen Austausch sicher.

3 Das (vorläufige) Ende eines langen Erkenntnisprozesses

Aus Sicht der Steuerungsgruppe ist mit der Publikation der Ergebnisse des Verbundprojektes zu Kirchenmitgliedschaft und politischer Kultur ein im wissenschaftlichen Sinne nahezu lehrbuchartiger Erkenntnisprozess zu einem vorläufigen Abschluss gekommen. Wie es im universitären Kontext mit der dort üblichen Forschungsförderung kaum mehr möglich ist, konnten für dieses Gesamtprojekt seit seinem formalen Beginn im Jahr 2013 tatsächlich die einzelnen Schritte so aufeinander abgestimmt werden, dass die Fragen, die sich aus dem einen Schritt ergaben, mit dem darauffolgenden Schritt zielgenau angegangen werden konnten – wie unter 1. geschildert. Und damit ist auch deutlich, warum es nur ein vorläufiges Ende geben kann: Allein schon die Diskussion der Ergebnisse, wie sie hier vorgelegt wird, die Implikationen für Wissenschaft, Kirchenleitung und Praxis, die erst noch umgesetzt werden müssen, eine eventuelle Praxisevaluation und die wissenschaftlichen Debatten, die sich um dann wieder neue Forschungsergebnisse entspinnen werden, treiben uns immer weiter an. Es wäre ja auch schade, wäre es anders.

Die Steuerungsgruppe hat aktuell keinen Auftrag mehr, wurde aber auch noch nicht aufgelöst. Deren Mitglieder stehen weiter im Kontakt miteinander und werden das Thema weiterverfolgen.

2.
Drei Teilstudien in der Diskussion

Kirchenmitgliedschaft, Religiosität, Vorurteile und politische Kultur

Kernergebnisse der quantitativen Studie Kirchenmitgliedschaft und politische Kultur

Von Gert Pickel und Susanne Pickel

Einleitung – Religion als Triebkraft für den Rechtspopulismus und Vorurteile?

Immer häufiger tauchen in den letzten Jahren Verweise dafür auf, dass religiöse Menschen nicht vor rechtspopulistischen und rechtsradikalen Gedanken oder Verschwörungsglauben geschützt sind. Seien es Demonstrationen der Querdenker*innen und Impfgegner*innen, bei denen christliche Symbole auftauchten, seien es Entwicklungen in anderen Ländern, wie zum Beispiel in Brasilien und in den USA, wo der Einfluss evangelikaler Gruppen rechtspopulistischen Politiker*innen einen vorher nicht vorstellbaren Aufstieg ermöglichte (Brockschmidt 2021). Eine bestimmte Form von Religiosität scheint anfällig für antidemokratische Positionen. Vorurteile, zum Beispiel gegen Migrant*innen, Muslim*innen, Jüd*innen oder eine Ablehnung sexueller und geschlechtlicher Vielfalt erweisen sich als Brückenideologien, um Wahlverwandtschaften zwischen Christ*innen und rechten Kräften herzustellen (Pickel 2018; Rebenstorf 2018). Diese Wahrnehmungen stehen in einem Gegensatz zur der oft geäußerten Annahme, dass christliche Religiosität aufgrund ihrer Aspekte der Friedfertigkeit und Nächstenliebe gegen Vorurteile, Rassismen und Abwertung anderer immun sei oder zumindest für deren Ausprägung hemmend wirke. Dieser Widerspruch zwischen vermehrten Einzelbeobachtungen und Annahme führt zu der Frage *„In welcher Beziehung stehen Kirchenmitgliedschaft und Religiosität zu Vorurteilen und einer demokratischen politischen Kultur?"*. Dieser Fragestellung hat sich ein seitens der Evangelischen Kirche in Deutschland (EKD) initiierter und finanzierter Forschungsverbund angenommen und über zwei Jahre hinweg untersucht (EKD 2022). Eines der drei dabei inkludierten Teilprojekte untersuchte die Forschungsfrage unter Nutzung

quantitativer Methoden der Sozialforschung und einer repräsentativen Bevölkerungsumfrage (Pickel et al. 2022: 24–27).

Der Befragungsteil der Studie mit Namen Kirchenmitgliedschaft und politische Kultur (KMPK) wurde in die regelmäßigen Erhebungen der Leipziger Autoritarismus-Studie (LAS) 2020 integriert (Decker/Brähler 2020).
Diese Kooperation ermöglichte durch die zusätzliche Nutzbarkeit verschiedener regelhaft seitens der LAS erhobenen Befragungsinstrumente (Rechtsextremismus, Autoritarismus, Antisemitismus in verschiedenen Formen,
Fragen zur Demokratie, Gewaltbereitschaft, Sozialstruktur und so weiter)
eine maßgebliche Erweiterung der Erhebungsinstrumente.[1] Dieser Kern an
Fragen wurde ergänzt durch ein größeres Set an Fragen zu Vorurteilen,
Bedrohungsgefühlen gegenüber Religionsgemeinschaften sowie einer differenzierten Erfassung von Religiosität (Huber 2022: 27–42).[2] Durch die
Konzeption der LAS als eine *Face-to-Face*-Befragung auf Selbstausfüllerba-
sis war es zudem möglich, auch (oft radikaler denkende) Personen zur Be-
antwortung der Fragen zu gewinnen, die in Telefonumfragen oftmals nicht
teilnehmen. Der kombinierte Datensatz von LAS und KMPK ermöglicht
es uns, mit Methoden der Einstellungsforschung strukturelle Erkenntnisse
über die Beziehung zwischen Religiosität und Vorurteilen herauszuarbei-
ten.

Konzeptionelles und Theoretisches[3]

Theoretisch-konzeptionelle Grundlage für die Entwicklung der Instrumente und die Interpretation ist die Vorurteilsforschung (zum Beispiel Allport
1979). Ein Grund hierfür ist die Brückenfunktion von Vorurteilen zu antidemokratischen Haltungen und einer antidemokratischen politischen Kultur, ein anderer liegt in einer bereits länger bestehenden Beschäftigung der
Vorurteilsforschung mit dem Verhältnis zwischen Religion und Vorurteilen.
Bereits der Urvater der Autoritarismusforschung, Theodor Adorno, wies in
seinen Studien zum autoritären Charakter auf die unterschiedlichen Wirkungen von Religiosität auf Vorurteile und antidemokratische Haltungen

---

1 In der Folge werden für die Studien nur noch die Abkürzungen verwendet.
2 Der besondere Gewinn der Studie liegt in der hohen Differenzierung von Religiosität
   und unterschiedlichen Verständnissen von Religiosität in Verbindung mit Vorurteilen
   und tragfähigen Instrumenten der politischen Kulturforschung. Zum Verständnis von
   politischer Kultur siehe Pickel/Pickel 2006.
3 Vergleiche hierzu auch den Beitrag von Yendell in diesem Buch.

hin (Adorno 1973: 282–302). Er beschrieb das Verhältnis als ambivalent. Allerdings maß er dem Aberglauben, oder wie man heute sagen würde Paraglauben, eine Vorurteile steigernde Wirkung zu (Schließler et al. 2020: 284–290). Sein zentraler Fokus richtete sich damals auf antisemitische Ressentiments, denen er aufgrund der Erfahrungen aus dem Nationalsozialismus eine besondere Bedeutung für antidemokratische Entwicklungen zuerkannte (Adorno 1973: 105–173). Zu einem ähnlichen Ergebnis kam der amerikanische Sozialpsychologe Gordon Allport. Auch er klassifizierte die Beziehung zwischen Religion und Vorurteilen als ambivalent: „Religion bears no univocal relationship to prejudice. Its influence is important, but it works in contradictory directions" (Allport 1979: 455). Damit gab er sich allerdings nicht zufrieden. So kam er zu der Überzeugung, dass bestimmte Verständnisse der eigenen Religion sich jeweils entweder Vorurteile hemmend oder diese bestärkend auswirken (Allport/Ross 1967: 432–443). Allport unterscheidet zwischen sicherheitsorientierten Traditionalist*innen, die sich gegenüber anderen Gruppen eher abgrenzen, und Universalist*innen, welche das Verständnis der Nächstenliebe in das Zentrum ihres Religionsverständnisses stellen und gegenüber anderen sozialen und religiösen Gruppen offen und nicht abgrenzend sind. Die zuerst genannte Gruppe ist mehr, die zweite weniger anfällig für Vorurteile als in der Bevölkerung generell üblich (Allport 1979: 450–455).

Doch was sind nun Vorurteile? Man kann ein Vorurteil als eine negative oder positive *Haltung* gegenüber Personen, Gruppen, Objekten oder Sachverhalten, die weniger auf direkter Erfahrung als vielmehr auf *Generalisierung* beruhen, verstehen. Gordon Allport (1979) definiert „[e]in Vorurteil ist eine ablehnende oder feindselige Haltung gegen eine Person, die zu einer Gruppe gehört, einfach deswegen, weil sie zu dieser Gruppe gehört und deswegen dieselben zu beanstandenden Eigenschaften haben soll, die man dieser Gruppe zuschreibt *(Stereotype)*". Vorurteile entstehen in Abgrenzungsprozessen und mit Bezug auf das eigene Selbstbewusstsein und Selbstwertgefühl – oder deren Fehlen. So ist es ein Ziel des Menschen, über eine gewisse Umweltkontrolle zu verfügen und ein positives Selbstkonzept zu besitzen (Taijfel 1982). Ergibt sich dies für das Individuum aus der Umweltsituation nicht von selbst, dann kann die gefühlte Zugehörigkeit zu einer Gruppe (soziale Identität) helfen, es wiederaufzubauen.

Das Problem ist nun, dass diese gefühlte Zugehörigkeit zu Problemen führen kann. Um das eigene Selbstwertgefühl hochzuhalten, muss die Gruppe eine gute Stellung in der Gesellschaft aufweisen. Tut sie dies, so sind Vorurteile nicht notwendig und es besteht so etwas wie eine

Ambiguitätstoleranz. Ist dieser Status aber nicht sicher, dann kann es zu Versuchen kommen, die Stellung der sozialen Gruppe, der man zugehört, zu erhöhen. An dieser Stelle setzt die *Social Identity Theory* an (Tajfel 1982). Sie beschreibt den Prozess der Erhöhung des eigenen Selbstwertgefühls über eine Erhöhung der eigenen Gruppe (*In-Group*) durch die Abwertung von anderen sozialen Gruppen, sogenannten *Out-Groups*. Alle drei Grund-prozesse der Vorurteilsbildung werden durchlaufen: Nicht zu der eigenen Gruppe gehörige Menschen werden *kategorisiert*, mit ungünstigen Eigen-schaften versehen (*stereotypisiert*) und darauf folgend *abgewertet* (Pickel 2022: 23–26). Besonders Minderheiten sind von diesen Abwertungsprozes-sen betroffen. Die Abwertung fällt zudem stärker aus, wenn sich ein Gefühl der Bedrohung durch die *Out-Group* ausbildet oder es zur Eigenerhöhung konstruiert wird. Dabei können – der integrierten Bedrohungstheorie nach (Stephan/Stephan 1996: 409–426) – sowohl symbolische (zum Beispiel Kopftuch, Minarette et cetera) als auch realistische (Kriegsgefahr, Angst vor terroristischen Anschlägen et cetera) Bedrohungen die Abgrenzungsprozes-se stabilisieren oder gar verstärken. Im ungünstigsten Fall kommt es zu einer Radikalisierung.

Damit wird deutlich, dass Gruppenprozesse Vorurteile bedingen kön-nen. Gleiches gilt für bestimmte Einstellungen oder Werte. So markiert Adorno (1973) autoritäre Überzeugungen als ein verbindendes Element zwischen Vorurteilen, Wilhelm Heitmeyer (2002) verweist in seinem Kon-zept der gruppenbezogenen Menschenfeindlichkeit auf vergleichbare Ver-quickungen. Gleichzeitig weisen einzelne Vorurteile und Abwertungen auch ein eigenständiges Profil auf, was eine getrennte Betrachtung legitimiert. Für uns wichtig waren die Wirkungen von Religion, Zugehörigkeit, Religi-osität und des Paraglaubens auf Vorurteile. Aufgrund der Limitierungen dieses Artikels wird zur breiteren Darstellung der Konzeption, der verwen-deten Konstrukte und der Detailergebnisse auf die vorliegende Publikation „Zwischen Nächstenliebe und Abgrenzung" (EKD 2022) verwiesen.[4] Dort werden sowohl die verwendeten Konstrukte, das methodische Vorgehen als auch die verschiedenen erzielten Ergebnisse ausführlich dargestellt. Glei-ches gilt für die theoretische Herleitung. Die Differenzierung der Messung und Bestimmung von Religiosität findet sich ausführlich in einem von Stefan Huber verfassten Abschnitt (Huber 2022). Für den vorliegenden

---

4 Die Ergebnisse sind grafisch aufbereitet ebenfalls auf der Homepage der EKD zu finden (https://www.ekd.de/zwischen-naechstenliebe-und-abgrenzung-72929.htm).

Beitrag wird zur Messung von Religiosität die von ihm entwickelte Skala „Zentralität von Religiosität" verwendet (Huber und Huber 2012). Zudem erfolgt eine Differenzierung in Monoreligiosität und Transreligiosität, wobei Monoreligiosität die Konzentration auf die eigene Religion und ihre Schriften beinhaltet, während Transreligiosität in die Richtung des von Allport skizzierten religiösen Universalismus geht (Huber 2022: 38–41). Für den vorliegenden Artikel konzentrieren wir uns auf die Beziehungen zwischen Vorurteilen, Kirchenmitgliedschaft und Religiosität.[5]

Vorurteile bei Kirchenmitgliedern – weder schlechter noch besser als die Gesamtbevölkerung

Für die Untersuchung von Vorurteilen haben wir entsprechend den theoretischen Ausführungen ein breites Spektrum gewählt. Dieses reicht von Vorurteilen gegenüber Geflüchteten und Muslim*innen, über Antiziganismus bis hin zu Antifeminismus und Sexismus oder Antisemitismus in unterschiedlichen Formen. Zum einen wäre es nun möglich, alle diese Vorurteile, Abwertungen und Rassismen als gruppenbezogene Menschenfeindlichkeit zu behandeln. Dies scheint uns angesichts der Breite der Vorurteile und Abwertungen wie auch theoretischer Überlegungen unbefriedigend. Und diese Annahme wird durch eine Faktorenanalyse, welche unterschiedliche Dimensionen von Vorurteilen ergibt, belegt.

Die von uns untersuchten Vorurteile bilden weder einen geschlossenen Faktor noch zerfallen sie rein in einzelne Vorurteile und Rassismen. So differenziert sich unser Untersuchungsset in eine Gruppe an Indikatoren, die Abwertungen und Vorurteile gegenüber sozialen Gruppen (Muslim*innen, Sinti und Roma, Langzeitarbeitslose) erfasst, eine Gruppe an Indikatoren, welche die Ablehnung sexueller und geschlechtlicher Vielfalt (Sexismus, Antifeminismus, Homophobie, Transphobie) repräsentiert, und antisemitische Ressentiments (Tabelle 1).

---

5 Für die Verwendung der Basisdaten der Leipziger Autoritarismus Studie (Decker/Brähler 2020) danken wir Oliver Decker und Elmar Brähler.

Tabelle 1: *Dimensionsanalyse von Vorurteilen*

	Faktor: Vorurteile gegenüber sozialen Gruppen	Faktor: Vorurteile gegenüber sexueller und geschlechtlicher Vielfalt	Faktor: Antisemitische Ressentiments
Muslimfeindlichkeit	.82		
Vorurteile gegenüber Geflüchteten	.80		
Antiziganismus	.76		
Klassismus	.69		
Abwertung Behinderter	.58		
Sexismus		.86	
Homophobie		.78	
Transphobie		.76	
Antifeminismus		.70	
Profeminismus		–.49	
Israelbezogener Antisemitismus			.73
Sekundärer Antisemitismus			.68
Primärer Antisemitismus			.54

Quelle: Eigene Berechnungen auf Basis KMPK-LAS 2020, schiefwinklig, paarweise (n = 2.260); Hauptkomponentenanalyse; ausgewiesen sind Faktorladungen der Mustermatrix, die vergleichbar zu Korrelationen zwischen 0 (kein Zusammenhang) und 1.00 (vollständiger Zusammenhang) variieren können; Faktorenanalysen überprüfen eine Nähe des Antwortverhaltens von Proband*innen und identifizieren latente Phänomene und Dimensionen (Faktoren). In der Regel wird eine Einfachstruktur gesucht (Pickel/Pickel 2018: 82–191).

Die Ergebnisse sind dabei ausgesprochen stabil und klar abgegrenzt, was bei untereinander verbundenen Konstrukten bemerkenswert ist. Ausgehend von diesem Ergebnis unterteilen wir die weiteren Analysen entlang der drei Dimensionen. Aufbauend auf diesen Ergebnissen vermuten wir Unterschiede in den Wirkungen von Kirchenmitgliedschaft und Religiosität auf diese Vorurteilsdimensionen. Beginnen wir bei unserer Betrachtung mit der Wirkung von Kirchenmitgliedschaft auf die sozialen Vorurteile und die Ablehnung sexueller und geschlechtlicher Vielfalt (Abbildung 1).

Abbildung 1: *Soziale Vorurteile und die Haltung zu sexueller und geschlecht-licher Vielfalt in der Deutschen Bevölkerung und bei Kirchenmitgliedern christlicher Kirchen (Auswahl)*

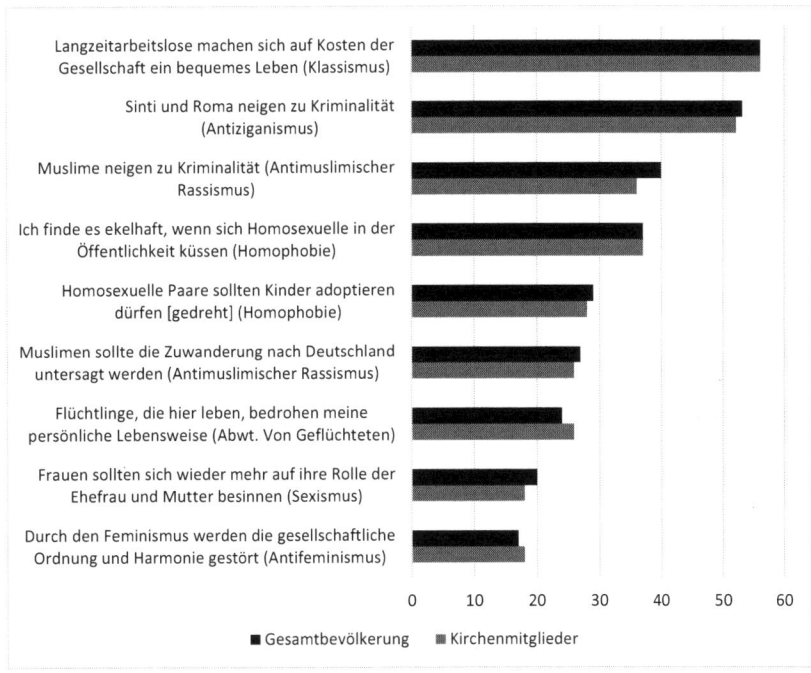

Quelle: Eigene Berechnungen, KMPK-LAS 2020, n = 2.506; eingetragen ist die Zustimmung in %, Werte 3+4 einer 4-stufigen Skala.

Das Ergebnis ist problemlos zu erkennen: Kirchenmitglieder der evangelischen oder katholischen Kirche unterscheiden sich kaum oder gar nicht von der Gesamtbevölkerung.[6] Wenn man es so will, kann man sagen: Kirchenmitglieder sind auch nur Bürger*innen. Dabei ist es vertretbar, die Antworten von Katholik*innen und Protestant*innen zusammenzuführen – unterscheiden sich diese doch nur marginal (Pickel et al. 2022: 48–53). Allein, Kirchenmitglied zu sein, verstärkt also weder Vorurteile, noch schützt es vor diesen. Dieses Ergebnis ist konform zu den früheren

---

6 Aus Platzgründen werden hier nicht alle verwendeten Aussagen, sondern nur ausgewählte verwendet. Das Ergebnis ist aber auch bei anderen Aussagen zu den untersuchten Vorurteilsstrukturen gleich (siehe Pickel et al. 2022: 46–56).

Feststellungen von Allport (1997) und Adorno (1973). Es scheint vor allem die gesellschaftliche Lage deren Narrative und Diskurse zu sein, die die Verteilung von Vorurteilen in einer Gesellschaft – und damit auch bei den Kirchenmitgliedern – steuert.

Die Einpassung der Kirchenmitglieder in die Gesamtbevölkerung fördert dabei einige bedenkenswerte Ergebnisse zutage: zum einen die sehr hohen Werte an Klassismus, also der Abwertung von Menschen mit einem geringen sozialen Status. Diese hätte man angesichts kirchlicher Bemühungen um soziale Angelegenheiten und Menschen in schwierigen Lebenslagen so nicht erwartet. Scheinbar trägt aber auch bei Christ*innen das in liberalen Marktgesellschaften verbreitete Verständnis von Langzeitarbeitslosigkeit als selbstverschuldet. Ebenfalls die Hälfte der Kirchenmitglieder weist antiziganistische Einstellungen auf, und immerhin um ein Drittel zeigt Anzeichen von Homosexuellenfeindlichkeit. Dass Kirchenmitglieder per se bessere Menschen sind und über andere nicht schlecht denken, scheint man eher ins Reich der Fabel verweisen zu müssen. Das Antwortverhalten in Bezug auf antimuslimischen Rassismus (Zuwanderung verbieten) beziehungsweise Vorurteile gegenüber Muslim*innen („Muslime neigen zu Kriminalität") zeigt, dass es auch etwas von der Stärke der Frageformulierung abhängt. An der Konformität von Kirchenmitgliedern zur Gesamtgesellschaft ändert dies allerdings wenig.

Vor dem Hintergrund des christlich-jüdischen Dialoges (speziell in der evangelischen Kirche) ist es besonders interessant, ob unter Kirchenmitgliedern antisemitische Ressentiments wie in der Bevölkerung verteilt sind. Hier zeigt Tabelle 2 kleine Unterschiede zu den bisherigen Ergebnissen auf. Während Katholik*innen sich wieder ungefähr auf dem Niveau der Gesamtbevölkerung bewegen, fallen die antisemitischen Ressentiments bei den Evangelischen in allen Dimensionen des Antisemitismus niedriger aus als beim Durchschnitt der Bevölkerung.

Tabelle 2: *Antisemitismus nach Kirchenmitgliedschaft*

	Kath.	*Ev.*	*o.RZ.*
Primärer Antisemitismus			
Auch heute noch ist der Einfluss der Juden zu groß.	10 (35)	6 (28)	10 (36)
Juden arbeiten mehr als andere mit üblen Tricks, um das zu erreichen, was sie wollen.	6 (29)	5 (20)	9 (31)
Die Juden haben einfach etwas Besonderes und Eigentümliches an sich und passen nicht so recht zu uns.	7 (26)	3 (18)	7 (30)
Sekundärer Antisemitismus			
Reparationsforderungen an Deutschland nützen oft gar nicht mehr den Opfern, sondern einer Holocaust-Industrie von findigen Anwälten.	45 (79)	38 (70)	43 (75)
Wir sollten uns lieber gegenwärtigen Problemen widmen als Ereignissen, die mehr als 70 Jahre vergangen sind.	58 (82)	53 (76)	56 (79)
Israelbezogener Antisemitismus:			
Durch die israelische Politik werden mir die Juden immer unsympathischer.	12 (44)	8 (36)	14 (46)
Israels Politik in Palästina ist genauso schlimm wie die Politik der Nazis im zweiten Weltkrieg.	30 (69)	26 (63)	31 (70)
Auch andere Nationen mögen ihre Schattenseiten haben, aber die Verbrechen Israels wiegen am schwersten.	11 (48)	8 (37)	12 (48)

Quelle: Eigene Berechnungen KMPK-LAS 2020 (n = 2.260); Angaben in Prozent (gerundet); Kath. = Katholisch, Ev. = Evangelisch, o. RZ. = ohne Religionszugehörigkeit; Ausgewiesene Werte = manifeste Zustimmung, in Klammern manifeste + latente Zustimmung auf einer 5-Antworten-Skala (Pickel et al. 2022: 52).

Sowohl beim traditionellen primären Antisemitismus als auch beim israelbezogenen oder sekundären Antisemitismus sind die Ressentiments unter evangelischen Kirchenmitgliedern seltener, wenn auch auf unterschiedlichem Niveau. Es ist also nicht so, dass Protestant*innen nicht antisemitisch sein können, dies belegen 26 % manifester israelbezogener Antisemitismus in einem der gemessenen Items genauso, wie zwischen 38 % und 53 % beim sekundären Antisemitismus. Von dem latenten Antisemitismus, also der Entscheidung, die Aussagen nicht konsequent abzulehnen, einmal ganz abgesehen. Was sich aber zeigt, ist ein kleiner, aber signifikanter Unterschied zugunsten von evangelischen Kirchenmitgliedern. Gleichwohl lassen die Ergebnisse noch Raum für eine weitere Arbeit gegen Antisemitismus.

Differenzierte Analyse – Religiöse Einflüsse im Kontext anderer Erklärungen

Die Frage ist nun, wie halten solche Ergebnisse, wenn man andere gewichtige Erklärungsfaktoren für Vorurteile kontrolliert?

Um dies zu überprüfen, haben wir lineare Regressionsanalysen in drei Stufen durchgeführt. Zuerst haben wir nur die Effekte religiöser Indikatoren geprüft, dann diese zusammen mit weiteren Erklärungsfaktoren und zuletzt nur unter Kirchenmitgliedern Effekte religiöser Verständnisse. Beispielhaft sei in Tabelle 3 die Analyse zu antisemitischen Ressentiments ausgewiesen. In der ersten Analyse (M1) finden sich durchweg signifikante Effekte religiöser Faktoren: So reduziert die Zugehörigkeit zur evangelischen Kirche Antisemitismus, aber auch eine höhere Religiosität (Zentralität der Religiosität), während Paraglaube antisemitische Ressentiments verstärkt. In der jeweils zweiten Spalte (M2) wird erkennbar, dass bei der Hinzunahme weiterer Erklärungsfaktoren die Erklärungskraft für religiöse Faktoren abnimmt. Bemerkenswert ist aber: Selbst bei der Kontrolle einer Vielzahl wichtiger und auch statistisch einflussreicher Faktoren bleibt der Einfluss der Zugehörigkeit zur evangelischen Kirche. Protestant*in zu sein, hat einen hemmenden Einfluss auf antisemitische Ressentiments. Dieser Einfluss tritt, wie die Beta-Werte im Regressionsmodell zeigen (Werte in den jeweiligen Tabellenabschnitten), vor allem hinter sozialpsychologische Faktoren zurück. Zuallererst forciert der Glauben an Verschwörungserzählungen jeglicher Art (Verschwörungsmentalität) antisemitische Ressentiments. Dies passt in das Bild des Antisemitismus als kulturellem Code, der schon historisch von Verschwörungserzählungen flankiert war – und dies heute noch ist (Volkov 2022; Kies et al. 2020). Autoritäre Einstellungsmuster und ein Hang zu sozialer Dominanz erweisen sich ebenfalls als starke Faktoren für antisemitische Ressentiments, wobei die soziale Dominanzorientierung sich weitgehend auf den primären Antisemitismus beschränkt.[7] Eine rechte Gesinnung tritt hinter diese Faktoren zurück, besitzt aber noch eine eigene, beachtliche Erklärungskraft für den nationalistisch aufgeladenen sekundären Antisemitismus, der eine Umwegkommunikation darstellt, die es Menschen leichter ermöglicht, Antisemitismus zu äußern, aber gleichzeitig dem Vorwurf, ein*e Antisemit*in zu sein, ausweichen zu können.

---

7 Die soziale Dominanzorientierung beschreibt die Vorstellung von natürlichen, unveränderlichen Hierarchien und den Wunsch, diese zu erhalten. Sie findet ihren Ausdruck in Klassismus, Rassismus und auch Sexismus.

Tabelle 3: Analysebeispiel – Einflussfaktoren von antisemitischen Ressentiments

	Primärer Antisemitismus			Sekundärer Antisemitismus			Israelbezogener Antisemitismus		
	M1	M2	M3	M1	M2	M3	M1	M2	M3
Katholisch	n. s.	n. s.	n. s.	n. s.	n. s.	+.08	n. s.	n. s.	n. s.
Evangelisch	–.10	–.07	–.09	–.06	–.05	n. s.	–.10	–.08	–.10
Zentralität der Religiosität (CRSI-7)	–.13	n. s.	n. s.	–.09	n. s.	n. s.	–.08	n. s.	n. s.
Paraglaube	+.20	+.09	+.09	+.15	n. s.	n. s.	+.16	+.05	n. s.
Säkularismus	+.12	+.03	n. s.	+.05	n. s.	n. s.	+.06	n. s.	n. s.
Trans-Religiöse Orientierung		–.10			–.06			n. s.	
Mono-Religiöse Orientierung		+.08			+.08			n. s.	
Geschlecht (Richtung: Frau)		–.06	–.09		n. s.	n. s.		n. s.	n. s.
Alter		+.06	+.06		n. s.	n. s.		n. s.	n. s.
Haushaltseinkommen		n. s.	n. s.		n. s.	n. s.		n. s.	n. s.
Bildungsniveau (hohe formale Bildung)		n. s.	n. s.		–.08	–.09		n. s.	n. s.
Bildungsniveau (niedrige formale Bild.)		n. s.	n. s.		n. s.	n. s.		+.06	+.05
Politische Effektivität Einschätzung wirtschaftl. Lage des Landes als gut		–.04	–.07		–.09	–.09		–.06	–.07
Eigene Wirtschaftslage ist gut		–.05	n. s.		n. s.	n. s.		n. s.	n. s.
Soziale Dominanzorientierung		+.30	+.24		n. s.	n. s.		+.11	+.06
Autoritarismus		+.18	+.15		+.28	+.28		+.28	+.26
Verschwörungsmentalität		+.26	+.30		+.27	+.28		+.26	+.27
Ideologische Links-Rechts-Orientierung (Ausrichtung rechts)		+.04	n. s.		+.18	+.17		+.05	+.07
Sozialvertrauen		–.07	–.05		n. s.	n. s.		–.07	–.07
Dark Social Capital		+.04	n. s.		n. s.	n. s.		n. s.	n. s.

Soziales Engagement		−.08	−.06		n. s.	n. s.		n. s.	n. s.
Fallzahlen (n =)	2.177	1.934	1.172	2.155	1.942	1.176	2.144	1.939	1.176
R-Quadrat	0.07	0.48	0.46	0.03	0.35	0.33	0.04	0.35	0.31

Quelle: Eigene Berechnungen KMPK-LAS 2020, paarweiser Ausschluss; ausgewiesene Werte alle p <.05; Endergebnisse einer schrittweisen Regression, n. s.=nicht signifikant.[8] Geringe Fallzahlen in Modellen 2 und 3 gegenüber Modell 1 resultieren aus einer zunehmenden Ansammlung von Nichtantworten der Befragten mit einer höheren Zahl an einbezogenen Variablen. Zudem werden in Modell 3 gezielt nur Mitglieder der evangelischen und der katholischen Kirche als Stichprobe verwendet.

Aus Platzgründen können wir nicht alle Ergebnisse der KMPK-Studie in diesem Aufsatz entfalten. Um aber trotzdem eine Übersicht geben zu können, fassen wir die Ergebnisse nach den ermittelten Dimensionen schematisch zusammen. Dies geschieht in Tabelle 4. Für die Detailanalysen sei auf das Buch „Zwischen Nächstenliebe und Abgrenzung" (EKD 2022) verwiesen. Fasst man die Analysen zusammen, so wird deutlich, dass eine Verschwörungsmentalität (die immerhin zwischen ein Viertel und ein Drittel der Bürger*innen aufweist) zusammen mit einer sozialen Dominanzorientierung der stärkste Förderer für Vorurteile ist. Ein autoritäres Einstellungssystem oder ein autoritäres Persönlichkeitsmuster sowie rechtsextreme Einstellungen stehen ebenfalls mit Vorurteilen in einem engen Wechselverhältnis.[9] Besteht ein grundsätzliches soziales Vertrauen, senkt sich die Vorurteilsbelastung, politische Unzufriedenheit steht mit Vorurteilen in einem bestärkenden Wechselverhältnis.

---

8 In dem Modell 3, welches auf die Kirchenmitglieder beschränkt ist, wurden aus statistischen Gründen (Multikollinearität) zwei Modelle gerechnet und jeweils eine Religionsgemeinschaft ausgespart. Effekte der Kollinearität wurden bereits einige Fußnoten vorher eingeführt.
9 Auch wenn wir in der Regressionsanalyse eine kausale Beziehung angelegt haben, dürfte es sich bei vielen Beziehungen um wechselseitige Beeinflussungen handeln.

Tabelle 4: *Effekte auf Vorurteile tabellarisch und schematisch zusammengefasst*

	Antisemitismus	Soziale Vorurteile	Ablehnung sexueller und geschlechtlicher Vielfalt
Verschwörungsmentalität	+++	+++	+
Soziale Dominanzorientierung	(+++ PAS)	+++	+++
Autoritarismus	+++	++	++
Rechtsextreme Einstellung	+ (++ SAS)	++	+
Bildungsniveau (hoch)	–	–	–
Geschlechtsbezug (Mann)			+++
Soziales Vertrauen	–	–	
Politische Unzufriedenheit	+	+	
Wirtschaftslage (gut)		–	
Kirchenmitgliedschaft	– – (ev.)		
Religiosität	–	–	++
Mono- versus transreligiös (monoreligiös)	+	+	++
Paraglaube	+	+	+
Säkularismus	+	+	+

Quelle: Schematische Zusammenfassung der kausalen Analyseergebnisse (Regressionsanalysen) der KMPK-LAS 2020, eigene Darstellung; + = positiver statistischer Zusammenhang; – = negativer statistischer Zusammenhang; leere Zelle = kein statistischer Zusammenhang; die Stärke des Zusammenhangs wird durch die Anzahl der Zeichen ausgedrückt, das Maximum sind drei Zeichen. Somit bedeutet +++ eine sehr starke Beziehung zwischen zwei Merkmalen.

Bemerkenswert ist, dass trotz der vielen starken Erklärungsfaktoren – in allen Regressionsanalysen gab es ein ausgesprochen hohes Gesamterklärungspotential (R-Quadrat) – Religiosität und bestimmte Verständnisse von Religiosität eigenständige Wirkungen behalten. Erst einmal unabhängig von Verschwörungsmentalität und autoritären Vorstellungen weisen Monoreligiöse, mit ihrem exklusivistischen Religionsverständnis, häufiger Vorurteile auf als die Gesamtbevölkerung, Transreligiöse seltener. Am stärksten ist der religiöse Effekt bei der Haltung zu sexueller und geschlechtlicher Vielfalt. Die Probleme nicht weniger religiöser Menschen mit einer Erweiterung sexueller Möglichkeiten und der Anerkennung nicht-binärer Geschlechtsidentitäten wird nicht nur im stärkeren Einfluss eines monoreligiösen Verständnisses deutlich, sondern auch in den generellen Beziehungen zwischen Religiosität und Ablehnung sexueller und geschlechtlicher Vielfalt: Mit zunehmender Religiosität sinken zwar die sozialen Vorurteile und antisemitische Ressentiments, aber die Ablehnung sexueller und geschlechtlicher Vielfalt nimmt deutlich zu (auch Fulton et al. 1999). Will man es zusammenfassen, so lässt sich sagen, dass religiöse Organisationen in Deutschland derzeit vor allem das Problem haben, dass viele ihrer Mitglieder mit der Veränderung der Optionen geschlechtlicher und sexueller Vielfalt nur schwer bis gar nicht zurechtkommen (auch Kalkstein et al. 2022).

Auswirkungen auf die politische Kultur

Nun könnte man vielleicht argumentieren, dass die Haltungen zu anderen sozialen Gruppen zu den eigenen Belangen zählen. Ein Blick auf die Beziehungen zur Einschätzung der Demokratie, welche Hinweise auf die Akzeptanz einer demokratischen politischen Kultur geben, setzt hier aber ein Warnzeichen. So reduziert nicht nur die Verschwörungsmentalität wieder die Unterstützung der Demokratie, auch der Paraglaube wirkt eigenständig in diese Richtung. Interessant ist die grundsätzliche positive Wirkung von Kirchenmitgliedschaft und Religiosität. Vermutlich sind es die Gemeinschaftserfahrungen im kirchlichen Raum und den dort vorhandenen Engagement-Strukturen, aber auch eine Bindung an bestimmte Werte, welche eine Nähe zur Demokratie erzeugen. So wird ja auch das stark positiv wirkende soziale Vertrauen in starkem Ausmaß in kirchlichen Räumen geschaffen (Pickel 2011; Campbell/Putnam 2011). Allerdings muss man in das Wasser dieser günstigen Beurteilung etwas Wein gießen. Der religiöse Effekt ist nicht zu unterschätzen, beachtet man, dass zum Beispiel das Bildungsniveau relational keine Wirkung auf Faktoren der politischen Unterstützung der Demokratie besitzt (Pickel/Pickel 2006).

Zusätzlich (hier nicht ausgewiesen) bestehen zwischen der politischen Unterstützung der Demokratie und den aufgezeigten Vorurteilen klare negative Beziehungen. Anders gesagt: Menschen, die von Vorurteilen belastet sind, neigen auch eher dazu, sich von der Demokratie abzuwenden. Dabei handelt es sich nicht nur um die aktuell erlebte Demokratie und ihre Leistungen, sondern um ihre grundsätzliche Legitimität. Man findet, dass einzelne Führungspersonen möglicherweise das Gewünschte besser umsetzen könnten. Da zwischen verschiedenen Vorurteilen und Religiosität, speziell einem monoreligiösen Verständnis von Religiosität, Beziehungen bestehen, kommt es auf diese Weise zu einer Brückenfunktion der Vorurteile, die Wahlverwandtschaften zwischen rechtsradikalen/rechtspopulistischen Positionen (Gegen das „Gender-Gaga", Gegen „Frühsexualisierung", Gegen die „große Umvolkung") und religiösen Menschen wie Kirchenmitgliedern herstellt (Pickel/Öztürk 2022; Kalkstein et al. 2022; Schneider et al. 2021).

Tabelle 5: *Effekte auf die politische Kultur (Demokratie)*

	Demokratie Legitimität	Zufriedenheit mit der Demokratie
Verschwörungsmentalität	– –	– – –
Soziale Dominanzorientierung	– –	
Autoritarismus		–
Rechtsextreme Einstellung		–
Bildungsniveau (hoch)		
Geschlechtsbezug (Mann)		
Soziales Vertrauen	++	++
Politische Unzufriedenheit		– –
Wirtschaftslage (gut)	–	– –
Kirchenmitgliedschaft	+	+
Religiosität	+	++
Mono- versus transreligiös (Monoreligiös)		
Paraglaube	–	–
Säkularismus	–	–

Quelle: Schematische Zusammenfassung der Analyseergebnisse der KMPK-LAS 2020, eigene Darstellung; Demokratie-Legitimität = Anerkennung der Demokratie als beste Staatsform.

Fazit – Religiosität als Ressource für und gegen Vorurteile

Fassen wir die Ergebnisse zusammen. Eine Kirchenmitgliedschaft allein schützt nicht vor Vorurteilen: *Kirchenmitglieder sind Teil der Gesellschaft,* in der sie leben, und sie werden hinsichtlich Vorurteile vom jeweiligen Gesellschaftsklima in starkem Umfang beeinflusst. Es bestätigen sich die Beobachtungen von Adorno und Allport bezüglich der weitgehenden Ambivalenz der Zugehörigkeit zu einer christlichen Religion für Vorurteile. Allerdings ist dieses Ergebnis eben nicht ausreichend. Schafft man es, unterschiedliche Verständnisse der eigenen Religiosität zu unterscheiden, dann zeigt sich alles andere als eine Ambivalenz. Christliche Kirchenmitglieder in Deutschland unterscheiden sich hinsichtlich ihrer Vorurteile nach ihrem Verständnis von Religiosität. In der Studie unterscheiden wir Transreligiöse von Monoreligiösen. Wie sich zeigt, hemmt Transreligiosität Vorurteile, während Monoreligiosität sie fördert. Neben diesen beiden Gruppen stehen wenig religiöse Kirchenmitglieder deren Maß an Vorurteilen im Bevölkerungsschnitt liegt. Dies zumindest belegen die Studienergebnisse. Die auf den ersten Blick ambivalente Haltung kommt somit aus einer sich wechselseitig aufhebenden Beziehung, in der eine kleinere Gruppe Monoreligiöser starke Vorurteile aufweist, die durch geringere Vorurteile einer breiteren Gruppe an Transreligiösen ausgeglichen wird.

Doch nicht nur das. Die Auswirkung von Religiosität *variiert auch nach unterschiedlichen Vorurteilen.* So sind Vorurteile gegenüber sozialen Gruppen unter religiösen Menschen eher seltener als in der Gesamtbevölkerung, während Vorurteile gegenüber geschlechtlicher und sexueller Vielfalt deutlich häufiger auftreten. Der Grund dürfte in unter religiösen Kirchenmitgliedern noch stärker verbreiteten heteronormativen Familien- und Weltbildern liegen. Auf diese Weise öffnet sich allerdings eine Wahlverwandtschaft einiger Gläubiger zu Rechtspopulist*innen. Letztere vertreten mit ihrer Ablehnung von sexueller und geschlechtlicher Vielfalt in der öffentlichen Debatte ein Verständnis, dass man in weiten Zügen teilt. Doch nicht nur christliche Religiosität oder Kirchenmitgliedschaft hat Beziehungen zu Vorurteilen. Auch ein ideologisch geprägter Säkularismus und vor allem Para- oder Aberglaube fördern Vorurteile. Damit wird nicht nur deutlich, dass auch weltanschauliche Ideologien Vorurteile fördern können, sondern auch, dass Adorno (1973) mit seiner Annahme einer Vorurteile stützenden Relevanz von Aberglauben richtig lag.

Während Vorurteile eine Brückenfunktion nach rechts bis hin zu rechtsextremen Einstellungen und Haltungen wahrnehmen, zeigt sich, dass Religiosität und Kirchenmitgliedschaft sonst meist demokratieproduktiv ist. Vermutlich dürfte das zivilgesellschaftliche Engagement in und um Kirchen für diese Offenheit für eine demokratische politische Kultur verantwortlich sein. Dies sollte einen aber nicht in Sicherheit wiegen, finden sich doch auch unter Kirchenmitgliedern viele Vorurteile (zum Beispiel gegenüber Langzeitarbeitslosen) und tun sich viele religiöse Christ*innen doch immer noch überdurchschnittlich schwer mit sexueller und geschlechtlicher Vielfalt. Will man als Religionsgemeinschaft, für die alle Menschen gleich und gleich wertvoll sein sollen, nicht den Anschluss an eine moderne Gesellschaft verlieren, ist hier einiges an Diskurs, Vermittlung und Aufklärung angebracht. Gerade wenn die Anerkennung aller Menschen nicht allumfassend vorgelebt wird, verliert eine Religionsgemeinschaft an Vertrauenswürdigkeit und letztlich an Mitgliedern.

Literaturverzeichnis

Adorno, Theodor (1973 [orig. 1950]): *Studien zum autoritären Charakter.* Frankfurt/Main: Suhrkamp.

Allport, Gordon (1979 [orig. 1954]): *The Nature of Prejudice.* New York: Basic Books.

Allport, Gordon/Ross, Michael (1967): Personal religious Orientation and Prejudice. In: *Journal of Personality and Social Psychology,* 5 (4), S. 432–435.

Brockschmidt, Annika (2021): *Amerikas Gotteskrieger: Wie die religiöse Rechte die Demokratie gefährdet.* Hamburg: Rowohlt.

Decker, Oliver/Brähler, Elmar (Hrsg.) (2020): *Autoritäre Dynamiken. Alte Ressentiments – neue Radikalität.* Gießen: Psychosozial.

EKD (2022): *Zwischen Nächstenliebe und Abgrenzung. Eine interdisziplinäre Studie zu Kirche und politischer Kultur.* Leipzig, EVA

Fulton, Aubyn/Gorsuch, Richard/Maynard, Elisabeth (1999): Religious Orientation, Antihomosexual Sentiment, and Fundamentalism among Christians. In: *Journal for the Scientific Study of Religion* 38 (1), S. 14–22.

Huber, Stefan/Huber, Odilo (2012): The Centrality of Religiosity Scale (CRS). In: *Religions* 3(3), S. 710–724.

Huber, Stefan (2022): Dimensionen des Religiösen. In: EKD (Hrsg.): *Zwischen Nächstenliebe und Abgrenzung. Eine interdisziplinäre Studie zu Kirche und politischer Kultur.* Leipzig/EVA, S. 27–42.

Kalkstein, Fiona/Pickel, Gert/Hoecker, Charlotte/Niendorf, Johanna/Decker, Oliver (2022): Antifeminismus und Geschlechterdemokratie. In: Oliver Decker/Elmar Brähler (Hrsg.): *Neue Radikalität – Alte Lösungen. Die Leipziger Autoritarismus Studie 2022.* Gießen: Psychosozial, S. 59–84. (i. E.)

Kiess, Johannes/Decker, Oliver/Heller, Ayline/Brähler, Elmar (2020): Antisemitismus als antimodernes Ressentiment: Struktur und Verbreitung eines Weltbildes. In: Oliver Decker/Elmar Brähler (Hrsg.): *Autoritäre Dynamiken. Alte Ressentiments – neue Radikalität.* Gießen: Psychosozial, S. 211–249.

Pickel, Gert (2018): Religion als Ressource für Rechtspopulismus? Zwischen Wahlverwandtschaften und Fremdzuschreibungen. In: *Zeitschrift für Religion, Gesellschaft und Politik 2* (2), S. 277–312.

Pickel, Gert (2022): Stereotype und Vorurteile als Herausforderung für das interreligiöse Lernen. In: Mouhanad Korchide/Konstantin Lindner/Antje Roggenkamp/Clauß Peter Sajak/Henrik Simojoki (Hrsg.): *Stereotype – Vorurteile – Ressentiments. Herausforderungen für das interreligiöse Lernen.* Göttingen: Vandenhoeck & Ruprecht, S. 13–28.

Pickel, Gert/Huber, Stefan/Liedhegener, Antonius/Pickel, Susanne/Yendell, Alexander/Decker, Oliver (2022): Kirchenmitgliedschaft, Religiosität, Vorurteile und politische Kultur in der quantitativen Analyse. In: EKD (Hrsg.): *Zwischen Nächstenliebe und Abgrenzung. Eine interdisziplinäre Studie zu Kirche und politischer Kultur.* Leipzig/EVA, S. 24–98.

Pickel, Gert/Liedhegener, Antonius/Jaeckel, Yvonne/Odermatt, Anastas/Yendell, Alexander (2020): Religiöse Identitäten und Vorurteile in Deutschland und der Schweiz – Konzeptionelle Überlegungen und empirische Befunde. In: *Zeitschrift für Religion, Gesellschaft und Politik 4* (1), S. 149–196.

Pickel, Gert/Öztürk, Cemal (2022): Die Bedeutung antimuslimischer Ressentiments für die Erfolge des Rechtspopulismus in Europa – Konzeptionelle Überlegungen und empirische Befunde. In: Monika Wohlrab-Sahr/Levent Teczan (Hrsg.): *Islam in Europa, Institutionalisierung und Konflikt. Soziale Welt. Sonderband 25.* Baden-Baden: Nomos, S. 303–355.

Pickel, Susanne/Pickel, Gert (2006): *Poltische Kultur- und Demokratieforschung. Grundbegriffe, Theorien, Methoden.* Wiesbaden: VS Verlag.

Pickel, Susanne/Pickel, Gert (2018): *Empirische Politikforschung. Einführung in die Methoden der Politikwissenschaft.* Berlin: De Gruyter.

Rebenstorf, Hilke (2018): „Rechte Christen"? – Empirische Analysen zur Affinität christlich-religiöser und rechtspopulistischer Positionen. In: *Zeitschrift für Religion, Gesellschaft und Politik 2* (2), S. 105–120.

Schließler, Clara/Hellweg, Nele/Decker, Oliver (2020): Aberglaube, Esoterik und Verschwörungsmentalität in Zeiten der Pandemie. In: Oliver Decker/Elmar Brähler (Hrsg.): *Autoritäre Dynamiken. Alte Ressentiments – neue Radikalität.* Gießen: Psychosozial, S. 289–309.

Schneider, Verena/Pickel, Gert/Öztürk, Cemal (2021): Was bedeutet Religion für Rechtsextremismus? Empirische Befunde zu Verbindungen zwischen Religiosität, Vorurteilen und rechtsextremen Einstellungen. In: *Zeitschrift für Religion, Gesellschaft und Politik (ZRGP) 5* (2), S. 557–598.

Stephan, Walter/Stephan, Cookie White (2000): An Integrated Threat Theory of Prejudice. In: Stuart Oskamp (Hrsg.): *Reducing Prejudice and Discrimination.* Mahwah: Erlbaum, S. 23–45.

Strube, Sonja (2015): *Rechtsextremismus als Herausforderung für die Theologie.* Freiburg: Herder.

Tajfel, Henri (1982): *Social identity and intergroup relations.* Cambridge: University Press.

Volkov, Shulamit (2022): *Das jüdische Projekt der Moderne.* München: Beck. (2. Auflage)

Zick, Andreas/Küpper, Beate (Hrsg.) (2021): *Die geforderte Mitte. Rechtsextreme und Demokratiegefährdende Einstellungen in Deutschland 2020/21.* Bonn: Dietz.

Kirchenmitgliedschaft, Religiosität, Vorurteile und politische Kultur in der quantitativen Analyse

Ein Kommentar zum Teilprojekt 1[1]

Von Detlef Pollack

Obwohl sich die evangelischen Kirchen in Deutschland mit Handreichungen, Denkschriften und anderen Materialien immer wieder sowohl für die Stärkung der Demokratie als auch gegen rechtsextremistische Strömungen in der Gesellschaft ausgesprochen haben, wurde oft der Verdacht geäußert, dass rechtsextremes Gedankengut in den Kirchen ebenso verbreitet sei wie in der Gesellschaft insgesamt und in einigen hochverbundenen Gemeindesegmenten vielleicht sogar noch stärker bejaht werde. Es ist daher verdienstvoll, dass in der vorliegenden kirchensoziologischen Studie der Zusammenhang religiös-kirchlicher Bindungen mit gruppenbezogenen Vorurteilen, Intoleranz gegenüber sexueller und geschlechtlicher Vielfalt sowie mit Einstellungen zur Demokratie mithilfe fortgeschrittener Methoden der Sozialwissenschaften empirisch untersucht worden ist. Dafür gebührt den Autor*innen der Studie zunächst einmal ein ausdrücklicher Dank.

Zwei Ergebnisse der repräsentativen Bevölkerungsumfrage des Teilprojekts (TP) 1 sind zentral. Zum einen haben die an der Studie beteiligten Sozialwissenschaftler*innen herausgefunden, dass Religiosität in ihren verschiedenen Dimensionen – vom Glauben an Gott, über religiöse Reflexion, religiöse Erfahrung bis hin zur religiösen Praxis – tendenziell negativ mit Vorurteilen gegenüber sozialen Gruppen – etwa Muslim*innen, Geflüchteten, Behinderten – und Demokratieablehnung, hingegen positiv mit Sexismus und Homophobie korreliert. Wichtig ist aber vor allem das andere zentrale Ergebnis ihrer Analysen: dass die Wirkungen von Religiosität und Kirchlichkeit ambivalent ausfallen und es weniger auf die Intensität der Religiosität als auf ihre Form und inhaltliche Ausrichtung ankommt. Tatsäch-

---

1 Pickel, Gert/Huber, Stefan/Liedhegener, Antonius/Pickel, Susanne/Yendell, Alexander & Decker/Oliver (2022): Kirchenmitgliedschaft, Religiosität, Vorurteile und politische Kultur in der quantitativen Analyse (Teilprojekt 1, TP 1). In: *Zwischen Nächstenliebe und Abgrenzung. Eine interdisziplinäre Studie zu Kirche und politischer Kultur*, Leipzig: EVA, S. 24–98. Vgl. auch den Beitrag von Pickel & Pickel in diesem Band.

lich arbeitet die Studie mit interessanten analytischen Differenzierungen, um unterschiedliche Vorurteilsstrukturen von religiös-kirchlichen Gruppen zu identifizieren. Interessant ist dabei nicht nur die Unterscheidung zwischen transreligiöser und monoreligiöser Orientierung oder christlicher Religiosität und Paraglaube, sondern auch die zwischen personaler und sozialer Religiosität, auf die ich mich hier zunächst konzentrieren will. Die beiden anderen Unterscheidungen sollen danach zum Thema gemacht werden.

1 Personale und soziale Religiosität

Es stellt einen innovativen Fortschritt in der religions- und kirchensoziologischen Forschung dar, wie unter Rückgriff auf Variablen, die bereits mit dem Religionsmonitor 2017 benutzt wurden, der Index für soziale Religiosität (= Kirchlichkeit) gebildet worden ist. Zur Abbildung von „sozialer Religiosität" werden nicht nur der Gottesdienstbesuch und der Besuch anderer kirchlicher Veranstaltungen herangezogen, sondern auch die Fragen, ob man in der Kirchgemeinde gute Bekannte hat, ob man mit ihnen über persönliche Probleme reden kann und ob man sich auf sie verlassen kann, wenn man Hilfe braucht (S. 32 f.).[2] Auf diese Weise wird nicht nur die Beteiligung am kirchlichen Leben erfasst, sondern auch das an die formellen kirchlichen Strukturen angelagerte nicht-institutionalisierte Netzwerk, in das der Einzelne interaktiv eingebunden ist. An den kirchlichen Veranstaltungen nehmen nur 3,4 % aller Befragten oft oder sehr oft teil (S. 33). Davon, dass sie auf das interaktive informelle Netzwerk in der Kirche und damit auf Kirche als Ressource oft oder sehr oft zurückgreifen, berichten 7,4 % der Befragten (ebd.) (vgl. unten Tab. 2.4; S. 33).

---

2 Die in Klammern gesetzten Seitenzahlen beziehen sich auf die in der Evangelischen Verlagsanstalt Leipzig erschienene Veröffentlichung der Studie (Anmerkung 1).

Tab. 2.4: Verteilung der Antwortkategorien (in Spaltenprozent) und Mittelwerte der Indikatoren zur Zentralität der sozialen Religiosität (Kirchlichkeit) und der Kirche als sozialer Ressource sowie der aus ihnen gebildeten Skalen

	Zentralität der sozialen Religiosität (Kirchlichkeit)			Kirche als soziale Ressource			
	Gottesdienst	Andere Veranstaltung	Kurzskala	Bekannte	Über Probleme reden	Unterstützung	Skala
Fallzahlen	2238	2246	2249	2235	2234	2226	2215
nie	49.6	60.1	81.3 (58.6)	42.3	50.0	52.2	63.1
selten	31.2	26.0		23.6	22.1	23.8	
gelegentlich	13.6	10.3	16.3 (30.1)	17.1	14.8	14.5	29.5
oft	4.2	3.0	3.4 (11.3)	10.9	9.6	7.3	7.4
sehr oft	1.4	0.7		8.1	3.5	2.2	
Mittelwert	1.76	1.58	1.67 (2.22)	2.15	1.95	1.84	1.98

Quelle: Eigene Berechnungen: Hinweise: Die fünf Antwortkategorien der drei Indikatoren zu Kirche als soziale Ressource lauten gar nicht, wenig, mittel, ziemlich, sehr. Bei den beiden Skalen sind die Prozentzahlen der Häufigkeiten von drei Abschnitten der Skala angegeben (niedrig: 1.0 – 2.0; mittel: 2.2 – 3.8; hoch: 4.0 – 5.0). Bei der Kurzskala zur Zentralität der sozialen Religiosität sind die Vergleichswerte aus dem Religionsmonitor 2017 in Klammern angegeben. Die Fallzahlen der Kurzskala zur Zentralität der sozialen Religiosität sind höher als die beiden Einzelindikatoren, da für die Skalenberechnung nur einer der eiden Indikatoren vorhanden sein musste. Fehlende Werte bei einem Indikator konnten so zum Teil durch Werte des anderen Indikators kompensiert werden.

Es wäre nun äußerst aufschlussreich gewesen, wenn die Autor*innen der Studie mit diesen beiden Indizes weitergearbeitet hätten. Dann hätten sie herausfinden können, wie die beiden Indizes mit unterschiedlichen Formen personaler Religiosität korrelieren, wie sie also etwa mit der privaten Gebetspraxis, mit mystischen Gefühlen des Einsseins mit allem oder auch mit Formen des Paraglaubens zusammenhängen. Stehen die sehr persönlichen mystischen Verschmelzungserlebnisse im Gegensatz zur sozialen Religiosität? Wird das private Gebet durch Kirchlichkeit gestärkt? Ist soziale Religiosität mit der Erfahrung, dass Gott in das eigene Leben eingreift, verbunden? Aber nicht nur die Struktur der gelebten Religiosität hätte durch die Weiterarbeit mit den Indikatoren einer sozialen Religiosität genauer aufgeschlüsselt werden können. Ebenso hätte man untersuchen können, inwieweit eine gemeinschaftlich gepflegte Kirchlichkeit im Unterschied zur personalen Religiosität oder auch in Übereinstimmung mit ihr gegen gruppenspezifische Vorurteile schützt und die Unterstützung demokratischer Werte stärkt oder eine Nähe zu Sexismus und zur Abwehr geschlechtlicher Vielfalt aufweist.

Stattdessen haben sich die Autor*innen entschlossen, mit der sogenannten Zentralitätsskala weiterzuarbeiten, die sich aus fünf verschiedenen Religionsdimensionen und weiterer Subkategorien zusammensetzt (S. 29), sodass sich in ihr die einzelnen Formen der personalen Religiosität miteinander vermischen und nicht mehr bestimmt werden kann, welche der personalen Religiositätsformen Demokratieakzeptanz stärkt, vor Vorurteilen bewahrt, mit Sexismus beziehungsweise Homophobie zusammengeht und welche nicht. Zwischen personaler und sozialer Religiosität besteht, wie uns die Studie verrät, eine hohe Korrelation (r =,67) (S. 34). Aber was sich an inhaltlichen Zusammenhängen hinter diesem Korrelationskoeffizienten verbirgt, bleibt unklar. Die in den Daten liegenden Analysemöglichkeiten werden so nicht voll ausgeschöpft.

2 Transreligiöse und monoreligiöse Orientierung

Was die Analyse der Effekte von transreligiöser und monoreligiöser Orientierung angeht, so produziert diese erwartbare Ergebnisse: transreligiöse Orientierung, gemessen zum Beispiel durch die Überzeugung, dass alle Religionen den gleichen wahren Kern haben und andere Religionen eine Bereicherung darstellen, korreliert mit Vorurteilen, Sexismus und Homophobie negativ, monoreligiöse Orientierung, gemessen zum Beispiel durch die Überzeugung, dass andere Religionen weniger wahr sind als die eigene, hingegen positiv (Tabelle 2.16, S. 42). Die untersuchten Korrelationen sind nicht frei von einer Tendenz zur Tautologie: Wenn man andere Religionen als Bereicherung empfindet, werden Vorurteile gegenüber Muslim*innen nicht so stark wie im Durchschnitt ausgeprägt sein; wenn man überzeugt ist, dass die anderen Religionen weniger wahr sind als die eigene, wird man Muslimen eher mit Vorurteilen begegnen (Tabelle 2.29, S. 74). Das lässt sich erwarten.

Interessant ist hier aber die Antwortverteilung: Bei 29 % der Kirchenmitglieder lässt sich eine transreligiöse Orientierung konstatieren, eine monoreligiöse Orientierung findet hingegen nur bei 3,4 % der Kirchenmitglieder Zustimmung (Tabelle 2.13, S. 40). Bei einer Betrachtung nur der Hochreligiösen, handele es sich nun um personale oder soziale Religiosität, fällt auf, dass sowohl der Anteil der Transreligiösen als auch der der Monoreligiösen steigt, und zwar bei den Transreligiösen von 29 auf 46 % und bei den Monoreligiösen von 3 auf 22 beziehungsweise 28 % (Tabelle 2.14, ebd.). Offenbar vollzieht sich bei den Hochreligiösen eine Polarisierung in ihrer inhaltlichen religiösen Ausrichtung. Dieses Ergebnis ist für das kirchliche Handeln von Relevanz: Sofern die Fallzahlen der untersuchten Hochreligiösen nicht zu klein sein sollten, um belastbare Aussagen treffen zu können, können wir aus den Analysen die Schlussfolgerung ziehen, dass mit der Intensivierung der Religiosität ihre Polarisierung offenbar zunimmt. Kirche muss mit dieser sich abzeichnenden Polarisierungstendenz umgehen und sich auf sie einstellen.

Doch die Daten sprechen noch für eine zweite Herausforderung, auf die die Kirche mit ihrem Handeln angemessen reagieren muss. Transreligiosität korreliert den Ergebnissen der Studien zufolge leicht negativ mit sozialer Religiosität (Zentralität der sozialen Religiosität) sowie mit den kirchlichen Netzwerkbeziehungen (Kirche als soziale Ressource); Monoreligiosität hingegen weist mit beiden Indikatoren einen hohen positiven Zusammenhang auf (Tabelle 2.15, S. 41). Im Unterschied zu den Monoreligiösen sind die Transreligiösen also nicht stark kirchlich engagiert und vernetzt. Obwohl persönliche und soziale Religiosität hoch korrelieren, ist Transreligiosität kaum im Kern der Gemeinde angesiedelt. Zugleich ist der Zusammenhang zwischen Monoreligiosität und personaler Religiosität (r = .56) deutlich höher als der zwischen Transreligiosität und personaler Religiosität (r = .34) (S. 40). Sowohl eine ausgeprägte kirchliche Nähe als auch eine besonders hohe personale Religiosität weisen mithin Tendenzen zur Monoreligiosität auf. Für die Kirche bedeutet das, dass sie in ihrem Handeln darauf achten muss, sowohl Offenheit für ein undogmatisches Christentum und vielleicht sogar für andere Religionen aufzubringen, als auch Verständnis für gefestigte Glaubensüberzeugungen und möglicherweise sogar für missionarischen Eifer. Angesichts der Neigung der evangelischen Theologie und Kirche zu religiöser Toleranz und aufgeklärter Reflexivität besteht wohl die Gefahr, die treuesten Kirchenmitglieder der Kerngemeinde, die bereit sind, für ihren Glauben Opfer zu bringen, die den eigenen Glauben höher schätzen als den der anderen und andere für ihren Glauben gewinnen wollen, mit geringerer Hochschätzung zu begegnen als den Distanzierteren und sie in ihrem Engagement zu entmutigen.

Die Art und Weise der Operationalisierung von Mono- und Transreligiosität vermag nicht vollständig zu überzeugen. Die Variablen, die Transreligiosität abbilden (vgl. unten Tab. 2.11, S. 39), messen sowohl die Wertschätzung anderer Religionen (2) als auch Synkretismus (1 + 3). Beide Orientierungen sind aber durchaus nicht dasselbe. Monoreligiosität wiederum setzt sich aus Variablen zusammen, in denen die Messung des Anspruchs auf Überlegenheit der eigenen Religion über andere (1) mit der Messung des intrinsischen Engagements für die eigene Religion (2 + 3) vermischt sind (vgl. unten Tab. 2.12, S. 39).[3] Wertschätzung anderer Religionen und Engagement für den eigenen Glauben können aber durchaus zusammengehen. Zu untersuchen, in welchem Verhältnis dieser Religionstyp zu Vorurteilen steht, wäre interessant gewesen.

Tabelle 2.11: Indikatoren zur Messung einer transreligiösen Orientierung

(1) Ich bin davon überzeugt, dass alle großen Religionen den gleichen wahren Kern haben.

(2) Ich empfinde andere Religionen als eine Bereicherung.

(3) Ich bin bereit, religiöse Vorstellungen und Praktiken aus anderen Religionen in meinen eigenen Glauben zu übernehmen.

Tabelle 2.12: Indikatoren zur Messung einer mono-religiösen Orientierung

(1) Ich bin davon überzeugt, dass andere Religionen weniger wahr sind als meine eigene Religion.

(2) Ich versuche, möglichst viele Menschen für meine Religion zu gewinnen.

(3) Ich bin bereit, für meine Religion auch größere Opfer zu bringen.

3 Vorurteil und Werthaltung

Wie bereits erwähnt, besteht eines der zentralen Ergebnisse der Studie darin, dass persönliche Religiosität zur Verminderung von gruppenbezogenen Vorurteilen beiträgt, zugleich jedoch mit sexistischen und homophoben Einstellungen korreliert (vgl. Tabelle 2.28 – 31, S.70 – 78). Letzteres gilt auch, wenn nach demographischen Merkmalen wie Alter, Geschlecht, Bildung und Haushaltseinkommen kontrolliert wird. Verbündet sich Religiosität also tendenziell mit emanzipativen Einstellungen zu Fremdgruppen und mit konservativen Geschlechterstereotypen?

Eine Erklärung für den positiven Zusammenhang zwischen Religiosität und Abwehr von Vorurteilen gegenüber Zugewanderten, Muslim*innen, Jüd*innen, ökonomisch Schlechtergestellten, Behinderten und so weiter könnte in der Wirksamkeit der christlichen Botschaft liegen, die Nächstenliebe und Solidarität mit den Schwachen und Armen predigt. Eine Rolle

---

3 Mit.70 beziehungsweise.71 ist Cronbachs Alpha zwar akzeptabel, aber nicht sehr hoch.

für die geringer ausgeprägten Vorurteile christlich geprägter Menschen gegenüber den Anhängern des Islam und des Judentums könnte aber auch spielen, dass sie sich angesichts des um sich greifenden Säkularismus mit Andersgläubigen solidarisch fühlen. Umgekehrt dürften aber auch ihre sexistischen und homophoben Vorurteile mit der Wirksamkeit religiöser und kirchlicher Traditionen in Zusammenhang stehen. Im Raum der Kirche sind traditionelle Geschlechterrollen und Familienbilder besonders resistent. Sie werden in Verkündigung und Praxis immer wieder aufgerufen.

Sinnvoll wäre es gewesen, wenn die Vorurteilsstrukturen unter Kirchenmitgliedern und Konfessionslosen differenziert nach Ost- und Westdeutschland ausgewertet worden wären. In Analysen der Allbus-Daten hat sich gezeigt, dass konventionelle Einstellungen im Osten Deutschlands unter Konfessionslosen verbreiteter sind als unter Kirchenmitgliedern und dass sich die Zusammenhänge im Westen umgekehrt verhalten.

Insgesamt handelt es sich bei der Studie „Zwischen Nächstenliebe und Abgrenzung" um eine sehr aufschlussreiche empirische Untersuchung. Manchmal ist in den durchgeführten Analysen zu vieles in eine Variable beziehungsweise in einen Index gepackt worden. Die Zentralitätsskala umfasst sowohl solche Variablen, die personale Religiosität erfassen, als auch solche, mit denen soziale Religiosität gemessen werden soll, und macht außerdem die Differenzen unsichtbar, die zum Beispiel zwischen der intellektuellen Reflexion über Religion und religiösem Glauben oder religiöser Praxis bestehen. Auch die Konstrukte Monoreligiosität und Transreligiosität umfassen zu viele unterschiedliche Einstellungen. Im Fall der Monoreligiosität etwa werden so unterschiedliche Variablen wie religiöses Engagement und religiöser Überlegenheitsanspruch zu einem Index zusammengezogen. Und auch bei der Messung von Autoritarismus, mit dem wir uns in diesem Kommentar nicht weiter beschäftigt haben, werden sehr weit auseinanderliegende Items wie „Gegen Außenseiter und Nichtstuer sollte in der Gesellschaft mit aller Härte vorgegangen werden" und „Traditionen sollten unbedingt gepflegt und aufrechterhalten werden" in einer Skala zusammengefasst (Tabelle 2.26, S. 64 f.).

Je mehr variierende und vielleicht sogar entgegengesetzte Items in eine Skala aufgenommen werden, desto schwächer fallen in der Regel die gemessenen Effekte aus (vgl. auch Fußnote 163 auf S. 86), desto schwerer lassen sich die gemessenen Effekte interpretieren und desto größer ist in bestimmten Fällen die Gefahr, dass die Zusammenhangsanalysen Tautologien enthalten. Die analytische Trennschärfe steigt, wenn Konstrukte gewählt werden, die nicht zu breit angelegt und inhaltlich begrenzter sind. Schmalere Messinstrumente erlauben genauere Beobachtungen. Mit einem SUV kann man auf der Autobahn zweifellos weite Strecken zurücklegen und schnell vorwärtskommen. Wer mit dem Fahrrad die Landstraße benutzt, sieht mehr und kommt auch an.

Ausgewählte sozialpsychologische Theorien zur Erklärung von Vorurteilen und rechtsextremen Einstellungen

Von Alexander Yendell

1 Einleitung

Mittlerweile hat in der Religionssoziologie ein Forschungsfeld an Bedeutung gewonnen, welches nicht zu den klassischen Themen der Religionssoziologie gehört, nämlich das der religionsbezogenen Vorurteils- und Rechtsextremismusforschung. Das wachsende Interesse an diesem Forschungsfeld entstand insbesondere nach den Anschlägen von 9/11 und einem wahrgenommenen Konflikt und einer Spaltung zwischen sogenannter westlicher und islamischer Welt. In den letzten Jahren ist dieses Thema noch bedeutender geworden, nicht zuletzt, weil rechtspopulistische und rechtsextreme Bewegungen und Parteien nicht nur in Deutschland, sondern weltweit an Einfluss gewonnen haben. Für diese Bewegungen und die damit verbundenen Konflikte ist das Thema Religion kein triviales. Zum einen erfüllen andere Religionen wie das Judentum und der Islam und deren Angehörige eine Sündenbockfunktion und zum anderen ist die eigene Religion für die Identitätspolitik von rechtsextremen und rechtspopulistischen Personen zentral, auch wenn das Christentum beziehungsweise die Identifikation mit dem christlichen Abendland oftmals diffus wirkt und das Christentum instrumentalisiert wird (Hidalgo et al. 2019).

In den letzten Jahren sind deshalb eine ganze Reihe von Forschungsarbeiten entstanden, die sich zum Ziel nahmen, herauszufinden, welche Theorien dazu geeignet sind, die Ausbildung von Vorurteilen, rechtsextremen Einstellungen und Verhaltensweisen wie zum Beispiel die Wahl einer rechtspopulistischen/extremen Partei zu erklären und dabei insbesondere die Frage stellten, inwieweit Religion und Religiosität in diesem Zusammenhang eine Rolle spielen (zum Beispiel Pollack et al 2014, Pickel/Yendell 2018, Rebenstorf 2018, Huber/Yendell 2019). Einige dieser Erklärungsansätze werden im Folgenden diskutiert. Sie entstammen wie die meisten Ansätze aus der sozialpsychologischen Rechtsextremismus- und Vorurteilsforschung. Einige von ihnen haben entweder bereits Religionsaspekte in ihrer Argumentation berücksichtigt oder dieser Bezug lässt sich indirekt erstellen. Andere Erklärungsansätze wiederum haben wenig religiöse Bezugspunkte. Deshalb ist es wichtig, möglichst viele Erklärungsansätze in komplexen Hypothesenmodellen zu berücksichtigen, weil möglicherweise einfache Hypothesenmodelle Zusammenhänge übersehen und so undifferenzierte Aussagen getroffen werden. So ist zum Beispiel die Überprüfung religionsbezogener Indikatoren oftmals unterkomplex, was in Studien, in denen beispielsweise nur die Mitgliedschaft in einer Religionsgemeinde als Einflussfaktor diskutiert wird, zu sehr widersprüchlichen Aussagen führt (siehe hierzu Rebenstorf 2018, Huber/Yendell 2019). Mal sind es eher Katholik*innen, mal eher Protestant*innen und mal eher Atheist*innen, die laut einer Studie rechtsextremer und vorurteilsbeladener sind. Dagegen kommen Studien, in denen verschiede Dimensionen von Religiosität wie die religiöse Praxis oder religiöses Sozialkapital berücksichtigt werden, häufiger zu dem Ergebnis, dass Religiosität eher mit Toleranz und demokratiebefürwortenden Einstellungen einhergehen (Schneider et al 2019, Huber/Yendell 2019, Yendell/Huber 2020, Doebler 2014).

2. Ausgewählte sozialpsychologische Theorien

2.1 Die Theorie der autoritären Persönlichkeit

Einer der prominentesten Erklärungsansätze ist die Theorie der autoritären Persönlichkeit (Reich 1933; Horkheimer 1936, Adorno et al 1950), die sich an die Psychoanalyse Sigmund Freuds und im Speziellen an dessen Konzept des „Narzissmus der kleinen Differenzen" (Freud 1930) anlehnt. Es handelt sich jedoch nicht nur um einen Ansatz, der einen Zusammenhang zwischen Autoritarismus, antidemokratischen Einstellungen, Vorurteilen und Diskriminierung behauptet, sondern auch Religion und Religiosität sowohl als unterstützende als auch hemmende Faktoren für faschistische, ethnozentrische und antisemitische Einstellungen diskutiert. Vor dem Hintergrund der Freud'schen Psychoanalyse gingen die Begründer dieses sozialpsychologischen Ansatzes davon aus, dass unbewusste Konflikte, die ihren Ursprung in der Kindheit haben, nicht nur psychische Beschwerden und Krankheiten auslösen, wie Freud annahm, sondern auch mit ethnozentrischen, antisemitischen und faschistischen Einstellungen zusammenhängen. Man ging davon aus, dass Menschen, die einer faschistischen Ideologie zugeneigt waren, in ihrer Kindheit Hassgefühle gegenüber Autoritäten, insbesondere den eigenen Eltern, entwickelt hatten, die sie unter keinen Umständen ausleben konnten. Dieser aufgestaute Hass überträgt sich auf andere, das heißt auf Ausgegrenzte, als schwächer empfundene Menschen und Fremde (siehe auch Rippl et al. 2000).

Die autoritäre Persönlichkeit ist durch verschiedene Merkmale gekennzeichnet, darunter Machtorientierung, Destruktivität, Zynismus, Sadomasochismus, Aggression gegen Schwächere, Wunsch nach Bestrafung, intellektuelle Feindseligkeit und die Einteilung der Welt in Gut und Böse. Adorno beschrieb die autoritäre Persönlichkeit als „ich-schwach". Sie habe ein schwaches Selbstwertgefühl, und die Sündenbocksuche, in der Psychoanalyse auch bekannt als *Projektion*, sei ein sehr verbreiteter und unausgereifter Mechanismus zur Stabilisierung des Selbstwertgefühls. Autoritarismusforscher*innen kommen zu dem Schluss, dass es einen engen Zusammenhang zwischen autoritärer Charakterstruktur, faschistischer Ideologie und Antisemitismus gibt. Sie sehen die Wurzeln im Erziehungsideal der Weimarer Zeit, das durch Strafen, auch physischer Art, und eine emotional distanzierte, dominierende Vaterfigur gekennzeichnet war. Das Individuum rebelliert also nicht gegen seine Eltern, weil das unmöglich war, sondern gegen andere, Fremde und solche, die als schwach gelten (Rippl et al. 2000). Gleichzeitig neigt die autoritäre Persönlichkeit dazu, sich mit einem Diktator zu identifizieren und sich zu unterwerfen, um an seiner Stärke teilzuhaben.

In die prominente und häufig verwendete f-Skala nehmen Adorno et al. die Unterskala *Aberglaube und Stereotypie* auf (Adorno 1999: 55 ff.). Die fünf Indikatoren dieser Subskala beschäftigen sich inhaltlich mit Astrologie, Wahrsagerei, dem wissenschaftlich Unerklärlichen, einem katastrophalen Weltuntergang und einer übernatürlichen Macht. Aus Adornos Sicht beinhaltet der Aberglaube, der für ihn im engeren Sinne keine Religion ist, die Tendenz, die Verantwortung vom Individuum auf äußere Mächte zu verlagern, die sich seiner Kontrolle entziehen. Der Aberglaube sei ein Indiz dafür, dass das „Ich" bereits aufgegeben habe, weil es sein Schicksal nicht mehr selbst bestimmen könne. In seiner Diskussion religiöser Konzepte, die in den qualitativen Interviews der Autoritarismus-Studie auftauchen, hebt er sowohl die immunisierende als auch die problematische Funktion des Christentums hervor. Einerseits könne das Christentum quasi als hemmender Faktor in Bezug auf die Ausbildung von Ethnozentrismus und Antisemitismus fungieren, da die christliche Lehre von der universellen Liebe und die Idee der „christlichen Humanitas" Minderheiten die gleichen Rechte einräumt wie Mehrheiten (Adorno 1999: 281). Darüber hinaus verhindert aus seiner Sicht die Betonung des „Geistes" tendenziell die Betonung körperlicher Merkmale wie „Rassenmerkmale", die die Funktion haben, andere aufgrund ihrer Abstammung zu verunglimpfen. Wenn Menschen jedoch kein Interesse am Inhalt der Religion haben und beispielsweise nur in die Kirche gehen, weil es eine gesellschaftliche Konvention ist oder vielleicht, um die soziale Konformität der Eltern zu befriedigen (a. a. O.: 285), wird diese extrinsische Religion problematisch, weil sie dazu benutzt werden kann, zwischen denjenigen zu unterscheiden, die dazugehören und sich anpassen, und denjenigen, die sich nicht anpassen, und somit Teil der autoritären Konformität werden kann. Adorno betont in diesem Kontext, dass das Gegenteil einer solchen Religiosität darin bestehe, dass Menschen die Religion in einer verinnerlichten Weise erfahren (ebd.). Die Tatsache, dass ein Mensch die Religion ernst nimmt und über sie nachdenkt, sei ein Zeichen für psychologische Unabhängigkeit. Diese Form der intrinsischen Religiosität, die den Inhalt und nicht die Unterscheidung zwischen denjenigen, die einer christlichen Religionsgemeinschaft angehören, und denjenigen, die das nicht tun, betont, konzentriert sich auf eine universelle Ethik der Liebe und des Mitgefühls, die nichts mit konventionalisierten religiösen Denkmustern zu tun hat (ebd.). Adorno stellt fest, dass diejenigen, die dem „offiziellen Christentum" angehören, zum Ethnozentrismus und zur Verunglimpfung anderer religiöser Gruppen neigen würden, im Gegensatz zu denjenigen, die intrinsisch religiös sind.

Fasst man Adornos Gedanken zum Zusammenhang zwischen Autoritarismus, Religiosität, Ethnozentrismus und Vorurteil zusammen, so sind drei Haupttypen von Religiosität besonders interessant: 1) Christ*innen, die sich mit einer Religionsgemeinschaft identifizieren, weil sie ihnen sozialen Status und persönliche Sicherheit gibt, denen es aber gleichzeitig an Engagement und Interesse an den Inhalten der Religion fehlt (insbesondere universalistische Ethik) und die zu Ethnozentrismus und Faschismus neigen (extrinsische Religiosität), 2) intrinsisch religiöse Christ*innen, die über ihre Religion nachdenken und keine ethnozentrischen und faschistischen Ansichten haben, und 3) Menschen, die abergläubisch sind, was meist mit Ethnozentrismus und Faschismus einhergeht (siehe auch Huber/Yendell 2019).

Die ersten beiden Typen entsprechen der von Gordon Allport und Michael Ross (1967) getroffenen Unterscheidung zwischen einer intrinsischen und einer extrinsischen Religiosität. Huber und Yendell (2019) stellten in Anlehnung an die Typologie Adornos mittels einer Analyse der ALLBUS-Daten fest, dass insbesondere die kirchliche Praxis im Osten Deutschlands rechtsextreme Einstellungen und die Wahl der AfD hemmt, während der

Aberglaube, so wie Adorno et al. annahmen, mit rechtsextremen Einstellungsmustern zusammenhängt.

Eine gewisse Nähe besteht auch zwischen Autoritarismus und religiösem Fundamentalismus. So sieht Strube strukturelle Parallelen, die darauf hindeuten, dass auch christlich-religiöser Fundamentalismus immer eine Komponente hat, die Demokratie, Egalität und Menschenrechte gefährdet, weil er Andersdenkende ebenso wie Kompromisse nicht zu respektieren vermag (Strube 2021). Strubes qualitativ-empirische Untersuchungen rechtschristlicher Internetseiten stellen in diesem Kontext Autoritarismus als wesentliche psychische Triebfeder religiösen Fundamentalismus heraus.

2.2 Die Verschwörungsmentalität als Teil des autoritären Syndroms

Das Konzept der „Verschwörungsmentalität" ist ein weiterer Ansatz, um Vorurteile und rechtsextreme Einstellungen zu erklären (Imhoff/Decker 2013). Nach Decker et al. (2020) ist die Verschwörungsmentalität Teil eines *autoritären Syndroms* und gehört zur Dimension „Projektivität". Die „Verschwörungsmentalität" basiert in diesem Kontext auf der Vorstellung, dass politische Entscheidungen von rational kalkulierenden Menschen getroffen werden, die im Hintergrund agieren. Die Verschwörung wird von bestimmten Gruppen oder Einzelpersonen im Verborgenen und meist in böswilliger Absicht betrieben. Diese Gruppen oder Einzelpersonen würden die Gesellschaft bis ins kleinste Detail kontrollieren. Laut Decker et al. schützt dies die Beteiligten davor, sich mit der Komplexität gesellschaftlicher Probleme auseinanderzusetzen, und ermöglicht es, autoritäre Aggressionen gegen bestimmte Gruppen und Einzelpersonen zu richten, da diese leicht aufzuspüren und ins Visier zu nehmen sind (Decker et al. 2018: 122 f.). Das Besondere an der Verschwörungsmentalität und dem Aspekt der Projektion innerhalb des Autoritarismuskonzepts ist, dass es im Verschwörungsmythos nicht mehr um die Stärkung des geschwächten Ichs geht, sondern um die Neugestaltung der Welt: In der Welt der Verschwörungsfantasten gelte das Realitätsprinzip nicht mehr. Die Welt solle sich den eigenen Wünschen und Bedürfnissen anpassen (Decker et al. 2020). Eine solche Weltanschauung ist potenziell demokratiegefährdender als die klassische autoritäre Persönlichkeit, die die Begrenztheit der Regeln und die Notwendigkeit, die Autoritäten zu respektieren, hervorhebt – mit der Unterbrechung des Realitätsprinzips lautet die Botschaft vielmehr, das Kapitol zu stürmen, anstatt die Wahlbehörden zu respektieren (Yendell/Herbert 2022: 232). Besonders gefährlich ist, dass die Verschwörungsmentalität in Zusammenhang mit der Unzufriedenheit mit der Demokratie und deren Ablehnung, mit Rechtsextremismus, Antisemitismus, Muslim*innenfeindlichkeit und der Wahl der AfD steht (Pickel/Yendell 2018; Yendell 2021). Die Verschwörungsmentalität selbst steht in Zusammenhang mit religiösem Fundamentalismus und einem Glauben an einen strafenden Gott, was wiederum die strukturelle Parallele zum Autoritarismus aufzeigt.

Ein weiteres Konzept, welches in der Rechtsextremismus- und Vorurteilsforschung vielfach verwendet wird, ist die Social Dominance Orientation (SDO). Dabei handelt es sich um ein Maß für die individuelle Akzeptanz von gruppenbasierten Hierarchien und entsprechenden Ungleichheiten (Pratto et al. 1994; Sidanius/Pratto 2001). SDO wird dabei definiert als eine allgemeine individuelle Differenzorientierung, die den Wert ausdrückt, den Menschen nicht-egalitären und hierarchisch strukturierten Beziehungen zwischen sozialen Gruppen beimessen. Sie drückt die allgemeine Unterstützung für die Vorherrschaft bestimmter sozial konstruierter Gruppen über andere sozial konstruierte Gruppen aus, unabhängig von der Art und Weise, wie diese Gruppen definiert sind. Dabei unterscheiden sich Individuen in dem Ausmaß, in dem sie gruppenbasierte Ungleichheit und Dominanz aus einer beliebigen Anzahl von Gründen wünschen (Sidanius/Pratto 1999: 61). SDO ist aus der Theorie der sozialen Dominanz (Sidanius und Pratto 1999) hervorgegangen, einer Mehrebenentheorie, die sich auf die Aufrechterhaltung und Stabilität gruppenbasierter sozialer Hierarchien konzentriert. Diese Hierarchien verleihen dominanten Gruppen Privilegien und sind in fast allen stabilen Gesellschaften vorhanden. Nach Sidanius und Pratto bestehen Hierarchien aus drei Systemen:

1) Alter (Erwachsene sind privilegierter als Kinder),
2) Geschlecht (Männer haben in der Regel mehr Macht als Frauen),
3) ein willkürliches System (kulturell definierte gruppenbasierte Hierarchien).

Es hat sich häufig gezeigt, dass die SDO eine hohe Erklärungskraft für verschiedene Arten von Vorurteilen oder politischen Einstellungen hat (zum Beispiel Newman et al. 2014; Dru 2007; Cohrs/Asbrock 2009; zu Islamophobie siehe Uenal 2016).

2.3 Die Social-Identity-Theorie

Nach dem Ansatz der Social-Identity-Theorie (SIT) wird das Verhalten von Individuen durch die Zugehörigkeit zu einer Gruppe (In-Group) bestimmt, die im Verhältnis zu anderen Gruppen (Out-Groups) definiert wird (Tajfel/Turner 1986). Eine solche In-Group kann zum Beispiel ein Verein, eine Nation und freilich auch eine Religionsgemeinschaft sein. Vorurteile entstehen nach der SIT dadurch, dass das Individuum ein Bedürfnis nach einem positiven Selbstwert hat, worin eine generelle Tendenz besteht. Dieser positive Selbstwert wird entsprechend durch die Identifikation mit der In-Group gestärkt, sofern die eine hohe Wertigkeit hat. Das wiederum bestärkt das Individuum darin, die eigene In-Group aufzuwerten. Innerhalb eines solchen Aufwertungsprozesses vergleicht das Individuum die eigene Gruppe mit der anderen Gruppe und tendiert dazu, die Out-Group schlechter zu beurteilen, ja mit negativen Eigenschaften zu belegen (quasi nach dem Motto „Die eigene Gruppe ist immer besser als die andere"). Ein bedeutender Verstärker für die Identifikation mit der In-Group und damit auch ein Verstärker für die Abgrenzung von einer Fremdgruppe kann das angenommene Ausmaß gewünschter Verbindlichkeit und Loyalität darstellen. Je loyaler eine Person glaubt sein zu müssen, desto eher nimmt sie eine ablehnende Haltung gegenüber einer Fremdgruppe ein. Unter Umständen entwickelt sich daraus eine Dynamik, die zur Konstruktion weiterer Vorurteile führen kann. Eine sehr starke Identifikation mit der In-Group kann zum Beispiel im Stolz auf die eigene Nation liegen, welche in der Forschung zu Fremdenfeindlichkeit und Rechtsextremismus immer wieder mit der Abwertung von Fremden in Zusammenhang gebracht wird. Yendell/Huber (2020) stellen im Zusammenhang mit Religion fest, dass Evangelikale in der Schweiz signifikant häufiger zu Islamfeindlichkeit neigen als andere Gruppen, aber der Effekt verschwindet, sobald die Wichtigkeit der nationalen Identität in Modellen berücksichtigt wird. Anders ausgedrückt: die Identifikation mit der Religionsgemeinschaft ist nicht für die Ablehnung des Islams bedeutend, sondern die starke nationale Identität, die unter Evangelikalen in der Schweiz sehr ausgeprägt ist.

Die Terror-Management-Theorie

Die Terror-Management-Theorie (TMT) (Greenberg et al. 1997) besitzt eine Nähe zur Social-Identity-Theorie, ist allerdings noch komplexer, weil sie in Bezug auf die Identifikation mit der In-Group noch weitere Aspekte

Alexander Yendell

berücksichtigt. Die TMT geht davon aus, dass ein grundlegender Konflikt des Menschen sich darin äußert, dass er einerseits leben möchte, aber andererseits mit der Endlichkeit des Lebens beziehungsweise mit dem Tod konfrontiert sei. In der Argumentation der TMT erlangt das Individuum einen Selbstwert und gleichzeitig Umweltkontrolle durch die Gültigkeit seiner kulturellen Weltsicht und zudem dadurch, dass die allgemeine Lebensweise an seine kulturelle Weltsicht angepasst ist. Nach der TMT sind Kulturen symbolische und sinnstiftende Systeme. Kulturelle Werte dienen dabei dazu, die Bedrohung angesichts des Todes durch Sinnstiftung zu mildern. Eine Möglichkeit, die Bedrohung durch den Tod zu entschärfen, ist der Glaube an ein Weiterleben nach dem Tod, wie er zum Beispiel in Religionen vermittelt wird. Eine andere Möglichkeit besteht in der Identifikation mit *symbolischer Immortalität*. Damit ist gemeint, dass die kulturellen Weltsichten des Individuums auch nach dem Tod zumindest symbolisch weiterleben. Eine solche symbolische Immortalität verspricht die Nation, die Möglichkeit einer Hinterlassenschaft, kulturelle Perspektiven auf Sexualität und auch die Überlegenheit der Menschen gegenüber den Tieren. Diesen Aspekten ist gemeinsam, dass sie dem Menschen das Gefühl vermitteln, er gehöre zu etwas Größerem, was über den Tod hinaus Bestand hat. Weil kulturelle Werte sinnstiftend wirken, sind sie auch fundamental für den Selbstwert, und schützen wiederum das Individuum vor der gedanklichen Bedrohung durch den Tod. Die Tendenz zur Aufwertung der In-Group und der damit einhergehenden Abwertung der Out-Group kann aus der Perspektive der TMT zum Beispiel bei existenzieller Bedrohung verstärkt werden. Die In-Group repräsentiert die eigene Weltanschauung und zugleich verstärkt sie das Gefühl der (symbolischen) Immortalität. Dieser Effekt wird durch zahlreiche sozialpsychologische Experimente bestätigt, die zeigen, dass die Konfrontation mit dem Tod dazu führt, dass Individuen sich stärker mit der nationalen, kulturellen, religiösen In-Group, einem Sportverein, dem eigenen Geschlecht und so weiter identifizieren und sich gleichzeitig negativer gegenüber Out-Groups äußern und diesen mit Vorurteilen begegnen. Jonas und Fritsche bieten vor dem Hintergrund ein dynamisches *Terror Management Model of Escalation and De-Escalation* an (Jonas/Fritsche 2013). Das Modell integriert zwei Entwicklungen: Zum einen den Pfad, der die existenzielle Bedrohung verschärft, und zum zweiten sogenannte „buffer", die eine existenzielle Bedrohung verringern können. Die Eskalation ergibt sich durch folgende Entwicklung: Ein Individuum wird mit dem Tod konfrontiert (mortality salience), neigt deshalb stärker dazu, die eigene In-Group zu unterstützen und die damit verbundenen gemeinsamen

Weltsichten zu verteidigen. Diese Verteidigung der In-Group führt zu Intoleranz gegenüber Andersdenkenden und zur Abgrenzung von Out-Groups sowie zu feindseligem Verhalten und aggressiven Handlungen zwischen Individuen und Gruppen. So kann es zu einer Spirale der Feindseligkeit und Aggression kommen, in der das Gefühl der Bedrohung verstärkt wird. Allerdings kann der Teufelskreis unterbunden werden, indem zum Beispiel die Angst vor der existenziellen Bedrohung beziehungsweise die Angst vor dem Tod unterbunden wird oder dadurch, dass Menschen Kontrolle erlangen, beispielsweise durch die Möglichkeit des selbstbestimmten Suizids. Aber auch religiöser Glaube und im Speziellen der Glaube an ein Leben nach dem Tod kann Ängste abbauen. Weiterhin wird die Stärkung des Selbstwertgefühls, die Integration in kulturellen In-Groups, die nicht in Intergruppenkonflikte involviert sind, die Bestärkung der Weltanschauung, stabile Beziehungen zu Freunden und eigene Kinder, die das Weiterleben eigener Anteile ermöglichen. Des Weiteren können prosoziale Werte wie liberale politische Haltungen, Empathie, Normen wie Fairness und Toleranz sowie niedrige autoritäre Einstellungsmuster die Gefühle der Bedrohung und die damit einhergehende Intoleranz bis hin zur Feindseligkeit unterbinden.

2.4 Deprivationsthese

Ein weiteres wichtiges Erklärungskonzept ist die *Deprivationsthese*, die von einem Zusammenhang zwischen sozialer Benachteiligung und fremdenfeindlichen Einstellungen ausgeht (Stouffer et al 1949a/b, Stouffer 1963, Rippl/Baier 2005, McCutcheon 2000). Im Kampf um knappe ökonomische Ressourcen könnten Mitglieder der Mehrheitsgesellschaft vor allem in Zeiten wirtschaftlicher Knappheit und Rezession besonders dazu neigen, einer anderen konkurrierenden Gruppe mit Vorurteilen, ja sogar Gewalt, zu begegnen, weil diese als Ursache für die eigene Benachteiligung ausgemacht wird. Deprivationstheorien unterscheiden üblicherweise zwischen objektiver und relativer Deprivation (Rippl/Baier 2005). Mit objektiver Deprivation ist eine tatsächliche und messbare soziale Benachteiligung eines Individuums wie beispielsweise Arbeitslosigkeit, niedriges Einkommen oder niedrige soziale Schicht gemeint. Mit relativer Deprivation ist die Benachteiligung im Vergleich zu anderen sozialen Gruppen gemeint, also die subjektive Einschätzung, gesellschaftlich benachteiligt zu sein, ohne dass eine tatsächliche Benachteiligung vorausgesetzt ist. Rippl und Baier machen in diesem Zusammenhang noch eine weitere wichtige Unterscheidung zwischen individueller Deprivation, dem Gefühl der eigenen Benachteiligung und der kollektiven Deprivation, dem Gefühl der Benachteiligung der eigenen sozialen Gruppe. Es sei zu erwarten, dass insbesondere kollektive Deprivation entscheidend die Heranbildung fremdenfeindlicher Einstellungen beeinflusst. Viele Forschungsergebnisse bestätigen die Deprivationsthese (zum Beispiel Becker 2007, Winkler 2003, Edinger/Hallermann 2001).

Die Integrated-Threat-Theorie ist eine weitere relevante Theorie (Stephan et al. 2000; Stephan/Stephan 1996). Sie unterscheidet zwischen *realer* und *symbolischer Bedrohung*. Die realistische Bedrohung umfasst eine wahrgenommene Bedrohung für die Existenz der Gruppe in Bezug auf den physischen, materiellen und politischen Status. Wenn es sich um eine realistische Bedrohung durch eine Außengruppe handelt, zum Beispiel nach einem Terroranschlag oder durch den Nachweis ihrer kriminellen Aktivitäten, dann ist nach diesem Ansatz die Abwertung einer Out-Group viel wahrscheinlicher. Der Effekt ist besonders hoch, wenn Mitglieder einer In-Group bereits stark mit ihrer Gruppe identifiziert sind (zum Beispiel mit der Nation oder der Religionsgemeinschaft) – und auch, wenn die Out-Group bereits unter Verdacht stand. Die symbolische Bedrohung entsteht aus wahrgenommenen Konflikten auf der Ebene der Werte, Normen, Überzeugungen und Weltanschauungen verschiedener Gruppen oder Kulturen. Ein Beispiel ist die Angst vor der angeblichen Islamisierung der „westlichen Welt". Symbolische Bedrohung steht meist für kulturelle Angst und soziale Distanz zu Gruppen, die im Sinne der Kultur als „fremd" angesehen werden. Insbesondere muslimische Migrant*innen sind mögliche Ziele der Zuschreibung als bedrohliche soziale Gruppe, da sie als kulturell anders angesehen werden (Yendell/Pickel 2019).

2.5 Die Kontakthypothese

Der Kontakthypothese (Allport 1971) zufolge kann persönlicher Kontakt des Individuums mit Mitgliedern der Out-Group Vorurteile abbauen. Allerdings muss nicht jede Art von Kontakt automatisch einen Abbau von Vorurteilen mit sich bringen (Allport/Ross 1967). Das Ausmaß der Stereotypisierung hängt sowohl von den Beziehungsarten (Kollegenschaft, Bekanntschaft, Freundschaft, Verwandtschaft) als auch von der Qualität der Kontakte ab. Unter bestimmten Bedingungen wie gleichem Status, kooperative Tätigkeit, Stetigkeit und persönliches Kennenlernen können

Kontakte die interpersonellen Einstellungen zwischen In- und Out-Group verbessern (Pettigrew 1998). Schwierig in Bezug auf die Kontakthypothese ist eine klare Festlegung der Kausalrichtung. Es ist anzunehmen, dass nicht nur Kontakte dazu beitragen, Vorurteile abzubauen, sondern dass insbesondere vorurteilsfreie und tolerante Personen verstärkt dazu neigen, Kontakte mit Fremden zu suchen. Die Metaanalyse von Pettigrew und Tropp (2006: 757 f.) zeigt, dass die durchschnittliche Effektstärke zwischen Kontakten zu Fremden und dem Fehlen von Vorurteilen in den Studien, in denen die Befragten keine Kontaktwahlmöglichkeiten hatten, größer ist als in Studien, in denen die Befragten die Wahl hatten, ob sie Kontakte zur Out-Group eingehen oder nicht. Kontakte haben nach dieser Ergebniszusammenstellung also unabhängig von den durch bestehende Vorurteile gegebenen Handlungspräferenzen einen vorurteilsabbauenden Effekt. Die Kontakthypothese hat sich als äußerst wichtiger Erklärungsansatz herausgestellt. Zahlreiche Studien belegen, dass Kontakte zu Mitgliedern beispielsweise anderer Religionsgemeinschaften Vorurteile abbauen (Pollack et al. 2014. Pickel/Yendell 2016, Pickel/Öztürk 2018, Pickel et al. 2020;). Sie kann gut erklären, warum an Orten, in denen kaum Muslim*innen leben, wie im Osten Deutschlands, die Ablehnung des Islam und der Muslim*innen besonders hoch ist.

3 Zusammenfassung

Die ausgewählten Erklärungsansätze eignen sich, um mögliche Vorurteilsstrukturen gegenüber als fremd wahrgenommene Religionsgemeinschaften und als Schwächere oder als Bedrohung empfundene Minderheiten zu erklären. Spannend sind hier die Religionsbezüge, nicht nur, weil Religionsgemeinschaften Ziel von Vorurteilen und Diskriminierung sind, sondern auch, weil Aspekte von Religion und Religiosität in der Argumentation der Erklärungsansätze eine Rolle spielen: In der *Theorie der autoritären Persönlichkeit* spielt Religiosität in Form von eher toleranzfördernden Denkmustern bei Personen eine Rolle, die sich mit der christlichen Doktrin von Nächstenliebe und Universalismus identifizieren oder aber umgekehrt in Vorurteilen und Diskriminierung bei „ich-schwachen" Abergläubigen mit Hang zur Schwarz-Weiß-Malerei oder autoritär Religiösen, die aus einer gesellschaftlichen Konvention heraus religiös sind. Die Verschwörungsmentalität reiht sich hier ein und hat ebenfalls religiöse Bezüge beispielsweise im Zusammenhang mit religiösem Fundamentalismus, der wiederum strukturelle Parallelen zum Autoritarismus aufweist. Auch die *Social-Identity-Theorie* erweist sich als ein wichtiger Erklärungsansatz, allerdings ist auch hier entscheidend, verschiedene Identitätsmarker im Blick zu haben. Die nationale Identität ist möglicherweise ausschlaggebender für die Ausbildung von Vorurteilsstrukturen als die religiöse Identität. Da die existenzielle Bedrohung beziehungsweise der Tod in Religionen beispielsweise über das Versprechen von Immortalität eine Rolle spielt, ist auch die *Terror-Management-Theorie* bedeutend und kann vielleicht auch erklären, warum es im Zuge des anwachsenden Rechtspopulismus teils sehr diffuse Identifikationen mit dem Christentum beziehungsweise dem christlichen Abendland gibt, vor allem in Regionen, die eher säkular geprägt sind. Auch die *Integrated-Threat-Theorie* mit ihrer Unterscheidung zwischen symbolischer und existenzieller Bedrohung ist in diesem Kontext interessant, weil die möglicherweise weitaus wichtigere symbolische Bedrohungsdimension vor allem Kultur und Religion adressiert. Neben den Erklärungsansätzen, die stark auf der affektiv-emotionalen Dimension angesiedelt sind, spielen auch andere Erklärungsansätze eine wichtige Rolle und sollten, wenn möglich, bei der Frage nach den Ursachen von Vorurteilen und rechtsextremen Einstellungen berücksichtigt werden. Das gilt für die *Deprivationsthese* und hier insbesondere für die *relative Deprivation*, die *Kontakthypothese*, die von vorurteilsabbauenden Effekten von Kontakten ausgeht, sowie für die *Theorie der sozialen Dominanzorientierung*. Letztere hat vor allem Ungleichwertigkeitsvorstellungen im Blick, die in Definitionen zu Rechtsextremismus berücksichtigt sind, sodass möglicherweise ein Tautologieproblem auftritt (sozial dominante Personen, die soziale Hierarchien und Ungleichwertigkeit befürworten, befürworten Ungleichwertigkeitsvorstellungen, die für den Rechtsextremismus zentral sind).

Literaturverzeichnis

Adorno, Theodor W. (1999): *Studien zum autoritären Charakter*. 3. Aufl. Frankfurt am Main: Suhrkamp (Suhrkamp Taschenbuch Wissenschaft, 1182).

Adorno, Theodor W./Frenkel-Brunswik, Else/Levinson, Daniel J./Sanford, R. Nevitt (1950): *The Authoritarian Personality*. New York: Harper und Brothers.

Allport, Gordon W. (1971): *Die Natur des Vorurteils*. Köln: Kiepenheuer & Witsch (Studien-Bibliothek).

Allport, Gordon/Ross, J. Michael (1967): Personal Religious Orientation and Prejudice. In: *Journal of Personality and Social Psychology* 5 (4), S. 432–443.

Becker, Birgit (2007): *Ausländerfeindlichkeit in Ost- und Westdeutschland. Theoretische Grundlagen und empirische Analysen.* Saarbrücken: VDM Müller. Online verfügbar unter http://deposit.d-nb.de/cgi-bin/dokserv?id=2911352&prov=M&dok_var=1&dok_ext=htm.

Cohrs, J. Christopher/Asbrock, Frank (2009): Right-wing authoritarianism, social dominance orientation and prejudice against threatening and competitive ethnic groups. In: *Eur. J. Soc. Psychol.* 39 (2), S. 270–289. DOI: 10.1002/ejsp.545.

Decker, Oliver/Schuler, Julia/Yendell, Alexander/Schließler, Clara/Brähler, Elmar (2020): Das autoritäre Syndrom: Dimensionen und Verbreitung der Demokratie-Feindlichkeit. In: Oliver Decker und Elmar Brähler (Hrsg.): *Autoritäre Dynamiken. Alte Ressentiments – neue Radikalität: Leipziger Autoritarismus Studie 2020.* Originalausgabe. Gießen: Psychosozial-Verlag (Forschung psychosozial), S. 177–210. Online verfügbar unter 209.

Doebler, Stefanie (2014): Relationships Between Religion and Intolerance Towards Muslims and Immigrants in Europe: A Multilevel Analysis. In: *Review of Religious Research* 56 (1), S. 61–86. DOI: 10.1007/s13644–013–0126–1.

Dru, Vincent (2007): Authoritarianism, social dominance orientation and prejudice: Effects of various self-categorization conditions. In: *Journal of Experimental Social Psychology* 43 (6), S. 877–883. DOI: 10.1016/j.jesp.2006.10.008.

Edinger, Michael/Hallermann, Andreas (2001): Rechtsextremismus in Ostdeutschland. Struktur und Ursachen rechtsextremer Einstellungen am Beispiel Thüringens. In: *Zeitschrift für Parlamentsfragen* 32 (3), S. 588–612.

Freud, Sigmund (1930): *Das Unbehagen in der Kultur.* Wien: Internationaler Psychoanalytischer Verlag.

Greenberg, Jeff/Solomon, Sheldon/Pyszczynski, Tom (1997): Terror Management Theory of Self-Esteem and Cultural Worldviews: Empirical Assessments and Conceptual Refinements. In: *Advances in Experimental Social Psychology* 29, S. 61–139. DOI: 10.1016/S0065–2601(08)60016–7.

Hidalgo, Oliver/Hildmann, Philipp W./Yendell, Alexander: *Religion und Rechtspopulismus.* Hrsg. v. Hanns-Seidel-Stiftung (3). Online verfügbar unter https://www.hss.de/download/publications/Argu_Kompakt_2019-3_Religion.pdf.

Horkheimer, Max (Hrsg.) (1936): *Studien über Autorität und Familie. Forschungsberichte aus dem Institut für Sozialforschung.* Paris: Librairie Félix Alcan.

Huber, Stefan/Yendell, Alexander (2019): Does Religiosity matter? Explaining right-wing extremist attitudes and the vote for the Alternative for Germany (AfD). In: *Religion and Society in Central and Eastern Europe* 15 (2), S. 63–85. DOI: 10.20413/rascee.2019.12.1.63 – 82.

Imhoff, Roland/Decker, Oliver (2013): Verschwörungsmentaqlität als Weltbild. In: Oliver Decker/Johannes Kiess/Elmar Brähler (Hrsg.): *Rechtsextremismus der Mitte. Eine sozialpsychologische Gegenwartsdiagnose.* Gießen: Psychosozial-Verlag, S. 146–162.

Jonas, Eva/Fritsche, Immo (2013): Destined to die but not to wage war: how existential threat can contribute to escalation or de-escalation of violent intergroup conflict. In: *The American psychologist* 68 (7), S. 543–558. DOI: 10.1037/a0033052.

McCutcheon, Allan L. (2000): Religion und Toleranz gegenüber Ausländern. Eine vergleichende Trendanalyse fremdenfeindlicher Gesinnung nach der Vereinigung Deutschlands. In: Detlef Pollack und Gert Pickel (Hg.): *Religiöser und kirchlicher Wandel in Ostdeutschland 1989 - 1999*. Opladen: Leske + Budrich (Veröffentlichungen der Sektion Religionssoziologie der Deutschen Gesellschaft für Soziologie (DGS), 3), S. 87–104.

Newman, Benjamin J./Hartman, Todd K./Taber, Charles S. (2014): Social Dominance and the Cultural Politics of Immigration. In: *Political Psychology* 35 (2), S. 165–186. DOI: 10.1111/pops.12047.

Pettigrew, Thomas F./Tropp, Linda R. (2006): A Meta-Analytic Test of Intergroup Contact Theory. In: *Journal of Personality and Social Psychology* 90 (5), S. 751–783.

Pickel, Gert/Yendell, Alexander (2018): Religion als konfliktärer Faktor im Zusammenhang mit Rechtsextremismus, Muslimfeindschaft und AfD-Wahl. In: Oliver Decker/Elmar Brähler (Hrsg.): *Flucht ins Autoritäre. Rechtsextreme Dynamiken in der Mitte der Gesellschaft*. Gießen: Psychosozial-Verlag, S. 217–242.

Pickel, Gert; Liedhegener, Antonius; Jaeckel, Yvonne; Odermatt, Anastas; Yendell, Alexander (2020): Religiöse Identitäten und Vorurteil in Deutschland und der Schweiz – Konzeptionelle Überlegungen und empirische Befunde. In: *Zeitschrift für Religion, Gesellschaft und Politik* (ZRGP) 4 (1), S. 149–196. DOI: 10.1007/s41682-020-00055-9.

Pickel, Gert; Öztürk, Cemal (2018): Islamophobia Without Muslims? The "Contact Hypothesis" as an Explanation for Anti-Muslim Attitudes – Eastern European Societies in a Comparative Perspective. In: *Journal of Nationalism, Memory & Language Politics* 12 (2), S. 162–191. DOI: 10.2478/jnmlp-2018-0009.

Pollack, Detlef/Müller, Olaf/Rosta, Gergely/Friedrichs, Nils/Yendell, Alexander (2014): *Grenzen der Toleranz. Wahrnehmung und Akzeptanz religiöser Vielfalt in Europa*. Wiesbaden: Springer VS (Veröffentlichungen der Sektion Religionssoziologie der Deutschen Gesellschaft für Soziologie).

Pratto, Felicia/Sidanius, Jim/Stallworth, Lisa M./Malle, Bertram F. (1994): Social Dominance Orientation: A Personality Variable Predicting Social and Political Attitudes. In: *Journal of Personality and Social Psychology* 67 (4), S. 741–763.

Rebenstorf, Hilke (2018): „Rechte" Christen? – Empirische Analysen zur Affinität christlich-religiöser und rechtspopulistischer Positionen. In: *Zeitschrift für Religion, Gesellschaft und Politik* 2 (2), S. 313–333. DOI: 10.1007/s41682-018-0024-z.

Reich, Wilhelm (1933): *Die Massenpsychologie des Faschismus*. Kopenhagen: Sexpol-Verlag.

Rippl, Susanne; Baier, Dirk (2005): Das Deprivationskonzept in der Rechtsextremismusforschung. Eine vergleichende Analyse. In: Kölner Zeitschrift für Soziologie und Sozialpsychologie 57 (4), S. 644–666.

Rippl, Susanne/Kindervater, Angela/Seipel, Christian (2000): Die autoritäre Persönlichkeit: Konzept, Kritik und neuere Forschungsansätze. In: Susanne Rippl/Christian Seipel/Angela Kindervater (Hrsg.): *Autoritarismus*. Wiesbaden: VS Verlag für Sozialwissenschaften, S. 13–30.

Schneider, Verena/Pickel, Gert/Öztürk, Cemal (2021): Was bedeutet Religion für Rechtsextremismus? Empirische Befunde zu Verbindungen zwischen Religiosität, Vorurteilen und rechtsextremen Einstellungen. In: *Z Religion Ges Polit.* DOI: 10.1007/s41682-021-00073-1.

Sidanius, Jim/Pratto, Felicia (2001): *Social dominance. An intergroup theory of social hierarchy and oppression.* 1. paperback ed. Cambridge: Cambridge Univ. Press.

Sidanius, Jim/Pratto, Felicia (1999): *Social dominance. An intergroup theory of social hierarchy and oppression.* Cambridge: Cambridge University Press.

Stephan, Walter G./Diaz-Loving, Rolando/Duran, Anne (2000): Integrated Threat Theory and Intercultural Attitudes. In: *Journal of Cross-Cultural Psychology* 31 (2), S. 240–249. DOI: 10.1177/0022022100031002006.

Stephan, Walter G./Stephan, Cookie White (1996): Predicting prejudice. In: *International Journal of Intercultural Relations* 20 (3–4), S. 409–426. DOI: 10.1016/0147-1767(96)00026-0.

Stouffer, Samuel A., Arthur A. Lumsdaine, Marion Harper Lumsdaine, Robin M. Williams, Jr., M. Brewster Smith, Irving L. Janis, Shirley Star, and Leonard S. Cottrell Jr. 1949a. The American Soldier: Combat and its Aftermath. Vol. II. Princeton, NJ: Princeton University Press.

Stouffer, Samuel A., Edward A. Suchman, Leland C. DeVinney, Shirley A. Starr, and Robin M. Williams. 1949b. The American Soldier: Adjustment to Army Life. Vol. 1. Princeton, NJ: Princeton University Press.

Stouffer, Samuel Andrew (1963): Communism, Conformity, and Civil Liberties. A Cross-Section of the Nation Speaks Its Mind. Gloucester, Mass.: Peter Smith.

Strube, Sonja Angelika (2021): Fundamentalistische Strömungen im katholischen Glaubensspektrum und Autoritarismus als eine Wurzel fundamentalistischer Religiosität. In: Jennifer Wasmuth (Hrsg.): *Fundamentalismus als ökumenische Herausforderung.* Paderborn: Brill Ferdinand Schöningh, S. 93–113.

Tajfel, Henri/Turner, John C. (1986): The Social Identity Theory of Intergroup Behavior. In: Stephen Worchel/William G. Austin (Hrsg.): *Psychology of Intergroup Relations.* Second Edition. Chicago: Nelson-Hall, S. 7–24.

Uenal, Fatih (2016): Disentangling Islamophobia: The differential effects of symbolic, realistic, and terroristic threat perceptions as mediators between social dominance orientation and Islamophobia. In: *Journal of Social and Political Psychology* 4 (1), S. 66–90. DOI: 10.5964/jspp.v4i1.463.

Winkler, Jürgen R. (2003): Ursachen fremdenfeindlicher Einstellungen in Westeuropa. Befunde einer international vergleichenden Studie. In: *Aus Politik und Zeitgeschichte* (B 26), S. 33–38.

Yendell, Alexander/Huber, Stefan (2020): Negative views of Islam in Switzerland with special regard to religiosity as an explanatory factor. In: *Journal for Religion, Society and Politics.* DOI: 10.1007/s41682-020-00053-x.

Yendell, Alexander (2021): Verschwörungsmentalität und Antisemitismus. Der nicht ganz normale Wahnsinn. In: Philipp W. Hildmann (Hg.): *Agitation von Rechts. QAnon als antisemitische Querfront.* München: Hanns-Seidel-Stiftung (Aktuelle Analysen, 85).

Yendell, Alexander/Huber, Stefan (2020): The Relevance of the Centrality and Content of Religiosity for Explaining Islamophobia in Switzerland. In: *Religions* 11 (3), S. 129. DOI: 10.3390/rel11030129.

Yendell, Alexander/Pickel, Gert (2019): Islamophobia and anti-Muslim feeling in Saxony – theoretical approaches and empirical findings based on population surveys. In: *Journal of Contemporary European Studies* 28 (1), S. 85–99. DOI: 10.1080/14782804.2019.1680352.

Religionsbezogene „rechte" Narrative und ihre affektiven Affordanzen

Von Kristin Merle und Anita Watzel

Rechtspopulistische Narrative integrieren verschiedene Dynamiken, die differenziert in den Blick genommen werden wollen, und die auch nach einer Unterscheidung der jeweiligen „Träger*innen" und ihren Kommunikationsintentionen fragen lassen. Darin liegt – neben der materialen Ausbuchstabierung der Narrative und Narrativfragmente in Verbindung mit christlicher Semantik – ein wesentliches Moment unseres Teilprojektes *Religion und Rechtspopulismus/-extremismus. Analysen von Narrationen vorurteilsbezogener Kommunikation und Hassrede online* im Rahmen der Verbundstudie *Kirchenmitgliedschaft und politische Kultur*. Fraglos fungieren rechtspopulistische Narrative mindestens rhetorisch als Krisenverstärker und als Medien populistischer Agitator*innen und Strateg*innen. Dies können sie aber nur tun, indem sie sich auf real existierende „Ängste" und „Sorgen" von Menschen beziehen, die wiederum in der Lage sind, sie (weiter) zu mobilisieren. Die Frage nach den Träger*innen ist insofern für unser Material wichtig, als hier verschiedene zusammenkommen: Analysiert wurden journalistische Texte und (Blog-)Beiträge mit Nutzer*innenkommentaren, Kommunikationen über soziale Netzwerke und E-Mails an den *Info-Service der EKD*. Untersucht wurde Material, das im Zusammenhang mit der Entscheidung der EKD stand, ein Bündnis (*united4rescue*) zur Unterstützung von Seenotrettungseinsätzen auf dem Mittelmeer zu gründen, das sich in der Finanzierung und Anschaffung eines Rettungsschiffes (*sea watch 4*) fortsetzte.[1] An dieser Zusammenstellung wird deutlich, dass wir es bei der Analyse der Kommunikationen mit unterschiedlichen Akteur*innen und Intentionen zu tun hatten – zumal zusätzliches Augenmerk darauf lag, Kommunikationskontexte entlang eines angenommenen „Mit-

---

1 Der Untersuchungszeitraum konturierte sich über den Beschluss der Resolution zur Unterstützung von Seenotrettungseinsätzen auf dem *Deutschen Evangelischen Kirchentag* (DEKT) in Dortmund am 19. Juni 2019 bis Ende August 2020, um auch die Kommunikation im Umfeld des ersten Einsatzes des Schiffes am 15. August 2020 berücksichtigen zu können.

te-Rechts-Spektrums"[2] zu berücksichtigen. Unter den schlussendlich fast 30.000 Kommunikaten fanden sich überproportional viele Einlassungen von kommentierenden Leser*innen, also Personen, die in der Regel ihre Kommunikation nicht in erster Linie strategisch gestalten, dabei aber populistische Narrative beziehungsweise Narrativfragmente freilich reproduzieren und gegebenenfalls variieren können.

Populismus kann dabei allgemein als „artikulatorische Strategie des Politischen" gefasst werden, „um Identitäten bzw. Subjektivierungsweisen herzustellen. [...] Diese Artikulation bedarf einer Form der Schließung, um das ‚Wir' markieren zu können."[3] Populistische Momente spielen in politischen Subjektivierungslogiken unterschiedlichster Couleur eine Rolle, sofern es ihnen eben um die Konstitution eines „Wir" geht, um Identität, Zugehörigkeit, Gemeinschaft.[4] Entscheidend ist im Weiteren die Ausbuchstabierung dieser Konstitutionsbemühungen. Im Falle rechtspopulistischer Kommunikation wird diese unter Rekurs auf ethno-nationalistische, auch rassistische Vorstellungen vollzogen. Die ethno-nationalistischen populistischen Logiken sind gegenwärtig dominant im euroatlantischen Raum[5], weshalb ihnen entsprechende Aufmerksamkeit zukommen muss, in ihrer religionsbezogenen Form auch durch die Theologie. Als „ideologisch dünnes [...] Deuteschema"[6] bleibt Populismus angewiesen auf einen Wirt, eine

---

2 Die Rede von einem „Mitte-Rechts-Spektrum" erfolgt in dem Bewusstsein, dass es sich um eine vereinfachende Schematisierung handelt. Ziel war es, ein Spektrum von Kommunikationskontexten abzubilden und kontextbedingte Varianzen hervorzuheben. Dafür kamen unterschiedliche Textsorten und Plattformen in den Blick: Kommunikate auf *Facebook* und über *Twitter*, journalistische Beiträge auf Onlineseiten von Zeitschriften einschließlich der sich angliedernden Kommentare (*idea, Cicero, Sezession*), Blogeinträge mit Kommentaren (*PI-News* | *Politically Incorrect, Philosophia Perennis*) sowie Zuschriften zum Thema an den *Info-Service der EKD* (vor allem E-Mails und Kommunikate der EKD-*Facebook*-Seite). Es ließen sich so Kommunikate erfassen, die von „mittig" (zum Beispiel Threads auf der *Facebook*-Seite der EKD) bis „rechtsextrem" (zum Beispiel Kommentare zu Blogeinträgen bei *PI-News* | *Politically Incorrect*) reichen.
3 Gebhardt, Mareike (2019): Populistische Momente. Radikale Demokratietheorien als Hintergrund einer poststrukturalistischen Analyse von Protestbewegungen, in: Judith Vey/Johanna Leinius/Ingmar Hagemann (Hrsg.): *Handbuch Poststrukturalistische Perspektiven auf soziale Bewegungen. Ansätze, Methoden und Forschungspraxis*, Wiesbaden: transcript, S. 281–297: 282.
4 Vgl. Gebhardt (2019: 282).
5 Vgl. Gebhardt (2019: 284).
6 Priester, Karin (2016): Rechtspopulismus – ein umstrittenes theoretisches und politisches Phänomen, in: Fabian Virchow/Martina Langebach/Alexander Häusler (Hrsg.): *Handbuch Rechtsextremismus*, Wiesbaden: Springer VS, S. 533–560: 534.

host-ideology. Für die Theologie ist damit die Frage verbunden, welche Form der Theologie sich in entsprechende Wirtsstrukturen gut einpasst, und welche Form der Theologie eher Resistenzen aufweist.

Umstritten ist, inwieweit Rechtspopulismus als Krisenindikator gewertet werden kann, dem als Indikator für Dysfunktionalitäten eine Funktion in der demokratischen Öffentlichkeit zukommt. Klar ist, dass Menschen, die sich von rechtspopulistischer Agitation angesprochen fühlen, nicht selten mit Ängsten in ihrem Alltagsleben konfrontiert sind, geht es um „Angst" vor Zuwanderung, vor dem Verlust von dem, was man für „das Eigene" hält, seien es Abstiegsängste. Dass Menschen *begründet* Ängste empfinden, mag insbesondere für diejenigen gelten, „die ökonomisch von einer zunehmenden Prekarisierung und politisch von einer ‚Krise der Repräsentation' [...] betroffen sind."[7] Dass „Ängste" und „Sorgen" artikuliert werden, ist zunächst ein wichtiger Indikator für mögliche Fehlstellungen im demokratischen System. Gleichzeitig – und hier wird wieder die Frage nach den Träger*innen der Kommunikation und ihren Intentionen relevant – ist evident, dass durch rechtspopulistisch agierende Meinungsmacher*innen in strategischer, mobilisierender Absicht Bedrohungsszenarien regelrecht inszeniert werden, die sich mit real existierenden Ängsten verschränken. Rechtspopulistische (und rechtsextreme) Narrative fungieren als wesentliche Impulsgeber für Kriseninszenierungen – die eine Stimmung der Angst verstärken, wenn nicht gar erst erzeugen. Mit Blick auf Krisenkommunikation ist rhetorisch immer von Interesse zu fragen: *Cui bono?* Es geht darum, das Reden über Krisen als Mittel der *Persuasion* in den Blick zu bekommen. Wer setzt welche Krisensemantiken ein, „um seine/ihre strategischen Ziele kommunikativ durchzusetzen"[8]? Im Material unserer Studie zeigt sich, dass Krisensemantiken etwa bemüht werden, um a) durch kommunikative Zuspitzung Aufmerksamkeit zu erzeugen, b) durch entsprechende Modellierungen von Krisenszenarien antagonistische Wirklichkeiten zu konstruieren und c) um im Rezeptionsprozess bestimmte Emotionen zu wecken.

---

7 Biskamp, Floris (2017): Angst-Traum „Angst-Raum". Über den Erfolg der AfD, „die Ängste der Menschen" und die Versuche, sie „ernst zu nehmen", in: *Forschungsjournal Soziale Bewegungen* 30/2, S. 91–100: 92.

8 Laubinger Severina (2020): *Die Wirkungsmacht der Krise. Strategischer Einsatz des Krisen-Topos in den Parteiprogrammen der BRD von 1949 bis 2017* (Neue Rhetorik 34), Berlin/Boston: De Gruyter, S. 352. Laubinger untersucht über eine Topos-Analyse strategische Kommunikationen von Parteien, vermerkt dabei etwa unterschiedliche Krisendiagnosen zu gleichen Zeiten.

In den Fokus unserer Untersuchungen rückte – bedingt durch die formalen Spezifika der Kommunikation, dass wir es also mit verschriftlichten Kommunikaten zu tun hatten – die Auseinandersetzung mit dem Thema *sprachliche Gewalt*. Bei sprachlicher Gewalt geht es in einem *performativen Sinn* „um ein Sprechen, das in seinem *Vollzug* zugleich eine Form der *Gewaltausübung* ist."[9] Im Material entdeckten wir unterschiedliche Spielarten sprachlicher Gewalt, die sich kontextabhängig veränderten und intensivierten. Entsprechende kontextuelle Abhängigkeiten zeigten sich auch mit Blick auf die Deutungen christlicher Topoi und biblischer Texte. Damit verbunden sind auf Textebene nicht selten Krisenmomente in der Interaktion, an rechtspopulistische Kommunikation schließen sich aber auch Krisenmomente in der institutionellen beziehungsweise organisationalen Kommunikation an. Sie bestehen nicht zuletzt in einer Ratlosigkeit oder Uneinigkeit darüber, wie mit vorurteilsbehafteten Interpretationen und zum Teil menschenverachtenden Haltungen im kirchlichen Kontext umzugehen ist, und wie sich demgegenüber liberale und diversitätsorientierte Positionen sinnvoll und wirksam plausibilisieren lassen.

Narrative und affektive Dimensionen

Zur Analyse und Darstellung der Interpretation christlicher Topoi und Praktiken in vorurteilsbezogener Kommunikation hat sich für das Online-Material die Identifikation von Narrativen als gewinnbringend herausgestellt. Dieser Ansatz eröffnet eine Differenzierung von Kommunikationsformen. Unter „Narrativ" wird in Anlehnung an Gerald Prince eine Tiefenstruktur verstanden, die bestimmten Minimalbedingungen genügt und Kommunikaten jeglicher Gestalt unterliegen kann. Als „narrativ strukturiert" zu betrachten sind Kommunikate, aus denen eine Abfolge dreier Propositionen ermittelt werden kann, die zwar unterschiedliche temporäre Zustände beschreiben (Anfangszustand, Transformationsereignis, Endzustand), jedoch eine identische Bezugsgröße aufweisen.[10] Nach initialer

---

9   Krämer, Sybille (2007): Sprache als Gewalt oder: Warum verletzen Worte?, in: Stefan K. Herrman/Sybille Krämer/Hannes Kuch (Hrsg.): *Verletzende Worte. Die Grammatik sprachlicher Missachtung*, Bielefeld: transcript, S. 31–48: 35. – Dabei kann auch das Ausbleiben der Anrede, des Sprechens und das Schweigen eine Form sprachlicher Gewalt sein.

10 Vgl. Müller, Michael (2019): Narrative, Erzählungen und Geschichten des Populismus. Versuch einer begrifflichen Differenzierung, in: Ders./Jørn Precht (Hrsg.):

Durchsicht des Materials und weiterführender Analyse ließ sich ein entsprechendes *Masternarrativ* skizzieren. Dieses manifestiert sich im Material auch in religiöser Färbung. Masternarrative kennzeichnet, dass sie in *unterschiedlichen sozialen Kommunikationskontexten* Anwendung finden können, jedoch selten in „Reinform" auftreten. Es werden vielmehr einzelne Momente aufgerufen und Abwandlungen vorgenommen. Die Konturierung eines Masternarrativs ermöglichte es, auch die für Online-Kommunikation typischen knappen Posts und Kommentare zu erschließen, die eben keine stringente Argumentation, sondern ein eher eklektisches Bild zeigten. Darüber hinaus konnten Narrativvarianten und -fragmente sowie kontextuelle Veränderungen erhellt werden.

Princes Definition eines Narrativs als kausale und temporale Sequenzierung propositionaler Gehalte zu einer kohärenten Aussagestruktur macht deutlich, dass Narrativen für die Selbst- und Weltdeutung eine fundamentale Orientierungs-, Sinnbildungs- sowie Legitimationsfunktion zukommt. In diesem Sinne lassen sich Narrative mit Brigitte Bargetz und Nina Elena Eggers auch als Niederschläge einer „konstituierende[n] und strukturierende[n] Praxis [begreifen, die] [...] eine lineare Ordnung des Zeitlichen vor[schlägt], indem sie Ereignisse, Sachverhalte und Handlungscharaktere in Geschichten mit Anfang und Ende zusammenbringen und so die Komplexität gesellschaftlicher Verhältnisse durch Selektionsprozesse reduzieren, abstrahieren und neu deuten können."[11] Kohärenzbildung und Komplexitätsreduktion zeichnen die narrative Praxis als wichtige Strategie zur Kontingenzbewältigung aus.[12] Insofern diese beiden Merkmale außerdem die Überzeugungskraft und Memorabilität narrativ strukturierter Kommunikate stützen, sind ihr Reiz und ihre bedeutende Rolle in politischen Diskursen und insbesondere für den Rechtspopulismus evident.[13] Wichtig sind im aktuellen Forschungsdiskurs aber auch die Stimmen, die neben

---

Narrative des Populismus. Erzählmuster und -strukturen populistischer Politik, Wiesbaden: Springer VS, S. 1–10: 2.

11 Bargetz, Brigitte/Eggers, Nina Elena (2021): Affektive Narrative des Rechtspopulismus. Zur Mobilisierung von Männlichkeit, in: Kim Seongcheol/Selk Veith (Hrsg.): *Wie weiter mit der Populismusforschung*, Baden-Baden: Nomos, S. 247–270: 251.

12 Vgl. Müller-Funk, Wolfgang (²2008): *Die Kultur und ihre Narrative. Eine Einführung*, Wien: Springer-Verlag, S. 29.

13 Vgl. Bergem, Wolfgang (2014): Narrative Formen in Geschichtspolitik und Erinnerungskultur, in: Wilhelm Hofman/Judith Renner/Katja Teich (Hrsg.): *Narrative Formen der Politik*, Wiesbaden: Springer VS, S. 31–48: 38; vgl. auch: Bargetz/Eggers (2021: 252).

den angezeigten Rationalisierungseffekten die Bedeutung von *Emotionen* oder *Affekten* im Zusammenhang narrativer Praxis hervorheben.[14] Fritz Breithaupt u. a. argumentieren anhand ihrer Studie zu Nacherzählungen beispielsweise dafür, „that emotions play a role for story recall as stories can be reproduced around an emotional appraisal."[15] Emotionen sind für die narrative Kommunikation bedeutsam, da sie in der Weitergabe von Geschichten als wesentlicher *Erinnerungsanker* fungieren. Bargetz und Eggers erachten es insbesondere für die Analyse rechtspopulistischer Kommunikation als wichtig, „das Zusammenspiel[s] von Narrativen und Affekten"[16] zu bedenken, da sich darin ein besonderer Vermittlungsprozess zeige, der „für rechtspopulistische Mobilisierung von Bedeutung"[17] sei. Sie plädieren daher für eine Perspektive, die die Verzahnung von Affekt und Narration in den Blick nimmt.[18] Auf die Notwendigkeit dieser Perspektiverweiterung hat auch Aletta Diefenbach mit ihrer Response auf unseren Tagungsbeitrag in instruktiver Weise hingewiesen.[19] Die folgenden Ausführungen sind darum bemüht, die Anregungen zumindest zum Teil in eine Relektüre des Materials aufzunehmen.

Ein Masternarrativ und seine affektiven Affordanzen

Das Kernmotiv des materialbasiert konturierten Masternarrativs bildet die Imagination „des deutschen Volkes" als primordiales Sehnsuchtsmoment, das durch „verräterische" „elitäre Kräfte" zusehends „verkomme". Als Sequenz im Sinne von Prince ausformuliert, gestaltet sich das Masternarrativ wie folgt:

a) Deutschland ist Heimat des deutschen Volkes als autochthoner Bevölkerung mit einer intakten Sozialstruktur gewesen,

---

14 Vgl. nur exemplarisch: Cossarini, Paolo/Vallespin, Fernando (Hrsg.) (2019): *Populism and Passions. Democratic Legitimacy after Austerity*, London/UK: Routledge.
15 Breithaupt, Fritz/Li, Binyan/Kruschke, John K. (2022): Serial reproduction of narratives preserves emotional appraisal, in: *Cognition and Emotion*, 36/4, S. 581–601: 596.
16 Bargetz/Eggers, (2021: 258).
17 Bargetz/Eggers (2021: 259).
18 Bargetz/Eggers weisen darauf hin, dass eine solche theoretische Verschränkung mit Blick auf rechtspopulistische Praktiken noch nicht unternommen wurde (vgl. Bargetz/Eggers 2021: 248). Ihr Plädoyer für die Bedeutung einer solchen Verzahnung schlägt sich theoretisch in der Entwicklung des „Konzepts der affektiven Narrative" nieder.
19 Vgl. den Beitrag von Diefenbach in diesem Band.

b) korrupte/kriminelle Eliten haben Land und Kultur zum eigenen (Finanz-)Vorteil verraten und tun das immer noch,

c) Deutschland verfällt, die notwendige Gegenwehr besteht darin, unter Bezug auf das „Eigene" der Meinung des „wahren", „reinen" Volkes (siehe autochthone Bevölkerung) dem Common Sense gegen Eliten und „fremdkulturelle" Einflüsse zur Durchsetzung zu verhelfen.

In der religiösen Färbung bekommen Kirchenvertreter*innen die Rollen der elitären Protagonist*innen zugewiesen, die – insbesondere durch ihr Engagement für die Seenotrettung – den Verfall „der Heimat" beförderten.[20] Es entsteht das Bild einer Gesellschaft, die aufgespalten ist in zwei vermeintlich homogene, antagonistische Lager – das „reine Volk" und die „korrupte Elite"; *Anti-Elitismus* gilt als Schlüsselelement des Populismus.[21] Darüber hinaus nimmt die rechtspopulistische Ausbuchstabierung eine Akzentuierung des „Eigenen" vor bei gleichzeitiger Kritik von Globalisierung, Kosmopolitisierung und Universalisierung, verbunden mit der Abwehr einer Moralisierung politischen Handelns und der Deutung gegenwärtiger Entwicklungen als Prozess des Niedergangs und der Dekadenz.[22] Vor allem das letzte Merkmal, durch das das Narrativ *apokalyptische* Züge erhält, ist am Material häufig zu entdecken, wenn auch in unterschiedlicher Intensität. Es scheint gerade auch dieser apokalyptische Zug zu sein, der in den Kommunikaten eine *affektive Aufladung* problemlos ermöglicht.

Affektive Aufladungen zeigen sich vor allem in drei miteinander verschränkten Momenten, die jeweils unterschiedlich mit dem Masternarrativ verzahnt sind:

---

20 Mit seiner religiösen Folie zeigt sich das Narrativ wie folgt: a) Deutschland ist Heimat des deutschen Volkes als autochthoner Bevölkerung und mit einer intakten religiösen Sozialstruktur gewesen, b) korrupte/kriminelle (Kirchen-)Eliten haben Glaube, Land und Kultur zum eigenen (Finanz-)Vorteil verraten und tun das immer noch, c) Deutschland mit seiner christlich geprägten Sozialstruktur verfällt – „wahre" Christ*innen erkennen das und leisten Widerstand (Aufbegehren gegen Eliten und fremdkulturelle Einflüsse; Kirchenaustritt).

21 Vgl. Mudde, Cas/Rovira Kaltwasser, Christóbal (2017): *Populism. A very short introduction*, Oxford/New York, N. Y.: Oxford Academic, S. 6.

22 Vgl. Priester, Karin (2019): Umrisse des populistischen Narrativs als Identitätspolitik, in: Michael Müller/Jørn Precht (Hrsg.): *Narrative des Populismus. Erzählmuster und -strukturen populistischer Politik*, Wiesbaden: Springer VS, S. 11–25: 12 f.

Sehnsucht nach Gemeinschaft und Sicherheit und Liebe zur „Heimat"

Die Imagination „des deutschen Volkes" als primordiales, gemeinschaftsstiftendes Sehnsuchtsmoment stellt eine Art Ursprungsmythos dar, der das revisionistische Bild einer „Vergangenheit" malt, in der die „eigene" deutsche Gesellschaft als von äußeren Einflüssen unberührter, solidarischer Schutzraum vorgestellt wird. Die imaginierte „Erinnerung" negiert die Komplexität gesellschaftlich pluraler Verhältnisse und vergegenwärtigt einen „idealisierte[n] Rückzugsraum,des Volkes' und ahistorische[n], niemals gewesene[n] Ort"[23] – das *heartland* in Paul Taggarts Terminologie. Diesem reduktionistischen, essenzialisierten Volksbegriff, der mit der Imagination des *heartlands* ineinanderfällt, korrespondiert meist eine biologistische Deutung von Geschlechterverhältnissen und Sexualität: Das Bild des „reinen" Volkes wird durch die Vorstellung einer „natürlichen" Geschlechterordnung ergänzt – der „Sehnsuchtsort" erweist sich damit als patriarchal strukturiert.[24] Insbesondere über den Begriff der „Heimat"[25] weckt dieser Ursprungsmythos Gefühle familiärer Geborgenheit und der Sehnsucht nach Sicherheit. Die konstruierte „Vergangenheit" wird als Orientierungspunkt und Legitimationsgrundlage für politisches Handeln in der Gegenwart referenziert[26]: Es ist dieser in der Kommunikation performativ angerufene unberührte „Zustand", den es wiederherzustellen gilt durch Abwehr aller elitärer Strukturen – zu denen folgende*r User*in auf Twitter eben auch „die Kirche" zählt:

> „Ich fordere alle heimatliebenden nationalempfindenden Menschen dazu auf, Organisationen, die ihre Tätigkeit auf die Zersetzung des Volkes ausrichten, nicht mehr zu unterstützen. Die Vermehrung der Gemeinde-

---

23 Bargetz/Eggers (2021: 265). Vgl. auch Priester (2019: 13) und Wodak, Ruth (2016): *Politik mit der Angst. Zur Wirkung rechtspopulistischer Diskurse*, Wien/Hamburg: Edition Konturen, S. 43–44.

24 Merle, Kristin/Watzel, Anita (2022): *„Schlimmer als Frauenfußball oder ‚Hallenhalma'!" Anti-genderistische Ressentiments, rechte hegemoniale Identitätspolitiken und religionsbezogene Kommunikation* (im Erscheinen).

25 Vgl. zum Heimatbegriff auch: Merle, Kristin (2019): Heimat – Sehnsucht und Praxis. Praktisch-theologische Überlegungen zu einem umstrittenen Begriff, in: Frank Thomas Brinkmann/Johanna Hamann (Hrsg.): *Heimatgedanken. Theologische und kulturwissenschaftliche Beiträge*, Wiesbaden: Springer VS, S. 27–44.

26 Vgl. Stanley, Jason (2018): How fascism works. The politics of us and them, New York: Random House, 3 ff. Vgl. Lichtmesz, Martin (²2017): *Kann nur ein Gott uns retten? glauben – hoffen – standhalten*, Schnellroda: Verlag Antaios, S. 47.

mitglieder ist das einzige, was die Kirche im Sinne hat, egal woher sie kommen"[27] (Kirche Seenotrettung Twitter Jun19–Mai20, 16)

Dass „Heimat" als Topos relevant ist, zeigt auch folgender Kommentar:

> „Soziale Netze dürfen kein Schutzraum sein, für Hetzer? Das, was er [Bedford-Strohm] Hetzer nennt, das sind die, denen er ganz frech und dreist die Heimat zerstört, mit seiner vollkommen unrealistischen Flüchtlingsgeschichte, ohne auch nur ansatzweise ihre Meinung dazu hören zu wollen. Das ist wahrscheinlich gemeint mit ‚Christ-Faschist'. Er hetzt nicht. Er betreibt nur seine ganz private illegale, mehr oder weniger gewaltsame Einwanderung (z. B. Racketes Heldentat, die gewaltsame Hafeneinfahrt mit Kollision), aber die Hetzer müssen weg. Bedford-Strohm und Kardinal Marx sind nicht harmlos. Sie sind auf ihre Weise Gewalttäter, nichts anderes. Und wenn ich nun einen Gewalttäter mit einem Hetzer vergleiche ... hmmm." (JF_EKD-Rettungsschiff [=1], 202)

„Heimatliebe" wird hier als Moment angesprochen, das den Widerstand gegen die Kirche und andere Akteur*innen, die als gesellschaftszersetzend betrachtet werden, motiviert.

Angst und Sorge

Die Kehrseite der mit einem „Wohlfühlfaktor"[28] verbundenen Imagination eines „Zustands", der in eine vermeintlich unberührte „Vergangenheit" rückprojiziert wird, bildet die Darstellung eines korrumpierten Ist-Zustands der soziokulturellen Gegebenheiten, das heißt auch der religiösen Sozialstruktur: In unterschiedlichen Farben werden im Material bedrohliche (Untergangs-)Szenarien ausgemalt, die – zumindest in strategischer Handlungsabsicht – Ängste motivieren sollen. Geht man, wie Bargetz es tut, davon aus, dass sich Angst gegenwärtig als „dominanter Affekt"[29] materialisiert, der in alle sozio-kulturellen Bereiche eingetragen und „öffentliche[n] Diskurse und Politiken eingeschrieben"[30] ist, wird evident, dass sich vor allem rechtspopulistische Akteur*innen die Omnipräsenz des Affekts

---

27 Alle Zitate sind geglättet und orthografisch weitgehend korrigiert.
28 Bargetz/Eggers (2021: 265).
29 Bargetz, Brigitte (2018): Politik und Angst. Oder: homo neuroticus und der Spuk nationaler Souveränität, *PROKLA*, 190/1, S. 73 – 89: 73.
30 Bargetz (2018: 74).

zunutze machen und zu dessen Verstetigung beitragen.[31] Bargetz hebt unter Rekurs auf Stuart Hall hervor, dass Bedeutung und Wirksamkeit von „Angst" allerdings nicht allein in einer „Logik der Instrumentalisierung"[32] wurzeln. Vielmehr stellen sich über affektive Motivationen Verknüpfungen mit real vorhandenen sozialen Problemen und alltäglichen Sorgen ein.[33] Das unterstreicht die Notwendigkeit zur Differenzierung in der Deutung der Texte, die auf ihrer Oberfläche freilich keine Rückschlüsse auf Faktizitäten zulassen:

> „Nur noch AfD wählen und dann ist Schluß damit ------- aber wenn ihr weiterhin die Altparteien wählt – dann halt eben viel Spaß mit ihnen. ..... Arbeitet bis 70, um sie köstlich durchzuschleppen .... kann euch ein aktuelles Beispiel nennen – in unserer Strasse wohnt eine alte Frau mit fast keinem Geld und sie bekommt auch fast kein Geld mehr vom Amt ..... wir helfen ihr so gut wie es geht – und einige Häuser weiter wohnt eine Asylfamilie – Mann mit zwei Frauen und 7 Kindern – die bekommen gute 3 tausend Euro und haben alles was man sich denken kann und fahren einen dicken Merzedes ..... armes Deutschland ...." (FB ChrAfD, 34)

Selbstermächtigung und Genugtuung

In den affektmotivierenden Krisen- und Untergangsszenarien, die sich unter Bezug auf das Masternarrativ ausbuchstabieren lassen, erscheinen die Bürger*innen („das Volk") auf den ersten Blick als passive Opfer – die Identifikation der Täterschaft markiert jedoch einen bedeutsamen Kontrapunkt zu dieser Darstellung[34]: Entsprechend dem oben skizzierten *Anti-Elitismus* werden Kirchenvertreter*innen (oder auch die Kirche/EKD) durch ihr Engagement für die Seenotrettung als Beförderer*innen des angenommenen sozio-kulturellen Verfallsprozesses in Szene gesetzt. Diese

---

31 Vgl. Wodak (2016: 17–42).
32 Bargetz (2018: 75).
33 Vgl. Bargetz (2018: 75).
34 Vgl. Breithaupt, Fritz (2022): *Das narrative Gehirn. Was Neuronen erzählen*, Berlin: Suhrkamp Verlag, S. 195: In Anlehnung an Gustav Freytag stellt Breithaupt heraus, dass der „Umschlag von aktivem zu passivem oder passivem zu aktivem Erleben" (S. 195) ein wichtiges Charakteristikum von Narrativen darstellt (vgl. ders. 2022: 50–58).

grundsätzliche Identifikation tritt am Material in unterschiedlichen Varianten auf. Interessant ist die Unterscheidung in der Bewertung des Handelns der Kirchenvertreter*innen als einerseits eher „ignorantes" oder „naives Fehlverhalten" und andererseits „böswilliges Agieren". Im ersten Fall geht es um den Vorwurf, die „Kirchenelite" unterlasse es, die Folgen ihres Engagements zu bedenken.[35] Sie berücksichtige beispielsweise nicht die durch die Flüchtlingsnachversorgung erzeugte „Mehrbelastung" der Bevölkerung (schade ihr also, anstatt ihr zu dienen) oder unterschätze die von ihr selbst „geförderte Ausbreitung des Islams", die eine Gefährdung der christlich geprägten Werteordnung mit sich bringe. Im zweiten Fall werden den Kirchenvertreter*innen bestimmte „egoistische" Handlungsmotivationen unterstellt, wobei der Gedanke im Zentrum steht, dass sie sich öffentlichkeitswirksam als „Gutmenschen" in Szene zu setzen trachteten. Im Hintergrund stehe jedoch primär ein ökonomisches (Stichwort: „Asylindustrie") oder politisches (Stichwort: „links-grüne Ideologie") Interesse.[36] Mit dem „Aufdecken" des Tuns der Kirchenvertreter*innen verbindet sich nicht erst deshalb ein Gefühl der Selbstwirksamkeit, weil sich über die Bestimmung der Relation von Ursache und Wirkung (hier: die gesellschaftliche Negativentwicklung) Handlungsorientierung und damit Handlungsfähigkeit einzustellen vermögen: Man „weiß", wem oder was gegenüber Widerstand geleistet werden muss – in den Kommunikaten des Materials äußert sich dieser Widerstand vielfach in Behauptungen eines bereits erfolgten Kirchenaustritts, in dem Ankündigen über geplante Kirchenaustritte und der Aufforderungen zum Kirchenaustritt.[37] Das aktive Moment zeigt sich vielmehr bereits im Benennen als solchem: Denn im Sinne eines Bloßstellens kann das Benennen an sich bereits als „Akt der Vergeltung" gewertet werden, der eine Empfindung von „Genugtuung" auslöst.[38] In vielen Kommunikaten des Materials wird dieser Vergeltungsakt mit beleidigenden

---

35 An einigen Stellen ist zu beobachten, dass sich Kommentator*innen im Rahmen dieses Vorwurfes in vereinfachender Weise der von Max Weber geprägte Unterscheidung zwischen Verantwortungs- und Gesinnungsethik bedienen (vgl. Merle, Kristin/Watzel, Anita [2022]: Religion und Rechtspopulismus/-extremismus. Analysen von Narrationen vorurteilsbezogener Kommunikation und Hassrede online, in: Evangelische Kirche in Deutschland [Hrsg.], *Zwischen Nächstenliebe und Abgrenzung. Eine interdisziplinäre Studie zu Kirche und politischer Kultur*, Leipzig: Evangelische Verlagsanstalt, S. 99–168: hier Kap. 3.5.1, S. 127–131).

36 Vgl. Merle/Watzel (2022: Kap. 3.4.2., 115–120).

37 Vgl. Merle/Watzel (2022: Kap. 3.5.4, 141–145).

38 Vgl. Breithaupt (2022: 195). Breithaupt ist der Ansicht, dass das Benennen für die Erzähler*innen einen „therapeutischen Effekt" (ebd.) habe.

Äußerungen gegenüber den in der Öffentlichkeit besonders exponierten Repräsentant*innen von Kirche (auf Seiten der EKD der ehemalige Ratsvorsitzende Heinrich Bedford-Strohm) begangen, die teils exzesshafte Züge tragen. Hemmungslosigkeit und der fraglose Einsatz sprachlicher Gewalt ist häufiger und deutlicher in Kommunikationszusammenhängen zu beobachten, die weiter rechts auf dem angenommenen Mitte-Rechts-Spektrum zu verorten sind – sie fungieren als Echokammern rechter Narrative, in denen sich im Zuge selbstreferentieller Legitimationsmechanismen *Steigerungseffekte* ausbilden.[39]

Kontexte und Steigerungseffekte

Neben den deutlich enthemmten Bezichtigungen der Kirchenvertreter*innen bilden sich Steigerungseffekte in der aversen Kontrastierung in der sogenannten diskurssemantischen Grundfigur „das Fremde – das Eigene"[40] sowie in daran anknüpfenden Praktiken der Kriseninszenierung ab. Diese averse Kontrastierung äußert sich in den Kommunikaten des Materials als diskriminierende Selbstkonstitutions- und Versicherungsstrategie, die sich sprachlicher Gewalt bedient: Kommentator*innen legitimieren ihre eigene Weltsicht und ihr Wertesystem, indem sie das als „fremd" Gelabelte dämonisieren (in vielen Fällen verschränkt mit Formen „antimuslimischen Rassismus"). Gleichzeitig ist zu beobachten, dass Kommentator*innen mit zunehmender diskriminierender Kontrastierung von Eigen und Fremd einen Shift in der Besetzung der Täterrolle vollziehen: Gegenüber den für das mittlere Feld typischen Anschuldigungen, die Kirchenvertreter*innen trügen zur Überlastung des Sozialsystems bei, schreiben Kommentator*innen weiter rechts diesen eine *Komplizenschaft* zu, während sie das „(kulturell) Fremde" als Hauptursache gesellschaftlicher Problemlagen und Krisen betrachten. Je weiter rechts die Kommunikationskontexte zu verorten sind, umso stärker fungiert der Islam als Negativfolie schlechthin, und umso drastischer werden Krisen- und Bedrohungsszenarien ausgemalt. Letztere erhalten eine verschwörungstheoretische Dramaturgie durch Be-

---

39 Vgl. Merle/Watzel (2022: Kap. 3.6, 150–157).
40 Busse, Dietrich (1997): Das Eigene und das Fremde. Annotationen zu Funktion und Wirkung einer diskurssemantischen Grundfigur, in: Matthias Jung/Martin Wengeler/Karin Böke (Hrsg.): *Die Sprache des Migrationsdiskurses. Das Reden über „Ausländer" in Medien, Politik und Alltag*, Opladen: Westdeutscher Verlag, S. 17–35.

hauptungen, der Islam infiltriere – unterstützt durch eine weltweite Elite – das christlich-demokratische Gesellschaftssystem mit dem Ziel, die *weiße*, christliche Mehrheitsgesellschaft zu ersetzen. In Kommunikaten des Materials, die sich dieser Verschwörungserzählung eines elitengesteuerten Substitutionsprozesses bedienen, den die Neue Rechte mit dem von Renaud Camus geprägten Kampfbegriff des *Grand Remplacement* (des *Großen Austauschs*) adressiert, sind typische Verflechtungen von antimuslimischem Rassismus und Ethnosexismus mit anti-genderistischen Ressentiments und Gender-Stereotypisierungen erkennbar. Dies betrifft zunächst den für das Verschwörungsnarrativ zentralen Gedanken, der „Austausch" erfahre dadurch eine Beschleunigung, dass die Geburtenrate einheimischer Frauen geringer sei als die muslimischer Immigrant*innen.[41] Die Verschränkung manifestiert sich außerdem und besonders augenscheinlich in Kommunikaten, die koloniale Denkmuster aufrufen, indem sie den nicht-*weiß*-gelesenen, muslimischen Mann als misogynen, gewaltbereiten und integrationsunwilligen „Anderen" darstellen und ihm „die deutsche Frau" als passives Opfer gegenüberstellen.[42] Das Motiv der Komplizenschaft der Kirche und ihrer Vertreter*innen wird in diesem Rahmen unterschiedlich ausgestaltet. Neben dem Vorwurf der Mitwirkung an der „Islamisierung des Abendlandes" wird der Kirche und ihren Vertreter*innen vorgehalten, den Abwärtstrend der Geburtenrate weiter anzuregen, insofern sie mit ihrer Unterstützung für eine gendersensible Haltung ein Frauenbild bewerbe, das die gesellschaftliche Bedeutung der Frau als Mutter unterminiere. Außerdem wird ihnen zur Last gelegt, durch ihr Engagement für Geflüchtete den gesellschaftlichen Schutzraum der Frau zu gefährden:

> „Ihr wisst aber schon das viele Mörder, Vergewaltiger und Terroristen darunter sind? Die demonstrieren das Leute ins Land kommen – die vergewaltigen [...], morden [...], Terroristen [...]. Was stimmt mit den Menschen nicht mehr die dafür demonstrieren? Warum haben diese Leute keine naechstenliebe? Warum stellt sich die Kirche auf deren Seite?

---

41 Vgl. Önnerfors, Andreas (2021): Der Grosse Austausch. Conspiratorial frames of terrorist violence in Germany, in: ders./André Krouwel (Hrsg.): *Europe: Continent of Conspiracies: Conspiracy Theories in and about Europe*, Oxon/New York, NY: Routledge, S. 76–96: 81 und auch Ekman, Mattias (2022): The great replacement: Strategic mainstreaming of far-right conspiracy claims, in: *Convergence. The International Journal of research into New Media Technologies, Special Issue: Conspiracy Theories in Digital Environment*, Vol. 0(0), S. 1–17, 4.

42 Vgl. Farris, Sarah R (2017): *In the name of women's rights. The rise of femonationalism*, Durham/NC: Duke University Press, S. 8.

Helft ihr den Familien der Opfer?" (Info Service EKD_FacebookKommentare, 4249)

Fokussiert man die im Material auftauchenden Diskussionen um christliche Topoi und biblische Geschichten, die wie Kämpfe um Deutungshoheiten wirken, zeigt sich insbesondere beim Topos der *Nächstenliebe*[43] deutlich, wie sich die kontextuellen Charakteristika in deren Interpretation niederschlagen. In den Kommunikationskontexten weiter rechts spiegelt sich die Intensivierung der diskriminierenden Gegenüberstellung von Eigen und Fremd darin wider, dass Kommentator*innen es im diskursiven Austausch ablehnen, das Engagement für Seenotrettung als Ausdruck von Nächstenliebe zu begreifen, da es nicht der autochthonen Bevölkerung zugute komme, ihr vielmehr schade. Sichtbar wird so ein enger, territorial begrenzt verstandener Begriff von Nächstenliebe. Die verschwörungstheoretische Zuspitzung im Motiv der Komplizenschaft der Kirchenvertreter*innen tritt im Diskurs um Nächstenliebe zudem dort in Erscheinung, wo Kommentator*innen Kirchenvertreter*innen unterstellen, den Gedanken der Nächstenliebe für ihre eigenen, moralisch fragwürdigen Zwecke zu instrumentalisieren.

Schaut man noch einmal auf mögliche, durch Elemente des Masternarrativs provozierte Affektaufladungen, lassen sich folgende Entwicklungen beschreiben, je weiter rechts man sich Kommunikationskontexte anschaut: Einerseits gewinnt – entsprechend der Verengung des Nächstenliebebegriffs – die Vorstellung eines *Sehnsuchtsorts* zunehmend an Bedeutung, der zwar Solidarität verspricht, jedoch der „autochthonen Bevölkerung" vorbehalten bleibt. Durch Ausgrenzung und Dämonisierung des (religiös) Fremden wird das Eigene als überlegen und schutzbedürftig inszeniert. Religiös formuliert: Durch die Exterritorialisierung des Dämonischen findet eine Sakralisierung des Eigenen, das auch eben als Ursprüngliches imaginiert wird, statt. Andererseits führt das vermehrte Aufrufen von Krisen- und Bedrohungsszenarien zur Stabilisierung einer Atmosphäre der Angst, die die Praxis diskriminierender Kontrastierungen verstärkt, sprachliche Gewalt evoziert und legitimiert. Angesichts mancher Kommunikate, die den*die Leser*in mit extremen Gewaltbeschreibungen konfrontiert, stellt sich der Eindruck ein, dass so manche Praxis der Kriseninszenierung mit einer „Lust an der Angst" einhergeht:

---

43 Nächstenliebe ist der am häufigsten aufgerufene Topos im Rahmen des Diskurses um das Engagement der Kirche für die Seenotrettung.

„Die westl. Welt ist aus den Fugen. Kirchentag: Vulva malen. Schamlos, hemmungslos verwahrlost! Begonnen etwa 1965. Normalbürger konnten es nicht einschätzen; es waren schon damals Medien, die die Richtung vorgaben! Selbstverwirklichung um jeden Preis. Entfesselt. Sex, Hurerei Beruf wie jeder andere. Anstand, gutes Benehmen = kleinkarierter Mief. [...] Jeder setzt sich auf Biegen u. Brechen durch. Fremde Regierungen werden mit Dreck beworfen, weil sie nicht passen. Fremde Länder werden destabilisiert, Aufstände mit viel Geld unterstützt. Richter waren noch nie wirklich gerecht. Aber jetzt – grenzenlos unberechenbar. Kirchen = passen sich weitgehend jeder Mode an. Das ist erst der Anfang! Tragisch ist, daß sich der Kampf ums Dasein wesentlich zwischen dem riesigen Heer der immer Ärmeren u. Ungebildeten abspielt. In Afrika geht die Schere zw. Arm + Reich weiter auf. Rackete u. Konsorten haben ihren Spaß u. ihre Schäfchen lange in Sicherheit!"ö (JF_Seenotrettung [=2], 13)

Ihre Entsprechung finden solche krisenrhetorischen Erscheinungen einer „Lust an der Angst" auch in Gerichtsfantasien, die die Kirchenvertreter*innen als Adressat*innen des Zorns oder der Strafe Gottes imaginieren.

„Gerade schippert der EKD Vorsitzende H. Bedford Strohm, mit einem von der Kirche finanzierten Rettungsschiff gen Mittelmeer. Dort will er dann als Gutmensch Menschen vorm Ertrinken retten. Ich hoffe, dass ihn sein Gott, wo immer er glaubt das er ist, aufs härteste bestraft." (Twitter 15, 34)

„Der Heuchler und Deutschlandhasser Bedford-Strohm: ‚Seenotrettung ist Christenpflicht' | Die @EKD (der ich angehöre!) ist einer der größten Profiteure des #Asyltourismus | Sie steigt jetzt direkt in die kriminelle Schlepperei ein | Fürchtet Gottes Zorn!" (Twitter 11, 6)

Diese Gerichtsfantasien repräsentieren eine extreme Form des verbalen Vergeltungsaktes. In diesem Zusammenhang sind auch einige Kommunikate anzutreffen, die antisemitische Stereotype reproduzieren (Bezeichnung von Kirchenvertreter*innen als „Pharisäer" oder „Judas", Verwendung der Teufelsmetapher).

Probleme der Repräsentation und affekttheoretischer Ausblick

Am vorläufigen Schluss der hier vorgenommenen Darstellungen scheinen uns zwei Perspektivierungen wichtig, die in jeweils unterschiedlichem Sinn auf das Problem *differenzierter Wahrnehmung* abheben.

Zum einen geht es um die Frage der *Repräsentation* beziehungsweise um den artikulierten Unmut darüber, die eigene Position in kirchenleitendem Handeln nicht repräsentiert zu sehen. An dieser Stelle ist erneut über die Sinnhaftigkeit des Anliegens zu sprechen, die „Sorgen und Ängste" von Menschen ernst zu nehmen, die sich vorurteilsbezogen äußern – zumal, wenn die Handlungsempfehlung von rechten Strateg*innen abgekupfert und unter der Hand zu einer rhetorischen Taktik geworden ist.[44] Gleichwohl beinhaltet das Material Kommunikate, die auf irritierende Erfahrungen hinweisen und die ein Erstaunen und eine „Besorgnis" über die vermeintliche Prioritätensetzung der Kirche angesichts offenbar empfundener Ressourcenkonflikte zum Ausdruck bringen:

> „Jedes zweite Kind im Ruhrgebiet ist richtig arm. Warum hat die EKD nur den Fokus auf das Ausland, warum werden Armut und Verzweiflung nie in Deutschland angeprangert." (FB #leavenoonebehind (2), 53)

Kirche vernachlässige, so die Auffassung, ihre wesentlichen Aufgaben, nämlich Seelsorge, die Verkündigung des Wortes Gottes und grundlegende soziale und diakonische Aufgaben. Neben der Sorge, dass Kirche ihrem eigentlichen Zweck nicht gerecht werde, werfen Kritiker*innen der Kirche vor, dass sie ihren Aufgabenbereich überschreite. Ähnlich lässt sich die Klage mancher Nutzer*innen interpretieren, Kirche agiere zunehmend als NGO: Indem sie bestimmte politische Positionen vertrete und „Gleichgesinnte" ansprüche, schließe sie andere (Kirchenmitglieder) aus. Es stellt sich beim Lesen der Eindruck ein, Kommentator*innen und E-Mail-Verfasser*innen empfänden sich von Kirche und ihren Vertreter*innen abgekoppelt; man fühlt sich ungesehen, ungehört und unverstanden. Dieser Eindruck wird nicht zuletzt dadurch genährt, dass die Beteiligung der Kirche an der Seenotrettung kein Thema zu sein scheint, das im täglichen sozialen Umfeld der Menschen, auch nicht in ihren örtlichen Kirchengemeinden, verankert ist. Vielmehr scheint es sich um eine Debatte zu handeln, die vor allem über die Medien vermittelt und mit bestimmten Personen, die Kirche repräsentieren, in Verbindung gebracht worden ist.

---

44 Vgl. dazu auch noch einmal Biskamp (2017: 98).

Ohne nun naiv rechten rhetorischen Strategien auf den Leim zu gehen, stellt sich doch die Frage: Wie ist es denn bestellt um kirchliche Sozialstrukturen und Partizipationsinfrastrukturen, um Responsivität, Beteiligung und Repräsentation?

Zum Zweiten müssen zu einer Wahrnehmung des Kommunizierten, die differenzierter ist als es bei der mehr oder weniger ausschließlichen kognitiv orientierten Analyse möglich war[45], affekttheoretische Reflexionen hinzutreten, um der Vielfalt von Affekten und Emotionen im politischen Kontext auf die Spur zu kommen und auch ihren gezielten Einsatz analysieren zu können. Nicht unwahrscheinlich ist, dass aus einem besseren „Verstehen" rechter Handlungslogiken jenseits reiner Abwehrgesten (die aus einer bestimmten Affektposition ebenfalls verständlich sind) noch einmal *Impulse* für den *handlungspraktischen* Umgang mit vorurteilsbezogener Kommunikation erwachsen können.

Über die wenigen Striche hinaus, die hier – in Reaktion auf die Response von Aletta Diefenbach – nur angedeutet werden konnten, wäre grundlegend weiterzuforschen: Mit welchen unterschiedlichen Affekten haben wir es in den unterschiedlichen (Re-)Produktionen von Narrativen beziehungsweise Narrativfragmenten zu tun? Welche affektiven Affordanzen führen die Narrative beziehungsweise Narrativfragmente mit sich? Viel stärker als bisher geschehen ist insofern noch einmal die Frage zu bedenken, wie sich kollektive Identitäten im Verhältnis zur individuellen konstituieren, und welche Rolle hier die Prozessierung von Affekten spielt.

Die Auseinandersetzung mit Populismen kann heuristische Gewinne für Theologie und Kirche haben, indem sie auf die Notwendigkeit hinweist, eigene – auch affektive – Positionierungen und Argumente zu prüfen und diskursiv zur Verfügung zu stellen. Mit der Intention einer differenzierten Wahrnehmung und der Verständigung zwischen unterschiedlichen Positionen gälte es, auch die Deutungsoffenheit, die biblischen Texten und christlichen Topoi inhärent ist, einerseits auszuloten und andererseits die Logik der eigenen Positionsbestimmung darzulegen. Bei allem Bemühen um Diskursivität und Dialogizität bleibt einer pluralitätsorientierten Kirche wie einer pluralitätsorientierten Theologie allerdings aufgegeben, zu fragen, wo Pluralität und Liberalität ihre Grenze finden müssen, damit Pluralität und Liberalität gewährleistet werden können.

---

45 Vgl. Merle/Watzel (2022).

Zur affektiven Vielfalt menschenfeindlicher Narrative

Ein Kommentar zum Teilprojekt 2

Von Aletta Diefenbach

1 Einleitung

„Was sind die Hintergründe und Effekte rechtspopulistischer Inhalte und menschenfeindlicher Einstellungen in unseren eigenen Reihen?" – Diese Frage stellt die Evangelische Kirche Deutschland in ihrer Studie „Zwischen Nächstenliebe und Abgrenzung", eine in ihrer Gesamtlage beeindruckende und bis dato einzigartige Auseinandersetzung der EKD mit den eigenen internen Herausforderungen mit rechtem Gedankengut.[1] Mutig widmet sich die Studie der Aufgabe, auf verschiedenen Ebenen christlichen Lebens kirchliche Akteur*innen in ihren Sinnwelten, Diskursen und Institutionen mit Blick auf rechte Ideologeme zu verstehen, und liefert damit einen wichtigen Beitrag zum Verständnis individueller und kollektiver Mechanismen der Menschenfeindlichkeit und ihrer Radikalisierung sowie einem entsprechenden Handeln im kirchlichen Kontext. Ich freue mich sehr, an dieser Stelle Teilprojekt (TP) 2 „Religion und Rechtspopulismus/-extremismus: Analysen von Narrationen vorurteilsbezogener Kommunikation und Hassrede online" von Kristin Merle und Anita Watzel kommentieren zu dürfen, eine Untersuchung rechter Deutungen und Narrative im kirchlichen Kontext und der Funktionsweise der Ansprache von Christ*innen durch rechtspopulistische Akteur*innen. Teilprojekt 2 analysiert anhand des Beispiels der Seenotrettung „Kommunikate" (Merle/Watzel 2022: 101) auf Social-Media-Seiten, in E-Mails an kirchliche Adressat*innen und in Postings auf Internetseiten auf die Frage hin, wie mithilfe von religiösen Ideen ein neurechtes Masternarrativ und damit die Ablehnung der Seenotrettung funktioniert.

Das Teilprojekt arbeitet hierfür mit einem Verständnis von textlichen Diskursen als eigenständiger Erscheinung. Das heißt, Semantiken wird eine Wirkmacht zugeschrieben, die losgelöst von einer konkreten Trägerschicht

---

1 Ich danke Elisabeth Siegel für die redaktionelle Unterstützung. Der Beitrag wurde finanziert durch die DFG im Rahmen des SFB 1171 „Affective Societies".

und den inneren Motiven einzelner Personen ist. Die Stärke der Studie besteht in der feingliederigen Rekonstruktion: Sie untersucht, wie sich Verbindungen von christlichen Topoi und „vorurteilsbezogener Kommunikation" (a. a. O.: 101) in argumentativen Begründungszusammenhängen und Narrativfragmenten niederschlagen und damit Ausschließungen, Herabwürdigungen und Verletzungen produzieren. Merle und Watzel untersuchen also, wie das kirchliche Engagement der Seenotrettung „Hassrede" (a. a. O.: 99) auslöst, und konzentrieren sich damit auf die gewaltvolle Wirkung der textlichen Artikulationen. Sie stellen fest, dass hierbei ein rechtspopulistisches Masternarrativ in unterschiedlichen Kommunikationskontexten aktiviert und mit einer „religiösen Folie" (a. a. O.: 114) versehen wird: a) Deutschland ist die Heimat des deutschen Volkes als autochthoner Bevölkerung mit einer intakten religiösen Sozialstruktur gewesen, b) Korrupte/kriminelle Eliten haben Glaube, Land und Kultur zum eigenen (Finanz-)Vorteil verraten und tun das immer noch und c) Deutschland mit seiner christlich geprägten Sozialstruktur verfällt gesellschaftlich – nur „wahre" Christ*innen erkennen das und leisten Widerstand. Diese Elemente des Masternarrativs finden sich in unterschiedlichen semantischen Ausführungen und religiösen Begründungsfiguren und lehnen auf die eine oder andere Weise die Seenotrettung ab.

Der Fokus auf die Eigenlogik des Diskurses, auf dessen aversive Formen und verletzende Wirkmacht legt eine verstärkte systematische Betrachtung der Affekte und Emotionen nahe, die innerhalb der rechten Bewegung zirkulieren und ihre Diskurse bestimmen. In diesem Punkt folge ich der Perspektive und Grundannahme der Teilstudie: Die textlichen Narrative wirken und erhalten ihre soziale Relevanz nicht über ihre Inhalte allein, sondern dadurch, wie sie sich letztlich anfühlen. Deshalb möchte ich im Folgenden die von der Studie bereits dargestellten Vielschichtigkeiten des rechten religiösen Narrativs um emotionstheoretische Perspektiven ergänzen, die für weitere Affizierungsweisen und Gefühle der rekonstruierten Narrative sensibilisieren. In diesem Sinne möchte ich zwei Thesen an die Studie herantragen, die das Verständnis des rechten Diskurses in seiner emotionalen Ausgestaltung schärfen und helfen können, Strategien im demokratischen Streitgespräch zu entwickeln: (1) Dass in den rekonstruierten Narrativen Hass und Hetze erkannt wird, hat mit dem eigenen Standpunkt und den Gefühlen – als Forschende oder als Kirchengemeinde – zu tun. *Sich diesen eigenen Gefühlen gewahr zu werden, kann im demokratischen Gespräch helfen, dem Gegenüber anders, reflektierter zu begegnen.* (2) Mit der eigenen Gefühlswelt einher geht, dass andere, von Hass und Hetze abseitige Affekte und Emotionen in den Narrativen weniger wahrgenommen werden. *Ein umfassenderes Verständnis der „anderen" Gefühlswelt eröffnet jedoch die Möglichkeit, auf diese im Gespräch differenziert einzugehen.*

Mit diesen Thesen verfolgen meine Auseinandersetzungen mit der Studie das Ziel, sowohl die Forschung als auch den handlungspraktischen Umgang mit rechten Akteur*innen im kirchlichen Kontext kritisch zu informieren.

2 Eine affektsoziologische Perspektive

Meine Thesen und nachfolgenden Ausführungen ergeben sich aus einer affektsoziologischen Perspektive auf das Soziale und auf den rechten Diskurs als politische Erscheinung. Was nimmt die Kategorie Affekt in den Blick und was zeichnet diese spezifische Perspektive aus?

Affekttheoretischen Zugängen liegt die Prämisse einer fundamentalen Prägung von Sicht- und Handlungsweisen durch Fühlen, Emotionen und Stimmungen zugrunde: Als gesellschaftlich vermittelte Subjekte begegnen wir sozialen Situationen nicht nur auf geistiger und kognitiver Ebene – vielmehr besitzen wir einen Körper und stehen daher zuvorderst über diese Körperlichkeit und Fühlen in Verbindung mit der Welt (von Scheve/Berg 2018: 30). Darüber hinaus sind Körperlichkeit und Fühlen inhärent relationale Phänomene. Akteur*innen trennen und verbinden sich über Gefühle und Stimmungen, sie affizieren sich in der Interaktion gegenseitig eben durch ihre Körper, aber auch durch Sprechakte, Handlungen und Materialitäten. Eine affektsoziologische Perspektive dezentriert damit das Subjekt und rückt stattdessen dessen (Welt-)Verbundenheit in den Mittelpunkt, in der es seine Umwelt affiziert und durch diese affiziert wird. Die Kategorie Affekt sensibilisiert für die sinnlichen Nuancen, unterschwelligen, und auch weniger semantisierten Intensitäten, Wirkweisen und Dynamiken situationaler Begegnungen und (Handlungs-)Konstellationen und nimmt diese in ihrer Vielschichtigkeit in den Blick (Ahmed 2014/2004: 8; Zink 2019: 289 f.; Slaby/von Scheve 2019: 43).

Aus diesen Grundprämissen folgen drei Einsichten für ein Verständnis des Sozialen. *Erstens* ist alles affektiv grundiert. Emotionen und Vernunft oder Rationalität bilden daher nicht, wie vielfach in unserer Kultur angenommen, gegensätzliche und abgegrenzte Dichotomien. Vielmehr sind jegliches Handeln und jegliche Interaktion und damit auch ein vermeintlich affektloses Verhalten wie ein nüchterner Blick oder ein rationales Argument

affektiv aufgeladen und sie entfalten ihre intersubjektive Wirkung über diese als sachlich empfundene Affektivität. Damit sind auch die textbasierten
Narrative und Diskurse, die die Autorinnen von Teilprojekt 2 rekonstruieren, in ihrer Performativität stets affektiv. Als diskursive Praktiken sind
ihre Bedeutungserzeugungen affektiv aufgeladen und berühren, affizieren,
formen Körper (Reckwitz 2016; Wetherell 2012; von Scheve/Berg 2018).
Zweitens haben Affekte eine Funktion, sie bergen eine bewegende Kraft
und Wirkmacht. Deleuze und Guattari (1992) sprechen von *agencement*
als Handlungskraft, die von affektiven Arrangements aus menschlichen
und nicht-menschlichen Akteur*innen ausgeht, und vertreten damit eine
Auffassung, die Handlung und Affizierung dem Zusammenwirken verschiedener materieller und diskursiver Elemente in einer spezifischen sozialen
Situation zuschreibt (vgl. Slaby 2019: 110). Diese Funktion kann sich durch
Anziehung oder Abstoßung zeigen, durch Resonanz oder Dissonanz und
kann daher im Sozialen vergemeinschaften oder aber trennen. *Drittens*
fällt diese Wirkmacht abhängig von kontextspezifischen Bedingungen unterschiedlich aus, sie ist nicht losgelöst von Bedeutung, sondern die anzie-
hende oder abstoßende Affizierungsweise des Diskurses ist kulturell einge-
bettet. Dies führt zu einem zentralen Punkt für die nachfolgenden Ausführungen: Genau wie Begriffe, Wörter, Sätze, Narrative unterschiedliche
Bedeutungshorizonte aufweisen, können sich auch die Affizierungsweisen
unterscheiden. So wie eine Aussage je nach politischer Positionierung und
Interpretationsgemeinschaft unterschiedlich gelesen werden kann, kann sie
auch anders affizieren, anders empfunden werden. Interpretationsgemein-
schaften sind damit immer auch Affektgemeinschaften, die Mehrdeutigkeit
in der Welt entspricht einer Polyaffektivität dieser.

3 Zur affektiven Vielfalt des kirchlichen Meta-Narrativs

Aus diesen affekttheoretischen Vorüberlegungen folgen weitere Einsichten
für die Untersuchung der Emotionen der Rechten. Sie erlauben es, affektive
Aspekte der Forschungsperspektive der Teilstudie und ihrer Erkenntnisse
über die Wirkung der rechten Narrative stärker hervorzukehren.

Davon ausgehend können wir nun den wissenschaftlichen Standpunkt
befragen, von dem aus der rechte Diskurs in seinen Wirkweisen von Merle
und Watzel untersucht wurde. Dies ist die Interpretationsgemeinschaft des
„liberal-aufgeklärten Christentums" (Merle/Watzel 2022: 159), die mit einer
spezifischen Affektivität in Bezug auf die Forschungssubjekte einhergeht.

„Niemand hat eine Deutungshoheit über christliche Topoi und Narrationen, und einem liberal-aufgeklärten Christentum bleibt nichts anderes übrig, als immer wieder aufs Neue die Plausibilität der eigenen Position in die Waagschale zu werfen – und sie nicht einfach vorauszusetzen und ‚das Andere‘ vorschnell als ‚Irrweg‘ abzutun." (Merle/Watzel 2022: 159)

In der Positionierung findet sich die Anerkennung unterschiedlicher theologischer Deutungen und politischer Positionen innerhalb der Kirche. Gleichzeitig wird auf einen „gemeinsamen Grundkonsens" (Beschluss der Synode 2018, zit. nach Heinrich 2022: 5) referiert und werden klare Grenzen gesetzt, „wo es um Gewalt und Menschenfeindlichkeit geht" (Merle/Watzel 2022: 159). Das Selbstverständnis einer „kritischen aufgeklärten Theologie" (a. a. O.: 144) ist damit mit (theologisch-)normativen Positionen verknüpft: Die Forschenden bekennen sich positiv zu den Werten Menschenrechte, Liberalismus, Demokratie und solidarisieren sich mit Marginalisierten. Diese Positionierung führt zu einer affektiv geprägten Perspektive auf rechte Narrative, die vormalig die in diesen enthaltenen Affekte Hass und Hetze und deren grenzüberschreitenden Charakter herausarbeitet. Mit den Theorien sprachlicher Gewalt und Konzepten der Hatespeech-Forschung folgt die Studie zudem einem theoretischen Zugang, der ein Augenmerk auf menschenfeindliche und irrationale Gehalte richtet. Die Ansätze betrachten Diskurs in seiner materiellen Dimension, das heißt in seinen Effekten auf die Körper von Subjekten. Damit hat der Diskurs nicht nur eine eigene Materialität als „Ding", als zum Zweck der Verletzung eingesetzte Sprache (vgl. a. a. O.: 109), sondern er trifft auch auf die Materialität fühlender Körper und formt diese mit. Der Forschungsstandpunkt als normativ verortete Institution sowie der theoretische Zugang verhelfen der Studie zu einer machtsensiblen Perspektive: Sie fragt danach, wie die Narrative Marginalisierte und diejenigen, die sich solidarisieren, adressieren, und welche verletzenden Wirkungen sie auf ihre Körper haben.

In einer Gesellschaft, die Menschenwürde, Demokratie und Teilhabe zu ihren Grundwerten macht, ist die Perspektive der sprachlichen Gewalt unabdingbar. Sie ermöglicht es, die aversiven, verletzenden und ausschließenden Affekte, sprich den Hass in den Semantiken, in Verbindung mit religiösen Ideen aufzudecken, und zeigt, wie sie auf im Machtgefüge benachteiligte Gruppen und deren „Allies" wirken. Die machtsensible Perspektive ist damit auch eine solche, die den strukturellen Charakter von Benachteiligungen und Rassismen zu erkennen und zu kritisieren vermag.

Gleichzeitig bedeutet ein normativer und affektiv geprägter eigener Standpunkt auch, und damit komme ich zu These zwei, dass wir für Affekte und Emotionen abseits negativer Gefühle wie Hass und Hetze in den Narrativen ein Stück weit blind sein können. Dies birgt die Gefahr, andere Affekte in neurechten Narrativen zu vernachlässigen, dabei können je nach Interpretationsgemeinschaft in ein und denselben Semantiken unterschiedliche Affekte auftreten und erkannt werden. Die hierzu schon vorhandenen selbstkritischen Perspektiven der Studie, die Herausforderungen für die Kirche und ihr Selbstverständnis benennt und die Differenziertheit der Narrative betont, möchte ich nachfolgend systematisch hervorkehren und stärken. In ihnen liegt ein Potenzial, zusätzlich zur notwendigen Kritik an und Distanzierung von rassistischen und verletzenden Narrativen, Fenster für präventive Handlungen und Dialog zu erkennen.

3.1 Nächstenliebe, Wir-Gefühl durch Partikularität, Nationalismus und Hassrede

In den Kommunikaten artikulieren sich nicht nur islamfeindliche, antisemitische, antifeministische, antielitäre und klassenbezogene Kritiken und Herabwürdigungen. Die narrativen Verbindungen mit religiösen Ideen zeigen auch positive Emotionen wie Liebe und Solidarität auf:

> „Der Nächste kann natürlich auch mal ein ‚Fernster' in Not sein. Aber im Alltag sind es tatsächlich zunächst nur die paar Menschen in meinem Umfeld. Wir tollen Deutschen wollen die ganze Welt lieben und haben selbst zunehmende Vereinsamungs- und Bindungsstörungen [...]" (FB #Seenot [2], 306, zit. nach Merle/Watzel 2022: 129)

Für die Verfasser*in hat Nächstenliebe eine hohe Bedeutung und ist indirekt an „Nation" geknüpft („Wir tollen Deutschen"). Damit distanziert sich der Beitrag von der „Not" der „Fernsten" und stößt diese von sich, eine aversive Haltung wird erkennbar. Auf affektiver Ebene transportiert das Kommunikat allerdings noch mehr, verhandelt es die Frage, wie man Nächstenliebe zu den „Fernsten' in Not" üben kann, wenn es eigene „zunehmende Vereinsamungs- und Bindungsstörungen" gibt. Das Kommunikat enthält hier neben einer sozialräumlich nahen und an ein nationales, deutsches Kollektiv gebundenen Nächstenliebe Affekte der entlarvenden Scheinheiligkeit und Selbstkritik an die Kirche, die sich nicht ausreichend um die sozialräumlich Nächsten kümmert und ihre Nächstenliebe über eine Aktion der Seenotrettung inszeniert. Der zitierte Beitrag priorisiert damit neben verletzenden Semantiken Werte wie Aufrichtigkeit und Integrität, die eine potenziell affizierende Wirkmacht haben können.

Weiter weisen auch Merle und Watzel darauf hin, dass die Abwertung eines Gegenübers identitätsstiftend wirken und funktional für die sich in den Narrativen artikulierenden gruppenspezifischen Gefühle sein kann:

> „Die kollektive Prozessierung einer je codierten sprachlichen Gewalt wirkt vergemeinschaftend ‚nach innen‘. Die rituelle Abwertung ‚der Anderen‘ sichert den eigenen, vermeintlich ‚höheren‘ Status." (Merle/Watzel 2022: 109)

Die untersuchten diskursiven Narrative können also auf die ausgegrenzten und diskriminierten Gruppen verletzend wirken, gleichzeitig beinhalten sie positive Affizierungen nach innen. Der eigenen Gruppe gegenüber werden Wir-Gefühle, Kohäsion, Anerkennung, Gleichgesinntheit und ein Sich-Verstanden-Fühlen mobilisiert. Hassrede ist also immer auch ‚Liebes‘-Rede für eine bestimmte Gruppe, wobei die beiden Wirkungen in einem sich verstärkenden Zusammenhang stehen können. Je heftiger die Hassrede, desto stärker das Wir-Gefühl, das als innere Bindung erst durch die Abstoßung eines Außen wirksam wird. Merle und Watzel veranschaulichen diesen Aspekt, indem sie kontextspezifisch zeigen, dass in neurechten Medien Dämonisierungen, Polarisierungen, Herabwürdigungen und Umkehrungen von Täter*innen und Opfern vorzufinden sind, die identitätsstiftend wirken. Dies zeigt sich beispielsweise in einem Chatverlauf zwischen drei Personen: Diese bestätigen sich wechselseitig mit derben Worten eine angebliche Bedrohung durch Muslim*innen und erzeugen damit eine enge Bindung untereinander. Das Beispiel verweist auf das gefährliche Radikalisierungspotenzial in digitalen Räumen. Vor allem im rechten Spektrum bilden sich hier „*filter-bubble*" und „selbstreferenzielle Communities" von Gleichgesinnten (a. a. O.: 150).

3.2 Sorgen, Ängste, schlechte Erfahrungen und prekäre Zusammenhänge

Die Teilstudie zeigt aber noch weitere affektive Nuancen auf, deren nähere Betrachtung sich lohnt. Merle und Watzel erkennen „verschiedene Stufen gewaltsamer Sprache" (a. a. O.: 158) und fragen:

> „Was bleibt übrig, ‚zieht‘ man bei Meinungsäußerungen ‚die Gewalt ab‘, welcher Wahrheitsgehalt einer Aussage wird sichtbar, wird sie ihrer

gewaltförmigen Gestalt entkleidet? Bei nicht wenigen Kommunikaten bleibt nichts übrig, Sprache als ‚Ding‘, das vor allem verletzen soll, ist im Grunde der eigenen Semantizität beraubt, erstickt jegliches diskursives Anliegen im Keim. Bei anderen Kommunikaten kommen Sorgen und Ängste ans Licht, schlechte Erfahrungen, prekäre Zusammenhänge, über die man ins Gespräch kommen kann." (Merle/Watzel 2022: 158)

Das bereits vorgestellte Kommunikat zur Nächstenliebe und Scheinheiligkeit könnte letzterer Kategorie zugeordnet werden. Neben der Gewalt finden sich hier Unsicherheiten und Vulnerabilitäten bezüglich gesellschaftlicher Zustände („Vereinsamungs- und Bindungsstörungen").

In einem weiteren Kommunikat kommen Reflexion und Nachdenklichkeit zum Ausdruck:

„Was mich nachdenklich stimmt: Einige vertreten den Einsatz dieses Rettungsschiffes mit einer Überzeugung, die fast einem zentralen Glaubensinhalt gleichkommt. Wenn man als Christ und Kirchenmitglied aber Zweifel an der Aktion äußert, wird man von nicht wenigen scheel angesehen." (FB #Mittelmeer [2], 12, zit. nach Merle/Watzel 2022: 144)

Der*die Sprecher*in nimmt eine distanzierte Haltung zur Seenotrettung ein („dieses Rettungsschiffes") und befürwortet damit indirekt Menschenrechtsverletzungen. Gleichzeitig kommt eine Angst zum Ausdruck, bei geäußerten Zweifeln aus der Kirchengemeinschaft ausgeschlossen zu werden, sowie die Forderung nach Toleranz gegenüber Meinungsverschiedenheiten.

3.3 Nüchternheit und Besonnenheit in rationalisierten Kommunikaten

Eine weitere Gruppe von in den Kommunikaten enthaltenen Affekten ist für uns als Forschende wohl am schwierigsten zu handhaben: In der Studie werden sie als „Argumente" (Merle/Watzel 2022: 144), „Theologie", als „deutungsoffene" (Merle/Watzel 2022: 159) Tätigkeit oder auch „Ambivalenzen" (Merle/Watzel 2022: 101) und „Verschwörungstheorie" (Merle/Watzel 2022: 118, 123, 137, 146) umschrieben, ohne jedoch mit affektiven Beschreibungen verknüpft zu werden. Doch auch diese Bedeutungsgehalte besitzen eine Affektivität und lassen sich auf deren Dynamik und Wirksamkeit hin analysieren.

Ein solcher Blickwinkel führt zu der Einsicht, dass die Kommunikate eben nicht allein eine herabwürdigende Wirkung entfalten. Als „Argumente" und zumal christlich begründete Argumente können diese Semantiken vielmehr auch eine gewisse Kohärenz, Differenziertheit sowie Überschneidungen mit Werten und Deutungen einer kritischen Gegenperspektive besitzen. Als „rationalisierende" Affekte schlagen sie eine Brücke zu christlich-liberalen Werten und religiösen Ideen wie Nächstenliebe und Barmherzigkeit und werden als solche aus einem Standpunkt der kritischen Distanz zu rechten Inhalten aber womöglich zunächst nicht entdeckt und erkannt. Doch sie finden sich in Kommunikaten wie diesem Facebook-Post:

> „Denn die Kirche sollte für alle da sein: für Linke, für Liberale, für Konservative, für Flüchtlingshelfer und Kritiker der Flüchtlingspolitik, für Internationalisten und Heimatverbundene, für Heilige und Unheilige. Indem sich die Kirche [mit der Seenotrettung, A.D.] in Verkennung ihrer eigentlichen Aufgaben dermaßen gesellschaftspolitisch positioniert, spaltet sie, wo wie versöhnen sollte. Denn vor allem und zunächst ist die Aktion der EKD auch eine Botschaft nach innen: Guter Christ ist demnach, wer die Schiffspläne der Kirchenleitung unterstützt. Wenig subtil wird hier zwischen erwünschten und weniger erwünschten Gläubigen unterschieden. Und genau das darf eine Kirche niemals tun." (FB #Mittelmeer [4], 1, zit. nach Merle/Watzel 2022: 140)

Hier lässt sich rekonstruieren, wie viel Hatespeech und Verschwörung in dem Kommunikat stecken, genauso kann der Blick aber auch auf Aspekte von Kohärenz und Differenziertheit gerichtet werden. In der Studie wird darauf verwiesen, dass das Zitat Ambivalenzen und umstrittene Normen der Kirche aufruft und adressiert: Ist sie „NGO" oder „Volks- oder Gemeindekirche" (Merle/Watzel 2022: 141)? Und welche Bedeutung kommt heute der „Trennung von Politik und Kirche" (JF_ EKD-Rettungsschiff [=1], 183, zit. nach Merle/Watzel 2022: 140) zu? Auch wenn die Seenotrettung abgelehnt wird, weist der Appell an eine „Volkskirche", die alle einschließen soll, universalisierende und tolerante Elemente auf. Darüber hinaus vermittelt die Begründungslogik, in der die Ablehnung der aktuellen Seenotrettungspolitik der EKD mit dem Argument der Trennung in „erwünschte und unerwünschte Gläubige" gestützt wird, inhaltlich und im sprachlichen Duktus eine nüchterne und besonnene Haltung. Das Narrativ enthält also auch ‚kühle' und ‚vernünftig' erscheinende Affekte, die entsprechende Wirkungen hervorrufen können.

Daraus folgt, dass es neben Invektiven auch „nüchterne", für die Studie ambivalent erscheinende Formen des neurechten Diskurses gibt. Das gilt nicht nur für umstrittene oder geteilte Werte, sondern auch für Tatsachenbehauptungen, die ins Verschwörungstheoretische abrutschen. Gezeigt hat sich das auch in meiner eigenen Untersuchung zu rationalisierten Affektpolitiken der „Islamisierung" unter rechten Anhängern[2] (Diefenbach 2022). Im Unterschied zur EKD-Studie sprach ich dafür offline im Rahmen von Gruppendiskussionen mit Anhängern von AfD, Pegida und Identitären. Während digitale Räume Kommunikation verknappen und anonymisieren und damit in ihren Bedingungen stark emotionalisierend wirken, zeigte sich im interaktiven Gesprächskontext, dass ein neurechter Diskurs auch erstaunlich „sachlich" und „unaufgeregt" daherkommen kann und dadurch versucht, von Hass und Hetze Abstand zu nehmen.

Daher gilt es, zu bedenken: Auch das scheinbar Affektlose ist affektiv und die von der Studie zutage geförderte ideologische Ambivalenz entspricht einer affektiven Ambivalenz der Narrative. Die Komplexität bedarf daher komplexer Lösungen im Kontext eines Umgangs mit rechten Diskursen, sowohl im Rahmen der Kirche als auch über sie hinaus.

4 Handlungsempfehlung: Gefühle in das kirchliche Selbstverständnis und in die integrierte Bildungsarbeit aufnehmen

Ich hoffe, dass die vorangegangenen Überlegungen dabei helfen, weiter „zu differenzieren" (Merle/Watzel 2022: 158) – ein Plädoyer, das wieder aus der Studie selbst kommt. Gefühle und Affekte besser zu verstehen, kann meiner Ansicht nach auf drei Ebenen helfen, das kirchliche Selbstverständnis und den „integrierten Bildungsprozess", den Horst Gorski (2022: 261) in seinem letzten Beitrag der Publikation zur Studie vorschlägt, anzuregen.

Erstens führen sie zu der Einsicht, dass unser Sprechen und Handeln immer mit Gefühlen und Stimmungen einhergeht und sie können eine Reflexion darüber anleiten: Welche Gefühle bringt ein „liberal-aufgeklärtes Christentum" (Merle/Watzel 2022: 159) hervor, wie normiert es selbst „gute" und „schlechte" Gefühle? Zweitens lassen sich die Erkenntnisse über die Rechten differenzieren, indem Emotionen und Affekte scharf gestellt werden. Es zeigt sich, dass der rechte Diskurs nicht nur Hass und Wut, sondern auch Liebe, Solidarität, Rationalität, Unsicherheit, Angst, oder auch Scham (Groß/Neckel 2020), Humor (Leser/Spissinger 2021) und weitere, komplexe Gefühlslagen bereithält (Ahmed 2014/2004; Pilkington 2016). Neben der

---

2 Ich verwende bewusst das Maskulinum, da ich überwiegend männliche Personen in meinem Sample hatte.

ideologischen verweist dies auf affektive Vielfalt, die ihre Wirkmacht möglicherweise gerade aus der nüchternen Affektpolitik zieht: Eine Ablehnung von Islam und Feminismus kann potenziell genau dadurch überzeugen und mobilisieren, dass sie anhand theologischer Ideen wie Nächstenliebe, Apokalypse oder natürlicher Geschlechtervorstellungen rational und besonnen wirkt. Darüber hinaus ist die selbstreflexive Einsicht zentral, dass affektive Zuschreibungen ihrerseits polarisieren und ausschließen können: Welche kontextabhängigen Wirkungen und Bedeutungen hat es, wenn Aussagen eines neurechten Narrativs als Hatespeech klassifiziert werden (vgl. Tetrault 2021)?

Nicht zuletzt kann eine affektsensible Perspektive zur Entwicklung von Strategien für die demokratische Kirche beitragen. Zugrunde liegen dabei Fragen wie: Auch wenn es normativ wichtig und richtig ist, von Hass und Hetze zu sprechen, wann müssen wir andere Affekte anerkennen? Einzubeziehen ist hierbei der Kontext, in dem der Diskurs zirkuliert: Wird online oder offline gesprochen, befinden wir uns auf Gemeinde- oder Führungsebene? Und wie können Gefühle in das „gemeinsame Theologisieren" (Merle/Watzel 2022: 158) einbezogen werden, wie es die Studie im Anschluss an die Möglichkeit einer dialogischen Praxis vorschlägt? Wie können dabei Betroffene von Hassrede geschützt werden?

Hier stellt sich die Frage, wie die Diskursposition der neuen Rechten im kirchlichen Kontext aus demokratietheoretischer Sicht zu bewerten und welcher Umgang damit angemessen ist. Die ideologische und affektive Vielfalt der Narrative führt zu der Herausforderung, die Legitimität einer Position vor dem Hintergrund potenziell diskriminierender und verletzender Effekte einerseits und einem Recht auf Partizipation andererseits zu bewerten. Laut Jürgen Habermas beruht der politische Liberalismus auf der Macht der Überzeugung und des besseren Arguments und ist auf Verständigung ausgerichtet und auch angewiesen. Diskurspositionen müssen vor dieser Prämisse auf ihre Vereinbarkeit mit deliberativen Verfahren hin geprüft werden (Habermas 1992). Doch wie kann Verständigung aussehen, wenn es sich um teils verletzende und der demokratischen Grundordnung entgegenstehende Inhalte handelt? Radikaldemokratische Ansätze betonen hingegen die konfliktive Dimension des Politischen und setzen stärker auf Antagonismen als auf Verständigung. Sie sehen Emotionen als treibende Kraft im Kampf konfligierender Positionen und plädieren dafür, diese als Teil des politischen Prozesses konsequent mit zu berücksichtigen (Mouffe 2000).

So bleibt die Schlussfolgerung, dass ein differenzierteres Gefühlsvokabular erhellen, entlarven und adressieren kann. In der demokratischen und kirchlichen Verständigung kann dies bedeuten, zu sagen: „Mag sein, dass du dich um ein komplexes Verständnis von gesellschaftlichen Phänomenen wie dem Islam bemühst und besonnen überlegst, aber es ist dennoch falsch, weil …" oder: „Ich folge deiner nationalistischen Auffassung von Nächstenliebe nicht. Aber du hast recht: Wir müssen mehr gegen Vereinsamung und Bindungsstörung tun." Es muss aber auch bedeuten, die verletzenden Inhalte herauszustellen, klar abzuwehren und in den Konflikt zu gehen: „Deine Abwertung anderer Menschen ist unausstehlich und hat nichts mit meiner Kirche und mit meinem Glauben zu tun."

Literaturverzeichnis

Ahmed, Sara (2014) [2004]: *The Cultural Politics of Emotion*. 2. Auflage, Edinburgh: Edinburgh University Press.

Deleuze, Gilles/Guattari, Félix (1992): *Tausend Plateaus. Kapitalismus und Schizophrenie*. Berlin: Merve.

Diefenbach, Aletta (2022): Zur rationalisierten Affektpolitik der ›Islamisierung‹ am Beispiel rechtsextremer Basisaktivisten, in: Monika Wohlrab-Sahr/Levent Tezcan (Hrsg.): *Islam in Europa. Soziale Welt*, Sonderband 25, Baden-Baden: Nomos Verlagsgesellschaft, S. 270–302.

Gorski, Horst (2022): Ausblick: Schlussfolgerungen und Impulse für kirchliches Handeln, in: Evangelische Kirche Deutschland (Hrsg.): *Zwischen Nächstenliebe und Abgrenzung. Eine interdisziplinäre Studie zu Kirche und politischer Kultur*, Leipzig: Evangelische Verlagsanstalt, S. 260–267.

Groß, Eva/Neckel, Sighard (2020): Social Media und die Bedeutung von Emotionen in autoritär-nationalistischen Radikalisierungsnarrativen, in: Annika Hamachers/Kristin Weber/Stefan Jarolimek (Hrsg.): *Extremistische Dynamiken im Social Web. Befunde zu den digitalen Katalysatoren politisch und religiös motivierter Gewalt*, Frankfurt am Main: Verlag für Polizeiwissenschaft, S. 271–283.

Habermas, Jürgen (1992): *Faktizität und Geltung. Beträge zur Diskurstheorie des Rechts und des demokratischen Rechtsstaats*. Frankfurt am Main: Suhrkamp.

Heinrich, Anna-Nicole (2022): Vorwort, in: Evangelische Kirche Deutschland (Hrsg.): *Zwischen Nächstenliebe und Abgrenzung. Eine interdisziplinäre Studie zu Kirche und politischer Kultur*, Leipzig: Evangelische Verlagsanstalt, S. 5–6.

Leser, Julia/Spissinger, Florian (2021): Affektive Komplexität in rechten Kontexten – Methodologische Impulse, in: Ariane Brenssell/Ulrike Eichinger/Arnd Hofmeister/ Jochen Kalpein/Christian Küpper/Hans-Peter Michels/Thomas Pappritz/Katrin Reimer-Gordinskaya/Santiago Vollmer/Eileen Wengemuth/Michael Zander (Hrsg.): *Forum für kritische Psychologie, Neue Folge 3. Krise – autoritäre Tendenzen – Subjektivität*, Hamburg: Argument, S. 94–112.

Merle, Kristin/Watzel, Anita (2022): Religion und Rechtspopulismus/-extremismus: Analysen von Narrationen vorurteilsbezogener Kommunikation und Hassrede online (Teilprojekt 2, TP 2), in: Evangelische Kirche Deutschland (Hrsg.): *Zwischen Nächstenliebe und Abgrenzung. Eine interdisziplinäre Studie zu Kirche und politischer Kultur*, Leipzig: Evangelische Verlagsanstalt, S. 99–168.

Mouffe, Chantal (2000): *The Democratic Paradox*. London: Verso Books.

Pilkington, Hilary (2016): *Loud and Proud: Passions and Politics in the English Defense League*. Manchester: Manchester University Press.

Reckwitz, Andreas (2016): Praktiken und ihre Affekte, in: Hillmar Schäfer (Hrsg.): *Praxistheorie. Ein soziologisches Forschungsprogramm*, Bielefeld: Transcript, S. 163–180.

Slaby, Jan (2019): Affective arrangement, in: Jan Slaby/Christian von Scheve (Hrsg.): *Affective Societies: Key Concepts*, London: Routledge, S. 109–118.

Slaby, Jan/von Scheve, Christian (2019): Emotion, emotion concept, in: Jan Slaby/Christian von Scheve (Hrsg.): *Affective Societies: Key Concepts*, London: Routledge, S. 42–51.

Tetrault, Justin Everett Cobain (2021): What's hate got to do with it? Right-wing movements and the hate stereotype, in: *Current Sociology*, 69, 1, S. 3–23.

von Scheve, Christian/Berg, Anna-Lena (2018): Affekt als analytische Kategorie der Sozialforschung, in: Larissa Pfaller/Basil Wiesse (Hrsg.): *Stimmungen und Atmosphären. Zur Affektivität des Sozialen*, Wiesbaden: VS Verlag für Sozialwissenschaften, S. 27–51.

Wetherell, Margaret (2012): *Affect and Emotion. A New Social Science Understanding*. Los Angeles: Sage.

Zink, Veronika (2019): Affective Communities, in: Jan Slaby/Christian von Scheve (Hrsg.): *Affective Societies: Key Concepts*, London: Routledge, S. 289–299.

Politische Kultur in Kirchengemeinden

Zentrale Erkenntnisse einer ethnografischen Studie und Perspektiven auf zukünftige Entwicklungen

Von Claudia Schulz, Manuela Barriga Morachimo und Maria Rehm

Wenn die Haltung von evangelischen Kirchenmitgliedern zu politischen Fragestellungen gefragt ist, hilft auf der einen Seite ein Blick auf die Gesamtzahl aller Mitglieder, auf der anderen Seite ein Blick in das Leben der Kirchengemeinden vor Ort. Hier finden sich engagierte Mitglieder, gestalten gemeinsam ihr Glaubensleben und handeln permanent die strukturellen und kommunikativen Grundlagen dafür aus. Kirchengemeinden müssen auf gesellschaftspolitische Veränderungen oder Vorfälle reagieren, wo sie die konkrete Arbeit betreffen. Sie müssen bei dieser Gelegenheit die Vielzahl der Haltungen, Erwartungen und Interessen der unterschiedlichen Menschen in ein Gemeinsames integrieren, denn dort sind mit den ortsansässigen Evangelischen zugleich Menschen aller Schichten und Milieus in einer Gemeinde zusammengefasst, selbst wenn unter den Hochengagierten nicht alle gleich stark vertreten sind.

Diese Studie hat als Teilprojekt 3 des Forschungsverbunds „Kirchenmitgliedschaft und politische Kultur" der Evangelischen Kirche in Deutschland eine vertiefte Einsicht in das Leben von Kirchengemeinden und ihre Kommunikationsprozessen ermöglicht.[1] Mit einer ethnografischen Herangehensweise, einer qualitativ-empirischen Forschung unmittelbar im Feld, ließen sich Erkenntnisse gewinnen, die nicht auf alle Kirchengemeinden übertragbar sind, die aber in den konkreten Betrachtungen zeigen, wie Gemeinden mit politischen Fragen umgehen können. Darin wird sichtbar, was für diesen Umgang, für Auseinandersetzungen und Aushandlungsprozesse förderlich ist, welche Herausforderungen sich ergeben und welche wichtigen Impulse daraus für andere Gemeinden zu gewinnen sind.

---

1 Schulz, Claudia/Barriga Morachimo, Manuela/Rehm, Maria (2022): Kirchengemeinden in Aushandlungsprozessen um politisch-kulturelle Themen, in: Evangelische Kirche in Deutschland (EKD) (Hrsg.): *Zwischen Nächstenliebe und Abgrenzung. Eine interdisziplinäre Studie zu Kirche und politischer Kultur*, Leipzig, S. 169–239.

Claudia Schulz, Manuela Barriga Morachimo, Maria Rehm

1 Das Projekt: Erkenntnisinteresse, Methoden und Feldzugang

Im Mittelpunkt des Interesses stand die Frage, mit welchen Strategien und Handlungen Kirchengemeinden politisch-kulturelle Herausforderungen bewältigen. Deutlich war in den ersten Recherchen des Projekts bereits, dass die Annäherung an diese Frage nur gelingen kann, wenn auch die Schritte davor bereits betrachtet werden: Welche politisch-kulturellen Herausforderungen beobachten Kirchengemeinden vor Ort und mit Blick auf die kirchliche und politische Landschaft insgesamt? Wie deuten sie diese als ihre eigenen Herausforderungen und machen diese damit zu einem Thema, mit dem sich die Gemeinde befassen muss? Von hier aus kann schließlich beobachtet werden, was Gemeinden genau tun, wenn sie sich eines Themas annehmen, es in ihre Kommunikationsprozesse aufnehmen, in ihrem Handeln berücksichtigen und Konflikte bewältigen.

Der Zugang zum Feld erfolgte entsprechend in einer mehrstufigen Annäherung: In einer bundesweiten Recherche suchte unser Team einerseits nach Gemeinden, die sich bereits mit einem politischen Thema auseinandersetzen, andererseits konnte auf diese Weise die kirchliche Landschaft insgesamt in den Blick genommen werden: Welche politischen Themen beschäftigen Gemeinden, in welchen Kontexten geschieht dies und in welcher Form ist dies beobachtbar? Erste Erkenntnisse darüber, wie eine Befassung mit politisch-kulturellen Themen insgesamt in der kirchlichen Landschaft bereits etabliert ist oder inwieweit es typische Hindernisse gibt – oder auch die Ablehnung einer solchen Befassung zum Tragen kommt, ließen sich aus dieser Phase bereits gewinnen.[2]

Deutlich wurde, dass die Befassung mit politischen Fragen nicht zum selbstverständlichen Repertoire der gemeindlichen Kommunikation gehört, jedenfalls nicht in einer Form, die das Leben einer Kirchengemeinde deutlich mitprägt. Zwar beschäftigen sich Einzelne vor Ort mit sozialen Fragen, Themen wie Flucht, Asyl, Rassismus und Ausgrenzung, infrastrukturelle Entwicklung, Umwelt und Klima oder mit sexuellen Orientierungen und nichtchristlichen Religionen. Dass dies aber in die Kommunikation einer Gemeinde umfassend aufgenommen wird und sich in Aktivitäten, offenen Diskussionen oder Positionierungen der Gemeinde ausdrückt, ist nicht selbstverständlich. Für die ethnographische Studie wurden schließlich

---

2 Schulz, Claudia (2022): Kirchengemeinden in gesellschaftspolitischer Verantwortung. Zumutungen, Hürden und gute Gelegenheiten, in: *Deutsches Pfarrerinnen- und Pfarrerblatt*, Heft 5, S. 292–296.

vier Gemeinden in städtischen und ländlichen Räumen ausgewählt, die auf unterschiedliche Weise und in unterschiedlichen Themenfeldern mit politischen Fragen befasst sind.

In einer Online-Erhebung näherten wir uns den Gemeinden zunächst auf Ebene des Kirchenbezirks: Verantwortliche in den Kirchengemeinden im Hauptamt oder Ehrenamt wurden nach ihrer Sicht auf politische Fragen vor Ort und deren Bedeutung für die Kirchengemeinde befragt. So ließ sich das Feld der Relevanz dieser Fragen und das Spektrum der Diskussion im Vorfeld erschließen. Anschließend hielten sich Mitglieder des Teams über einen Zeitraum von über einem Jahr immer wieder in den Gemeinden auf, führten Gespräche, erkundeten Strukturen und sammelten Informationen. Das Material für die anschließende Analyse besteht entsprechend aus Protokollen der Teilnehmenden Beobachtung, Interviews mit Einzelnen oder Gruppen sowie im Feld gesammelten Dokumenten.

Mit den vier Gemeinden waren sehr unterschiedliche Profile und Themensetzungen erfasst, die sich in den Bezeichnungen ausdrücken, die die Gemeinden im Verlauf der Untersuchung zur besseren Unterscheidbarkeit erhalten hatten:

- Die „Liberale Gemeinde West" befindet sich in einer großen westdeutschen Stadt. Sie hat als große Gemeinde mit intensiver Vernetzung in verschiedene Bereiche der Stadtgesellschaft bereits seit Jahrzehnten Erfahrung in der Befassung mit politischen Themen vor Ort, beispielsweise im Bereich Flucht, in Fragen der Infrastruktur und des Umweltschutzes.
- Die „Traditionelle Gemeinde Ost" liegt in einer kleinen Stadt in Ostdeutschland und ist durch eine stark theologisch-konservative Gestaltung des Gemeindelebens geprägt. Durch einen Vorfall vor Ort, der öffentliches Aufsehen erregt hat, ist sie gezwungen, sich mit dem Umgang mit rechtsextremen Gruppierungen zu befassen. Im Zuge der Erhebung wird deutlich, dass die Gemeinde bereits ein Engagement in sozialen Fragen entwickelt und sich in früheren Jahren mit der Frage der Homosexualität beschäftigt hatte. Ebenso bekam die Diskussion um Corona-Auflagen ein Gewicht in der internen Kommunikation.
- Die „Bürgerliche Gemeinde West" ist in einer mittelgroßen Stadt in Westdeutschland verankert und blickt auf eine Geschichte des Engagements zurück: Engagierte Hauptamtliche waren in der Zeit des Nationalsozialismus politisch aktiv, was in der Gemeinde bis heute bekannt ist. Aktuell sind dort erneut Hauptamtliche und Ehrenamtliche engagiert, die sich in diese Tradition stellen, und aufgrund lokaler Gegebenheiten,

beispielsweise regelmäßiger Aufmärsche rechtsextremer Gruppen, rückt die Befassung mit politischen Fragen seit einigen Jahren in den Fokus der Gemeinde. Im Zentrum steht entsprechend das Engagement gegen antidemokratische Bewegungen.

- Die „Innovative Gemeinde Ost" ist in einer großen Stadt im Osten Deutschlands aktiv und durch das städtische Leben stark geprägt. So werden permanent religiöse Angebote der Gemeinde ergänzt durch ein Engagement in den Themenfeldern „Umwelt und Klima", „Flucht" und „Interreligiöser Dialog".

In der Analyse des Materials aus den vier Gemeinden lassen sich Ergebnisse in sehr verschiedenen Dimensionen erreichen, einerseits anhand der Themenfelder, andererseits innerhalb der Analyse einer einzelnen Gemeinde. Mit dieser vertieften Sicht in die interne Kommunikation einer Gemeinde und mit der komplexen Zusammenschau von lokalen Gegebenheiten, Ereignissen, Reflektionen und konkretem Handeln lässt sich nicht nur die Bewältigung aktueller Probleme untersuchen, sondern auch die Prozesse der Aneignung politischer Themen, die theologischen Diskurse, Konflikte und Konkurrenzen. Struktur- und Rollenfragen, Fragen der Zugehörigkeit, der sozialräumlichen Einbindung lassen sich anhand konkreter Situationen erschließen. Aushandlungsprozesse rund um Geschichte und Tradition der Gemeinde oder die aktuelle thematische Einbindung politischer Fragen in das Gemeindeleben und viele Details der Kommunikation werden sichtbar. In den folgenden drei Abschnitten zeigt eine knappe Auswahl an Ergebnissen, wie sich Erkenntnisse gewinnen und vor allem für die Weiterarbeit nutzbar machen lassen.

2 Die Befassung von Gemeinden mit politischen Fragen: Einflussgrößen und Hindernisse

Eine erste Erkenntnisdimension ist bereits in der Analyse der Einflussgrößen erreicht, die dazu führen, dass eine Kirchengemeinde sich mit einem politisch-kulturellen Thema befasst. Hier lassen sich drei wesentliche Einflussgrößen beschreiben, die anhand der vier Fallgemeinden sichtbar werden: öffentlichkeitswirksame Ereignisse, zentrale hauptamtliche Personen sowie die politisch-kulturelle Prägung einer Gemeinde.

Die „Traditionelle Gemeinde Ost" ist durch einen gewaltvollen Vorfall im Kontext des Engagements für Geflüchtete unmittelbar gezwungen, sich über das Engagement einiger Einzelpersonen hinaus im Themenfeld

„Flucht" zu positionieren: Während einer Gemeindeveranstaltung, die mit dem Ziel entwickelt worden war, von Armut und Ausgrenzung betroffene Menschen zu unterstützen und hier vor allem für geflüchtete Menschen ein Zusammensein zu bieten, ereignet sich ein Übergriff auf einen Mitarbeiter der Gemeinde. Der Vorfall spricht sich in der Stadt herum, es kommt zu fremdenfeindlichen Kundgebungen, zu der sich auch Rechtsextreme aus der Region zusammenfinden. Die Gemeinde hatte bislang das Engagement für Geflüchtete einerseits als soziales Handeln und andererseits als missionarische Gelegenheit bewertet, weil Geflüchtete bereits in Glaubenskursen und Hauskreisen präsent waren. Nun musste sich die Gemeinde mit stigmatisierenden und rassistischen Äußerungen gegenüber geflohenen Menschen befassen und auch mit dem Verhältnis der Gemeinde zu andersreligiösen Menschen positionieren, sowohl nach innen in eine heterogene Bewertungslage hinein als auch nach außen gegenüber der Öffentlichkeit. Hier beginnt die Befassung mit der politischen Frage erst mit dem öffentlichkeitswirksamen Ereignis. Die unterschiedlichen Dimensionen der Befassung, theologische oder politische Aspekte, werden unter hohem Druck und unter den Augen der Öffentlichkeit ins Auge genommen. Diese Situation erschwert einerseits die Diskussion innerhalb der Gemeinde, andererseits führt sie dazu, dass die Gemeinde sich – wohl oder übel – umfassend und nachhaltig mit diesem Thema beschäftigt.

Die „Innovative Gemeinde Ost" hat im Team der Pfarrpersonen einen Pfarrer mit großem Interesse an gesellschaftspolitischen Fragen. Dieser regt an vielen Stellen die Befassung vor allem mit Umweltfragen an und beantragt erfolgreich eine Projektstelle mit einer Fachkraft für Nachhaltigkeit, die in der Gemeinde angesiedelt wird. Er bringt Engagierte aus unterschiedlichen Bereichen zu einer Initiativgruppe zusammen und verbindet viele kleine Ideen zu einem Profilelement der Gemeinde, das nach außen gut erkennbar ist. Zugleich sucht er im Umkreis nach Interessierten an einer Gruppe für den interreligiösen Dialog, in den er immer wieder andere Gemeindemitglieder einbindet. Auch mit Initiativgruppen für Geflüchtete hält er Kontakt. Mit diesem Handeln schafft er über den recht kurzen Zeitraum von zwei Jahren die Verankerung mehrerer gesellschaftspolitischer Themen in der Gemeinde.

Die „Bürgerliche Gemeinde West" hat auf den ersten Blick ganz ähnlich zu ihrem Profilelement „politisches Engagement" gefunden: Ein Pfarrer ergriff vor über einem Jahrzehnt anlässlich einer Demonstration von Neonazis in unmittelbarer Nähe der Kirche die Initiative und gründete ein Netzwerk, in dem sich viele Interessierte und inzwischen auch viele gesellschaftliche Gruppierungen gegen ausländerfeindliche und rechtsextreme Haltungen stellen. Er war darin stark selbst engagiert und baute die Gemeinde mit dem Angebot eines Raums für Treffen der Initiative sowie durch seine Organisationsleistung zu einer Plattform der Kommunikation im Sozialraum aus. Dass die Gemeinde auf diese Weise ein wichtiger Teil eines Netzwerks ist, begründet er mit der Geschichte der Gemeinde, in der sich bereits früher, in der Zeit des Nationalsozialismus, Hauptamtliche politisch engagiert hatten.

Die „Liberale Gemeinde West" hat sich im großstädtischen Kontext seit Jahrzehnten mit politischen Themen unterschiedlichster Art intensiv befasst. Auf diese Weise ist die Auseinandersetzung mit gesellschaftspolitischen Fragen innerhalb der Gemeinde zur Selbstverständlichkeit geworden. Neue Themen oder neue Wendungen in bereits bekannten Themen werden auf diese Weise fast schon routiniert aufgenommen und in die gemeindliche Kommunikation integriert. Dass die Interessen der vielen Menschen im großstädtischen Kontext unterschiedlich sind, ist hier eine Selbstverständlichkeit. Es engagieren sich zu einem Thema die Personen, die sich interessieren oder betroffen sind. So können auch Themen, die nicht in der Breite interessieren, bearbeitet werden.

In dieser Durchsicht zeigen sich öffentlichkeitswirksame Ereignisse, zentrale hauptamtliche Personen sowie die politisch-kulturelle Prägung einer Gemeinde in der Geschichte und in der Gegenwart als drei wesentliche Einflussgrößen, die die Entwicklung und Gestaltung eines gesellschaftspolitischen Engagements in der Gemeinde prägen. Entlang dieser drei Linien lässt sich nachvollziehen, wie die Befassung mit solchen Themen gelingen kann oder an welchen Stellen sie behindert oder vereitelt wird.

3 Zentrale Spannungsfelder: Struktur und Rollen, Theologie und soziale Verortung

Anhand dreier Aspekte des kirchengemeindlichen Lebens soll hier exemplarisch Einblick in das Funktionieren einer Kirchengemeinde gegeben werden: in Struktur- und Rollenfragen, im Spannungsfeld zwischen politischem Engagement und klassischer Gemeindearbeit sowie in der Verortung einer Gemeinde im Sozialraum.

3.1 Struktur- und Rollenfragen

Klärungsbedarfe in Bezug auf Strukturen und Rollen ergeben sich für eine Kirchengemeinde vom ersten Moment einer Befassung mit politisch-kulturellen Fragen. Es ist auszuhandeln, wo im Gemeindeleben diese Themen angesiedelt werden und wie dies geschehen soll. Nötig sind Klärungen über die genauen Ziele, über konzeptionelle Leitlinien, Rollen und Zuständigkeiten, Methoden, Formen und Grenzen von Diskussion, Partizipation und Kooperation. Ebenso ist zu klären, welche anderen Themenfelder der Gemeinde mit dem politisch-kulturellen Bereich verknüpft werden sollen.

Am Beispiel des Themenfelds „Flucht" in der „Liberalen Gemeinde West" lässt sich dies gut zeigen: Einige Gemeindemitglieder kamen 2015 zu dem Entschluss, sich für Geflüchtete zu engagieren und dies zu einem Angebot der Gemeinde auszubauen. Abgesehen von den formal nötigen Beschlüssen erreichten sie auch ein breites Engagement von weiteren Mitgliedern der Gemeinde. Das Angebot wurde konzipiert, entwickelt und im Verlauf der Jahre mehrfach leicht verändert. Während die „Traditionelle Gemeinde Ost" ein solches Angebot sofort klar in Formate des traditionellen Gemeindelebens aufnahm (als klassische diakonische Arbeit oder als „Glaubenskurs" und „Hauskreis"), experimentierten die Verantwortlichen mit verschiedenen Wegen, wie zusammen mit den Geflüchteten ein Ort der Begegnung entwickelt werden kann, der ein ganz neues Angebot darstellt. Dabei fanden zahlreiche Personen zu einem ehrenamtlichen Engagement, die dieses gar nicht als kirchliches Engagement verstehen, sondern allgemein als ein soziales oder politisches, das auch in Trägerschaft eines Vereins oder Verbands hätte stattfinden können.

Entsprechend – als Kehrseite der großen Offenheit nach außen – war einerseits die Rolle des Pfarrers im Team des neuen Angebots ganz neu zu klären, weil die Strukturen der Gemeinde keine Funktionen in einer solchen Tätigkeit vorsahen, andererseits war die Einbettung des Angebots ins Gemeindeleben anspruchsvoll: Wo die Hauptamtlichen um eine Kommunikation zwischen dem Café für Geflüchtete und anderen Gemeindegruppen vermitteln wollten, stießen sie mitunter auf Desinteresse oder sogar auf latente Skepsis gegenüber einem solchen Engagement. Zumindest war den Besucherinnen des Seniorenkreises nicht unbedingt plausibel, warum sie ihre Aufmerksamkeit diesem neuen Angebot widmen sollten, dessen Funktion innerhalb der Gemeinde ihnen nicht deutlich war. Hier wird sichtbar, wie zunächst die Entscheidung für ein politisch-kulturelles Engagement der Gemeinde zu treffen ist – was vielen Gemeinden nicht leicht fällt –, darauf dann eine Vielzahl von Fragen geklärt werden müssen, von denen etliche wiederum zur Herausforderung für die Gemeinden werden.

3.2 Politisches Engagement und klassische Gemeindearbeit

Das Spannungsverhältnis zwischen politischem Engagement und klassischer Gemeindearbeit wird in den anderen Fallgemeinden noch klarer sichtbar, wo das gemeindliche Engagement im politischen Feld noch wenig etabliert ist. In der „Innovativen Gemeinde Ost" ist ein Pfarrer die stärkste Triebfeder in diesem Feld, und sein Engagement führt regelmäßig zu Klärungsbedarfen oder Konflikten mit anderen Aktivitäten oder Interessen: Wie gelingt es, dass neue Angebote mit gesellschaftspolitischem Engagement von den Ehrenamtlichen, die die bestehenden Aktivitäten tragen, akzeptiert und im Gesamtbild der Gemeinde mitgetragen werden? Wie lassen sich die Ansprüche des neuen Engagements auf Ressourcen, Räume und Aufmerksamkeit mit den Bedarfen anderer Bereiche des Gemeindelebens vereinbaren? Auf dem Weg zu den nötigen Klärungen erweist sich die theologische Diskussion des politischen Anliegens als besonders hilfreich, damit nicht nur eine organisatorische, sondern auch eine ideologische Ebene für das Engagement bereitet werden können. Damit verbunden ist auch die Aushandlung der Funktion theologischer Argumente: Dienen sie als nicht hinterfragbare Basis für das politische Engagement oder sollen politische Themen Gegenstand einer (häufig langfristigen) theologischen Aushandlung sein?[3] Von hier aus lassen sich die Engagements dann leichter einander zuordnen, Konflikte können sachlich bearbeitet und konträre Positionen leichter wahrgenommen werden.

3.3 Verortung im Sozialraum

Oben war bereits sichtbar geworden, wie das politische Engagement einer Kirchengemeinde einerseits bedeuten kann, innerhalb der Gemeinde einen weiteren Bereich des Engagements zu entwickeln und andererseits die Kirchengemeinde innerhalb des Sozialraums als einen möglichen Ort der

---

3 Dazu weiterführend die Analyse theologischer Argumentationen: Schulz, Claudia (2022): „Die Botschaft gehört umgesetzt!" Dimensionen theologischer Reflexion in Kirchengemeinden angesichts politischer Herausforderungen, in: *Deutsches Pfarrerinnen- und Pfarrerblatt*, Heft 10, S. 612–615, und Heft 11, S. 689–693.

Befassung zu etablieren. In der „Bürgerlichen Gemeinde West" ist das besonders gelungen, indem der Pfarrer als Initiator des Netzwerks gegen ausländerfeindliche und rechtsextreme Haltungen die Gemeinde von Anfang an mit anderen Gruppen in der Stadt, mit Menschenrechts-Initiativen, Bildungsträgern, Verbänden und Parteien verknüpft und so zu einer Plattform für das politische Engagement im Stadtteil gemacht hat. Er nutzt einerseits die Ressourcen der Gemeinde, mit denen diese für andere Player attraktiv war (Räume, organisatorische Kompetenz), andererseits die Kirchenbindung vieler Engagierter in den anderen Gruppierungen, die wiederum als Brücke für das Engagement in die Gemeinde hinein fungieren. Zwar ist kaum ein Mitglied des Kirchengemeinderats und keine weitere hauptamtliche Person im Netzwerk aktiv, aber unter den Aktiven finden sich einige Gemeindemitglieder, sodass das Netzwerk mit der Gemeinde gut verbunden bleibt.

Auch hier ergeben sich Konflikte, etwa dort, wo die Vernetzung mit anderen Gruppen mit einem ähnlichen politischen Interesse nicht reibungslos verläuft, wo etwa die Zusammenarbeit mit Antifa-Gruppen die Frage nach der Berechtigung von Ordnungswidrigkeiten bei Demonstrationen aufwirft, in der sich mehrere Gemeindemitglieder kritisch zeigen. An einer anderen Stelle suchte eine evangelikale Gruppierung den Anschluss an das Netzwerk, die ihren Kampf gegen Ausländerfeindlichkeit fast ausschließlich als Kampf gegen Antisemitismus versteht, den sie mit der besonderen Erwählung Israels begründet. Auch hier fürchteten Gemeindemitglieder, dass an dieser Stelle der inhaltliche Dissens mit dieser Gruppierung zu groß sein könnte, und setzten sich gegen die Zusammenarbeit ein. Hier ist offenbar die sozialräumliche Vernetzung mit Parteien und Verbänden reibungsloser möglich als mit anderen weltanschaulichen Gruppen.

Besonders effektiv scheint die Vernetzung einer Kirchengemeinde mit anderen Playern im Sozialraum dort zu gelingen, wo zugleich der Anschluss an eine Tradition des zivilgesellschaftlichen Engagements der Gemeinde in früheren Zeiten gegeben ist, etwa mit einer historischen Figur wie in der „Bürgerlichen Gemeinde West" oder mit früheren Engagements, wie es in der „Liberalen Gemeinde Ost" in der DDR-Zeit mit den Themen „Umwelt" und „Frieden" gegeben ist. Hier ist in der Gemeinde bereits ein Verständnis dafür gewachsen, wie die Gemeinde als Plattform für sozialräumliche Kommunikation fungieren und dies ein produktiver Bestandteil der Gemeindearbeit sein kann.

4 Praxisbeispiel: Herausforderungen bei der innergemeindlichen Bearbeitung des gewaltvollen Vorfalls in der traditionellen Gemeinde Ost

Oben wurde der gewaltvolle Vorfall in der „Traditionellen Gemeinde Ost" bereits erwähnt, der zu innergemeindlichen Auseinandersetzungen hinsichtlich des Engagements für Geflüchtete und zu dessen Politisierung führte. Anhand des konkreten Aushandlungsprozesses um die Bearbeitung dieses Themas lassen sich verschiedene Herausforderungen analysieren, die ähnlich auch in anderen Gemeinden vorkommen könnten und gleichzeitig Impulse für die Bearbeitung von politisch-kulturellen Herausforderungen liefern.

Der gewaltvolle Vorfall in der „Traditionellen Gemeinde Ost", bei dem ein Mitarbeiter der Gemeinde von einem Menschen mit Fluchterfahrung verletzt wurde, hat nicht nur zur Folge, dass sich die Gemeinde nach „außen" positionieren und auf Kundgebungen rechter und rechtsextremer Gruppierungen, die den Vorfall für die ihre Zwecke instrumentalisieren, reagieren muss. Auch innergemeindlich sorgt das Thema für Aufregung. Der Vorfall beschäftigt die Gemeindemitglieder stark und wird vor allem in informellen Gesprächen diskutiert. Pauschale, stigmatisierende Zuschreibungen gegenüber Geflüchteten werden geäußert und diese in Zusammenhang gesetzt mit Ängsten um die eigene Sicherheit und Unversehrtheit. Einige Gemeindemitglieder kündigen dem Pfarrer an, aus Furcht nicht mehr in den Gottesdienst zu kommen oder ihre Kinder von Angeboten der Gemeinde fern zu halten. Die Hauptamtlichen der Gemeinde erhalten E-Mails und Briefe mit kritischen und rassistischen Äußerungen. In Gesprächen zwischen Tür und Angel wird ein breites Meinungsspektrum zum Thema Flucht und Islam für die Gemeindeleitung erkennbar.

Die Gemeindeleitung beschließt, die Folgen des Vorfalls innergemeindlich zu bearbeiten – mit dem Anliegen, die Aufregung der Gemeindemitglieder aufzufangen. Sie beschließt, hierfür ein eigenes Format zu entwickeln, mit dem Ziel, einen Raum für unterschiedliche Positionen zu eröffnen und das Ereignis auch geistlich zu bearbeiten, in Form eines Gebets für den Frieden.

Für dieses Vorhaben stellen sich der Gemeindeleitung und den Organisator*innen mehrere Herausforderungen. Diese werden im Folgenden in Form von vier Aspekten gebündelt vorgestellt. Der Erste lässt sich als *„Zeit und Prozess"* überschreiben. Welcher Zeitpunkt ist der Richtige, um die entstandene politisch-kulturelle Thematik zu bearbeiten? Die Gemeindeleitung plant einen offenen Austausch ungefähr zwei Monate nach dem

Vorfall. Ein Lockdown aufgrund der Corona-Pandemie verhindert diesen Austausch, weshalb das Format um knapp sechs Monate verschoben wird. Zum Zeitpunkt, an dem die Veranstaltung schließlich stattfindet, erscheinen die Menschen, die sich nach dem Vorfall sehr kritisch geäußert haben, nicht. Für das ursprüngliche Anliegen, den unterschiedlichen Meinungen Raum zu geben und offen über den Umgang hiermit zu sprechen, scheint es zu spät zu sein.

Eine zweite Herausforderung stellt die Frage nach dem „Was" – der *„Intention des Formats"* dar. Hier scheint es innerhalb der Gemeindeleitung verschiedene Ansätze zu geben. Während einem Pfarrer vor allem das Auffangen der Ängste der Gemeindemitglieder wichtig zu sein scheint und somit eine Beruhigung in Bezug auf das Thema, gibt es andere Stimmen von Menschen, die die inhaltliche Bearbeitung des Themas forcieren möchten und hierfür Expert*innen von außen einladen möchten. Ganz nach der Tradition der Gemeinde, bei der Themen bisher vor allem theologisch bearbeitet wurden, eröffnen sich außerdem Fragen nach dem Platz des gemeinsamen Gebets neben dem der Diskussion um die heterogenen Meinungen.

Auch die Frage nach der *„Beteiligung und Repräsentation"* innerhalb des Formats wird zur Herausforderung. In der Veranstaltung, die letzten Endes zehn Monate nach dem Vorfall umgesetzt wird, erhalten die Gemeindemitglieder, die das Format besuchen, keinen Raum, sich zu äußern. Die Veranstaltung wird – aufgrund aktueller Coronaverordnungen – schließlich in Form eines Gebets für den Frieden, inklusive eines moderierten Podiumsgesprächs, durchgeführt. Die Wortbeiträge und Gebete sind vorbereitet, die Mitglieder des Podiums von der Gemeindeleitung gewählt.

Während der Umsetzung des Anliegens gewinnt die Frage der Beteiligung an Bedeutung und damit auch die Frage der Repräsentation. Wer wird eingeladen und auf welcher Ebene wird das Format angesiedelt? Bleibt es gemeindeintern oder kommen Expert*innen von außen dazu? Im ursprünglichen Anliegen der Ermöglichung eines offenen Austauschs entschließt sich die Gemeinde zur Einbindung einer externen Moderation durch die Landeskirche. Mit dieser Entscheidung geht das Format über die innergemeindlichen Grenzen hinaus. Mit der Miteinbeziehung von Vertreter*innen der Landeskirche wird der geplanten Veranstaltung eine neue Dimension hinzugefügt, die der kirchenpolitischen Repräsentation. Der Austausch findet somit nicht in einem innergemeindlichen Raum statt, sondern in einem für die Kirchenöffentlichkeit geöffneten Raum. Ängste und Unsicherheiten können in einem solchen Raum schwerlich ausgedrückt werden. Intimität, Vertraulichkeit und die Schaffung eines geschützten Raums, die für eine Aufarbeitung elementar sind, weichen einem moderierten Gespräch mit gesetzten Themen mit der Beteiligung der Expert*innen der Landeskirche.

Schließlich geht es um den *„Bearbeitungsmodus"*, in dem das Format umgesetzt wird. Hier stellt sich die Frage nach Thematisierungsregeln. Was kann durch das gewählte Format wie gesagt werden? Auf welcher Ebene wird das Thema verhandelt? Die Veranstaltenden wählen als Rahmung ihres „Gebets für den Frieden" nicht nur den gewaltvollen Vorfall, sondern auch geschichtliche Ereignisse aus der Zeit der DDR und des Nationalsozialismus. So verknüpfen sie das Erinnern an vergangene Herausforderungen für die Gemeinde und die damaligen persönlichen Verunsicherungen mit der aktuellen Problematik. Die Intention dieser thematischen Ausweitung scheint auf ein gemeinsames Besinnen auf den Zusammenhalt und das Durchstehen schwieriger Zeiten abzuzielen. Damit wird die Bearbeitung der aktuellen politisch-kulturellen Herausforderung thematisch gerahmt als etwas, das wie schon frühere Ereignisse im Kontext der jeweiligen Zeit zu bewältigen ist. Mit der Einbettung der Wortbeiträge des Podiums in das anschließende gemeinsame Gebet werden die Fragen theologisch bearbeitet und in die liturgische Gestaltung eingebunden – ein Modus, der in der Gemeinde gängig ist. Dies bewirkt in diesem Fall jedoch eine thematische Überlagerung des Ausgangskonflikts in der Gemeinde durch historische und allgemeingesellschaftliche politische und gesellschaftliche Ereignisse.

Das Beispiel verdeutlicht, wie anspruchsvoll und vielschichtig die konkrete Bearbeitung innergemeindlicher Differenzen und gesellschaftspolitischer Themen in der Kirchengemeinde ist. Die untersuchte Gemeinde bearbeitet den beschriebenen Konflikt in ihrer eigenen bewährten Art und Weise, organisiert in einem gemeinsamen Gebet mit dem Schwerpunkt auf theologische Deutung menschlichen Handelns. An erster Stelle scheint demnach die jeweilige Prägung der Kirchengemeinde die Bearbeitung von Konflikten zu bestimmen. Eine erste zu klärende Frage wäre, wie die Gemeinde üblicherweise Konflikte klärt. An zweiter Stelle wäre – dies zeigt die Analyse – die Frage wichtig, wer und was dadurch außerhalb der Prozesse belassen wird. Wessen Beteiligung wird erschwert oder verhindert, und welche Konfliktaspekte bleiben damit im Dunkeln und ungelöst. Dieser Blick auf das eigene Handeln, der ein reflektierender Blick auf das Vergangene und den Status Quo ist, ermöglicht es, die Konfliktfähigkeit der Gemeinde zu stärken und eine produktive Konfliktkultur zu entwickeln. Zentral erscheint es an dieser Stelle, die unterschiedlichen Anliegen und

Bedürfnisse der Gemeindemitglieder und beteiligten Parteien gleichermaßen in den Blick zu nehmen.

5 Ausblick

Dass die Befassung mit politisch-kulturellen Fragen eine Herausforderung für Kirchengemeinden bedeutet, war bereits zu Beginn des Forschungsprojekts die Annahme. Im Rückblick lassen sich diese Herausforderungen anhand der Forschungsergebnisse besser verstehen und in ihren einzelnen Bestandteilen analysieren: als persönliche Belastung der Beteiligten, vor allem, wenn öffentlichkeitswirksame Vorfälle damit verbunden sind, außerdem als ein Anspruch an die Organisations-, Steuerungs- und Kommunikationsfähigkeit aller Beteiligten, aber ebenso als theologische und ganz allgemein intellektuelle Herausforderung, wenn es darum geht, ein gesellschaftspolitisches Thema zu durchdringen und seine Bedeutung für die Kirchengemeinde zu verstehen. Zum einen gilt es, den entscheidenden „Schwung" zu gewinnen, um ein solches Thema auch zu einem für die Gemeinde zu machen, unterschiedliche Menschen in die Kommunikationsprozesse einzubinden und die Befassung konstruktiv und zielführend zu gestalten. Zum anderen sind zahlreiche Weichenstellungen erforderlich, was die einzelnen Dimensionen der Kommunikation nach innen und außen, aber auch was die bewusste Entwicklung einer Kultur der Aushandlung zwischen Menschen unterschiedlicher Positionen angeht.

Die Analyse der untersuchten Fallgemeinden zeigt, wie langfristig die Entwicklung einer nachhaltig implantierten politischen Kultur in den Kirchengemeinden gedacht werden muss. Es bedarf nicht nur immer wieder eines erheblichen Engagements in der Gemeinde, sondern vor allem eines langen Atems, was eine Kommunikation auf verschiedenen Ebenen angeht. Erst über eine längere Zeit lassen sich Modelle der Aushandlung oder Auseinandersetzung einüben – und immer wieder anpassen, bis der Umgang mit gegenläufigen Ansichten oder Bedarfen eingeübt ist und der Umgang mit Konflikten in das Selbstverständnis der Gemeinde eingebunden werden konnte. Nur so können politisch-kulturelle Herausforderungen als eine unter vielen Anforderungen an Gemeinden bewertet werden, und zwar als eine Anforderung, die das gute Miteinander nicht gefährdet, im Ergebnis die Anschlussfähigkeit einer Gemeinde an aktuelle gesellschaftliche Fragen aber erheblich erhöht.

3.
Implikationen für Kirche, Forschung und Praxis

„Zwischen Nächstenliebe und Abgrenzung"

Implikationen für die kirchliche Praxis und für Kirchenleitende. Eine Perspektive der EKD

Von Horst Gorski

Eine aufgeklärte Religion und ihr Schatten

In der Einführung des Studienbandes „Zwischen Nächstenliebe und Abgrenzung"[1] wird auf Ulrich Becks Dictum von 2007 verwiesen, Gott sei gefährlich[2]. So ähnlich formulierte Friedrich Wilhelm Graf, Religion sei „der gefährlichste mentale Stoff, den man sich denken kann"[3]. Diese ungewöhnliche Perspektive erinnert uns, wie Psycholog*innen es nennen, an die „heiße" Seite von Religion. Aus der Überzeugung, an eine oder die einzige Wahrheit zu glauben, aber auch aus dem inhaltlichen Material einer Religion können Intoleranz, Hass und im schlimmsten Falle Gewalt hervorgehen. Das Christentum kennt Zeiten, in denen diese Seite bestimmend war. Seit etwa 300 Jahren, also mit der Aufklärung, ist das Christentum gewissermaßen „abgekühlt", zu einer vernunftorientierten, der sittlichen Erhebung dienenden, diskursiv an die säkulare Gesellschaft anschlussfähigen Religion geworden, gewissermaßen „harmlos".

Das ist gut und bleibt doch ambivalent und heikel. Dass aus Gott der „liebe Gott" geworden ist, blendet Teile der Wirklichkeit aus. Gerade die Abblendung dunkler Seiten der Religion kann dazu führen, dass diese Seiten als unbewusster Schatten mitlaufen und sich verheerend auswirken. Die Verstrickung religiöser Begründungsmuster in den Kolonialismus des 19. Jahrhunderts oder in die Legitimierung der nationalsozialistischen Herrschaft durch Teile der evangelischen Kirchen sind dafür erschreckende Beispiele.

---

1 Evangelische Kirche in Deutschland (EKD) (Hrsg.) (2022): *Eine interdisziplinäre Studie zu Kirche und politischer Kultur*, Leipzig.
2 A. a. O.: 16.
3 Friedrich-Wilhelm Graf hat diese Aussage immer wieder benutzt, zum Beispiel in einer Diskussion mit Jürgen Habermas, zu der die Siemens-Stiftung im Juli 2012 eingeladen hatte, siehe: https://www.faz.net/aktuell/feuilleton/religion-im-saekularen-gemeinwesen-gefaehrlicher-mentaler-stoff-11826743.html (abgerufen am 20.02.23).

Parallel zum Gottesbild ist auch das Menschenbild in einem Teil des Protestantismus eindimensional geworden und rechnet nicht mehr mit dem Bösen als einer existenziellen Konstante. In der Kundgebung der EKD-Synode „Kirche auf dem Weg der Gerechtigkeit und des Friedens" 2019 heißt es: „Auf dem Weg der Gerechtigkeit und des Friedens hören wir Gottes Ruf in die Gewaltfreiheit. Wir folgen Jesus, der Gewalt weder mit passiver Gleichgültigkeit noch mit gewaltsamer Aggression begegnet, sondern mit aktivem Gewaltverzicht. Dieser Weg transformiert Feindschaft und überwindet Gewalt, und er achtet die Würde aller Menschen, auch die von Gegnerinnen und Gegnern."[4] Der Angriff des von Putin geführten Russland auf die Ukraine am 24. Februar 2022 hat solcher Zuversicht auf eine Transformation der Feindschaft durch Gewaltverzicht die Frage nach dem Realitätsbezug vor Augen geführt, die in dieser Schärfe von Teilen der Friedensbewegung lange so nicht gesehen wurde.

Damit ist die Vermittlung von Glaube und Vernunft, Religion und Rationalität, Friedensbotschaft und dem Bösen als bleibendem Existential des Menschen nicht obsolet geworden, sondern erst recht als Auftrag ins Bewusstsein gehoben. Obsolet ist allerdings die naive Annahme geworden, die Anschlussfähigkeit des Glaubens an Vernunft, Aufklärung und demokratisches Handeln müsse mit der dunklen Seite des Menschen und auch mit der dunkel bleibenden Seite Gottes (Martin Luther sprach vom „Deus absconditus") nicht mehr rechnen.

Wer kirchenleitende Verantwortung hat, sollte sich deshalb zuallererst klar machen, dass er oder sie keineswegs eine Organisation mit einer rein vernunftorientieren Programmatik leitet, deren Mitglieder alle durchweg zum Guten gewillt, zum Guten fähig sind, und deren Mitglieder das Gute alle in gleicher Weise in Toleranz, Fremdenfreundlichkeit und Weltoffenheit sehen. Es sollte für kirchenleitend Handelnde selbstverständlich werden, sich bewusst zu sein, mit welch „gefährlichem mentalen Stoff" in ihrer Institution hantiert wird. Kirchenleitend Verantwortliche sollten davon ausgehen, dass Toleranz, Fremdenfreundlichkeit und Weltoffenheit sich – auch unter ihren Mitgliedern – nicht von selbst verstehen, sondern Ergebnis eines voraussetzungsreichen und anspruchsvollen Aneignungsprozesses sind, der die Diskussion um das Verständnis des Evangeliums ebenso braucht wie verschiedenste Bildungsanstrengungen. Darauf komme ich zurück.

---

4 https://www.ekd.de/ekd_de/ds_doc/Kundgebung-Kirche-auf-dem-Weg-der-Gerechtig keit-und-des-Friedens.pdf (abgerufen am 20.02.23).

Man kann wohl sagen, dass die EKD, die diese Studie anregte, hoffnungsfroh vom einseitigen Bild eines „aufgeklärten" Glaubens ausging, der als vernunftorientierte und Demokratie-affine Ressource seitens der Kirche in die politische Kultur eingebracht werden kann. Diese Ressource hoffte sie möglichst deutlich in der Haltung ihrer Mitglieder empirisch nachweisen zu können. Die Ergebnisse der Studie sind jedoch differenzierter und vielschichtig. Wenn man aber berücksichtigt, dass Glaube nie nur auf seine vernunftorientierte Seite reduziert werden kann, sondern immer auch leidenschaftliche bis hin zu dunklen Seiten mitführt, dann – so kann man mit Blick auf das Ergebnis der interdisziplinären Studie sagen – halten sich die Kirchenmitglieder gar nicht schlecht, denn zum großen Teil entsprechen sie dem erhofften Bild. Und für den Umgang kirchlichen Handelns mit der Vielschichtigkeit kann man Handlungsoptionen entwickeln.

1 Die Verantwortung der Kirche als Institution

Wenn man im kirchlichen Kontext von der „Institution Kirche" spricht, so wird dies zumeist mit einem negativen Klang gehört. Viele assoziieren Behäbigkeit, mangelnde Flexibilität, mangelnde Mitgliederorientierung, Besitzstandsdenken und den Beamtenstatus der Pastor*innen. Wenn dann Soziologie und Praktische Theologie darauf verweisen, Kirche sei dabei, ihren Status als Institution zu verlieren, sie sei schon weitgehend Organisation und werde zunehmend Bewegung, NGO oder Netzwerk, so wird dies mit beifälligem Nicken quittiert.[5] Ich will keineswegs widersprechen, dass der Kirche mehr Mitgliederorientierung und hier und da auch mehr Flexibilität guttäte. Ich frage nach der Situation von „Institutionen" in unserer Gesellschaft allgemein und ihrer Rolle für die Stabilität der Gesellschaft. Vor diesem Hintergrund frage ich weiter, welche Funktion innerhalb der Gesellschaft aus dem Institutionencharakter der Kirche resultiert. Wenn eine solche Funktion nach wie vor besteht, schließt sich die Frage an, ob der Institutionencharakter wirklich so einfach preisgegeben werden sollte.
  Es gibt keine allgemeingültige Definition von „Institution", auch nicht die *eine* Institutionentheorie. Konkret werden als Institutionen so unter-

---

5 In Leitsatz 11 der von der Synode der EKD am 9. November 2020 beschlossenen „12 Leitsätze" heißt es: „*Wir bewegen uns. Die evangelische Kirche wird in Zukunft organisatorisch weniger einer staatsanalogen Behörde, sondern mehr einem innovationsorientierten Unternehmen oder einer handlungsstarken zivilgesellschaftlichen Organisation ähneln.*"

schiedliche Phänomene bezeichnet wie staatliche Behörden oder der Staat als solcher, die Verfassungsorgane, die Kirchen, die Marktwirtschaft, die Tarifautonomie, die Vertragstreue, das sittliche Empfinden, die Familie und die Ehe. Man sieht schon: In diesem „Topf" tummeln sich Phänomene, die nicht leicht auf einen Nenner zu bringen sind und die offenkundig aus so unterschiedlichen Gebieten wie der Staats- oder Gesellschaftstheorie, der Ökonomie oder dem Privatleben stammen. All diese verschiedenen Typen von Institutionen haben jedoch einen gemeinsamen Nenner: Sie sind im Laufe von Jahrzehnten oder Jahrhunderten gewachsen. Mit ihrer Langfristigkeit binden sie Ängste vor zu vielen und zu schnellen Veränderungen. Umgekehrt setzt die Auflösung von Institutionen Ängste frei. Auch wenn nicht alle Bürger*innen allen Institutionen gleichermaßen zustimmen, bilden sie Grundkonsense ab und integrieren auf diese Weise Spannungen. Und schließlich erleichtern sie das Leben schlicht dadurch, dass für zahlreiche alltägliche Verrichtungen Muster vorgegeben sind, auf die man zurückgreifen kann. Man stelle sich vor, man müsste beim Abschluss eines Vertrages so etwas wie „Vertragstreue" erst neu erfinden! Unser Alltag funktioniert nur, weil wir bei den allermeisten Kommunikationen mit anderen Menschen Voraussetzungen machen können, die die Erwartungsunsicherheit reduzieren.

So gesehen ist es für unsere Gesellschaft ein Problem, dass Institutionen im Schwinden begriffen sind.[6] Ihnen steht eine zunehmende Individualisierung gegenüber und eine Beschleunigung von Kommunikation, die durch die Digitalisierung zusätzlich an Fahrt aufgenommen hat. In der Soziologie wird diskutiert, ob dieser Prozess der individuellen Ausdifferenzierung und der Beschleunigung endlos sein kann oder irgendwann daran seine Grenze findet, dass das menschliche Bewusstsein nicht mehr mitkommt. Typische Reaktionen sind Rufe nach einfachen Lösungen, Populismus, das Erstarken des rechten und linken Randes der Gesellschaft und das Aufkommen autoritärer Regierungsformen in vormals demokratischen Ländern.

Was hat das mit der Kirche und mit der vorliegenden Verbundstudie zu tun? Als Institution ist die Kirche ein wichtiges Medium des gesellschaftlichen Zusammenhaltes und der Bindung von Ängsten. Für das Transzendenzempfinden der Menschen bietet sie Muster, auf die man zurückgreifen kann. Damit geht einher: Institutionen brauchen Breite und innere Viel-

---

6 Vgl. hierzu die Analyse von Udo di Fabio (2019): *Herrschaft und Gesellschaft*, Tübingen (Erstausgabe 2018).

stimmigkeit, damit sich in ihnen Menschen unterschiedlicher Haltungen und Werte zusammenfinden können. Dies unterscheidet typischerweise die sogenannten Volkskirchen von Freikirchen. Empirische Befunde der Untersuchung von Kirchenmitgliedern werden also notwendig und zu Recht eine gewisse Bandbreite aufweisen und insofern einen Spiegel des Durchschnitts der Gesellschaft darstellen. Dem ist auch in der vorliegenden Untersuchung so, wie die Ergebnisse der Repräsentativerhebung aus Teilprojekt 1 (TP 1) zeigen.[7]

Es wird für die Kirche als Institution immer ein Balanceakt oder eine Gratwanderung sein, einerseits bestimmte Werte als Zeugnis des Evangeliums in die Gesellschaft einzutragen, andererseits sich aber nicht zu eng auf bestimmte Werte in Verbindung mit konkreten Aktionen oder dem Ausschluss von alternativen Handlungsoptionen festzulegen. Sprich: Die Kirche ist keine NGO. Wenn sie als NGO auftritt und handelt, bekommt sie ein Repräsentanzproblem unter ihren Mitgliedern. Genau dies lässt sich in Teilprojekt 2 (TP 2) am Beispiel der Online-Kommunikate zum Thema des Einsatzes der EKD für die Seenotrettung auf dem Mittelmeer ablesen. Hier hat die EKD in der typischen Weise einer NGO gehandelt – und verliert prompt an Integrationskraft, weil die Reaktionen sich in Zustimmung und Ablehnung spalten, einschließlich der Infragestellung der Legitimierung des Redens und Handelns der Repräsentanten der EKD[8]. Auch die konkreten Handlungen der Akteur*innen in den Kirchengemeinden in Teilprojekt 3 (TP 3) sind Beispiele für solche Gratwanderungen. Einzelne Engagierte gehen voran und setzen ihr vom Evangelium her begründetes Handeln als Norm für alle. Auch dies evoziert eine Spaltung der Reaktionen.

Das heißt nicht, dass Kirche sich nicht engagieren soll. Sie braucht aber einen guten Blick dafür, welche Diskussionsräume offengehalten werden müssen und wo vorschnelle diskursive Schließungen vermieden werden sollten. TP 2 hat es auf den Punkt gebracht: *Wo müssen Liberalität und Pluralität Grenzen ziehen, um Liberalität und Pluralität bleiben zu können?*[9] Diese Grenzen dürfen nicht zu spät, aber auch nicht zu früh gezogen werden. Dies auszuhandeln, ist Verantwortung der Institution Kirche. TP 2 zeigt anhand der Online-Kommunikate, dass wir auch in der Wahrneh-

---

7 Zwischen Nächstenliebe und Abgrenzung, S. 86.

8 A.a.O. S.125, 142 u.a. Bezeichnenderweise konzentriert sich die Polemik auf den Ratsvorsitzenden Heinrich Bedford-Strohm, dessen Handeln beim Thema Seenotrettung die Legitimierung durch die Kirchenmitglieder abgesprochen wird.

9 A.a.O. S.159.

mung der Äußerungen die Kunst der Unterscheidung brauchen: Was ist nur Beleidigung und Hetze; wo sind echte Anliegen oder Argumente, wenn man die missglückte Sprache abzieht?

Die Kirche als Institution hat die Verantwortung, sich diesen Diskussionen zu stellen und muss Räume für sie offenhalten, in denen Menschen unterschiedlicher Meinungen diskutieren können, ohne von vornherein mit negativen Wertungen belegt zu werden. Mir scheint, dass wir – vielleicht aufgrund unserer historischen Erfahrungen – die Grenze sehr früh ziehen, immer in Sorge, dem Rechtspopulismus nicht früh und deutlich genug widersprochen zu haben. Deshalb formuliere ich provokativ: *Zuhören ist noch kein moralisches Vergehen. Und gerade kirchenleitende Organe oder Personen (und in diesem Sinne auch die EKD) haben größeren Bedarf, die Kunst des Zuhörens zu lernen als die Kunst des Redens.*

2 Moralisierung als (Ersatz-)Instrument kirchlicher Leitung

Für die folgenden Gedanken greife ich auf Niklas Luhmanns Systemtheorie zurück: Nach ihrem Modell besteht die moderne, funktional ausdifferenzierte Gesellschaft aus vielen einzelnen Sozialsystemen (Subsystemen), die je für sich selbstreferentiell, das heißt intern nach ihrem eigenen binären Code, funktionieren, und mit anderen Sozialsystemen in strukturellen Koppelungen interagieren. Die Wirtschaft ist ein Sozialsystem, das nach dem Code „haben/nicht haben" funktioniert. Das Recht funktioniert nach „Recht/Unrecht", die Politik nach „Macht/keine Macht", die Kunst nach „schön/hässlich", die Wissenschaft nach „wahr/unwahr" und so weiter. Auch jeder einzelne Mensch wird als einzelnes „Sozialsystem" (in diesem Sinne), nämlich als menschliches Bewusstseinssystem definiert. Diese Ausdifferenzierung gehört zu den zivilisatorischen Fortschritten der Moderne, denn mit der Eigenständigkeit jedes Systems für sich ist ein ungeahnter Freiheitsgewinn erreicht. Die wissenschaftliche Erkenntnis kann als unwahr widerlegt, das Kunstwerk als ästhetisch geschmacklos bezeichnet werden. Sie werden aber weder mit politischer Macht unterdrückt noch moralisch geächtet.

Beispiele für strukturelle Koppelungen sind, wenn für ein Kunstwerk auf dem Markt ein Preis gezahlt wird: Dann gehen das Kunst- und das Wirtschaftssystem eine Koppelung ein. Wie sich die Codes – also die Höhe des Geldbetrages und der ästhetische Wert – zueinander verhalten, ist Aushandlungssache. Wenn eine politische Entscheidung vom Bundesverfassungsgericht untersucht wird, werden Politik- und Rechtssystem strukturell gekoppelt. Auch hier sind die Codes „politische Macht/politische Ohnmacht" und „verfassungskonform/nicht verfassungskonform" in ihrem Verhältnis zueinander nicht festgelegt, sondern unterliegen der richterlichen Abwägung.

Auch die Religion und die für sie zuständigen Institutionen, die Kirchen, sind in diesem Sinne Sozialsysteme. Ihr Code ist „immanent/transzendent". Der Staat schreibt ihnen ihr inhaltliches „Programm" nicht vor. Sie schreiben der Regierung ihr Handeln nicht vor. Wo dies dennoch geschieht, liegt eine vormoderne Gesellschaftsform oder ein Rückfall in sie vor.

Nun mein Gedanke: Die Systemtheorie macht analytisch verständlich, warum es für Kirchenleitungen so schwierig ist, Einfluss auf die Haltungen ihrer Mitglieder auszuüben. In der modernen Gesellschaft sind die Mitglieder als „menschliche Bewusstseinssysteme" eigenständig und frei, sowohl in ihrer politisch-kulturellen Haltung, aber auch hinsichtlich ihrer Zustimmung zur kirchlichen Lehre. Kirchenleitungen können lediglich durch Steuerung der Organisation Voraussetzungen dafür schaffen, dass bestimmte Haltungen unter ihren Mitgliedern wahrscheinlich sind, zum Beispiel durch Bildungsangebote. Eine direkte Einflussnahme jedoch ist nicht möglich. Und genau das ist in der Moderne auch gut so.[10]

Dieser Umstand führt bei kirchenleitend Handelnden oft zu einem Gefühl der Ohnmächtigkeit. *Aus dieser Ohnmächtigkeit heraus tun Kirchenleitungen manchmal etwas sehr Spezielles: Sie moralisieren den Diskurs.* Diese Moralisierung lässt sich in TP 2 gut erkennen und führt dort auch zu dem Hinweis, Kirchenleitende sollten Debatten nicht vorschnell (durch Moralisierung) schließen, weil es dann zu einem Ausgrenzungs- und Repräsentanzproblem kommen kann.[11]

Vielleicht kann man kritisch sagen, dass die Anregung zu dem Forschungsverbund eine moralisierende Grundannahme enthält. Sie setzt nämlich voraus, zu wissen, was moralisch richtig ist; sie hofft, dies überwiegend in der eigenen Mitgliedschaft bestätigt zu finden; und sie hofft schließlich, Instrumente gezeigt zu bekommen, mit denen sich das moralisch Richtige durchsetzen lässt. Das allerdings ist – und dafür ist die Anwendung des Blicks der Systemtheorie hilfreich – nicht unmittelbar möglich.

---

10 Vgl. Armin Nassehi (2009): Die Organisation des Unorganisierbaren, in: I. Karle (Hrsg.): *Kirchenreform. Interdisziplinäre Perspektiven*, Leipzig, S. 199–218. Aber schon früher: Niklas Luhmann (1972): Die Unorganisierbarkeit von Religionen und Kirchen, in: J. Wössner (Hrsg.): *Religion im Umbruch*, Stuttgart, S. 245–285.

11 Zwischen Nächstenliebe und Abgrenzung, S. 161.

Im Gegenteil. *Der Rückgriff auf die Moralisierung von Diskursen ist – aus dem Blickwinkel der Systemtheorie – ein Rückfall in die vormoderne Gesellschaft.* In der vormodernen Gesellschaft trat Moral noch als gesamtgesellschaftlich integrierender Faktor auf. So konnten z.B. eine wissenschaftliche Entdeckung oder ein Kunstwerk moralisch geächtet werden.[12] Das moralisch Gültige konnte von oben festgelegt und seine Anerkennung durchgesetzt werden. *In der funktional ausdifferenzierten modernen Gesellschaft bewirkt Moralisierung das Gegenteil: Sie integriert nicht, sie spaltet,* denn nun hat jedes Subjekt die Freiheit, eine moralische Wertung anzunehmen oder nicht. Mithin kommt mit jeder moralischen Wertung eine zusätzliche Differenzierung in die Welt, nämlich die ihrer Zustimmung oder Ablehnung. *Moralisieren steht folglich in einem Spannungsverhältnis zur Verantwortung der Kirche als Institution, die gerade nicht (vorschnell) Schließungen vornehmen darf, sondern Diskursräume offenhalten muss, in denen Spannungen integriert werden und so Zusammenhalt gefördert werden kann.* Erst recht kommt es zu Spaltungen, wenn Kirche – wie in Ziffer 1 beschrieben – als NGO handelt *und* moralisiert.

3 Kirche als Ort sozialer Religiosität und Praxis

Für die EKD sind die differenzierten Modellierungen von Religiosität und ihre Verbindung zu verschiedenen vorurteilsbehafteten Themen von großem Interesse für das Erkennen von Handlungsoptionen. Die Autor*innen von TP 1 halten als Fazit fest, dass „Kirchenmitglieder, seien sie evangelisch oder katholisch, letztlich Teil der Gesellschaft [sind], die durch ein übergreifendes Gesellschaftsklima mit Blick auf Vorurteile und auch eine demokratische politische Kultur geprägt ist."[13] Damit wird empirisch bestätigt, dass die Kirchen in Deutschland durchaus noch Institutionen sind, in dem Sinne, dass sie breite Bevölkerungsschichten erfassen und damit eine integrierende Kraft aufweisen.

Ein Ergebnis der Studie ist die Feststellung, dass mit steigender Zentralität von Religion zwar Antisemitismus, die Abwertung von Geflüchteten und Sinti und Roma, Langzeitarbeitslosen, Menschen mit Behinderung sowie Muslimfeindlichkeit abnehmen, *Sexismus und Homophobie jedoch*

---

12 Vgl. grundlegend: Niklas Luhmann (2008): Politik, Demokratie, Moral, in: *Die Moral der Gesellschaft*, Frankfurt/M., S. 175–195 (original erschienen 1997).
13 Zwischen Nächstenliebe und Abgrenzung, S. 86.

zunehmen.[14] Hierin wirken sich nach Vermutung der Autor*innen „fest gefügte theologische Traditionen" aus, „die eine hohe Veränderungsresistenz aufweisen".[15] Wie anspruchsvoll der theologische Diskurs sein muss, wenn man vom Standpunkt einer liberal-aufgeklärten Theologie ausgeht und damit nicht mehr bestimmte theologische Positionen autoritär setzen kann, sondern sie im Diskurs plausibilisieren muss, erörtert TP 2.[16]

Zu den großen Vorzügen der methodischen Anlage von TP 1 gehört die differenzierte Untersuchung verschiedener Formen von Religiosität auf einer Skala von „mono" bis „trans", sowie deren Verhältnis zur Zentralität von Religiosität und verschiedenen Formen persönlicher und sozialer Religiosität. Die daraus resultierenden Modellierungen der Ergebnisse hat es in dieser Form bisher bei keiner empirischen Untersuchung gegeben. *Für die Kirchen als Orte sozialer religiöser Praktiken ist besonders interessant, welche Gruppen sie mehr oder weniger erreichen und wie sich soziale religiöse Praktik auf die Vorurteilsstrukturen auswirkt.*

Nicht verwunderlich ist, dass etwa zwei Drittel der Kerngemeinde aus hochspirituellen Menschen bestehen. Auffallend dagegen ist, dass sie umgekehrt nur etwa ein Drittel der hochspirituellen Menschen in der Gesellschaft erreicht, während zwei Drittel der Hochspirituellen ihren Glauben außerhalb der Kirchen leben.[17] Warum es den Kirchen nicht gelingt, Menschen mit ihren spirituellen Bedürfnissen stärker anzusprechen, bleibt auf jeden Fall eine Frage, der in Zukunft noch stärker Aufmerksamkeit gewidmet werden sollte.[18] Dieser Befund ist umso alarmierender, als die Modellierung der Ergebnisse zeigt, dass zentrale Religiosität *ohne* soziale Praktik tendenziell vorurteils*verstärkend, mit* sozialer Praktik tendenziell vorurteils*hemmend* wirkt.[19] Wie Glaube und theologische Traditionen sich auf Vorurteilsstrukturen auswirken, hängt folglich nicht allein an Faktoren wie Zentralität und Mono- oder Transreligiosität und auch nicht allein am inhaltlichen „Material" der Religion, sondern auch daran, ob man Religion mit sich allein ausmacht oder ob man sie in soziale Praktiken eingebunden

---

14 A. a. O., vgl. die Analysen S. 43–53 und die Zusammenfassung S. 86 f.

15 A. a. O.: S. 87.

16 A. a. O.: S. 158 f.

17 A. a. O.: S. 33–35.

18 Die Autor*innen von TP 1 schlagen hierzu vertiefende empirische Untersuchungen vor: a. a. O.: S. 35.

19 A. a. O.: vor allem S. 34 und 42.

lebt und wie dieses soziale Umfeld gestaltet ist. TP 2 weist deshalb zu Recht auf die Notwendigkeit „kontextualisierender Theologie" hin.[20]

Zwar sollte die Kirche diese empirischen Kenntnisse nicht zu platt zur Begründung ihrer Existenzberechtigung heranziehen. Also etwa in der Art: Da sehe man, dass man eben doch die Kirchengemeinde brauche und seinen Glauben nicht einfach allein in der Natur leben könne. *Die Kirche sollte aber selbstbewusst diese Ressource in die Gesellschaft einbringen: dass sie als Ort sozialer religiöser Praxis Möglichkeiten hat, vorurteilshemmend zu wirken.* Dieses Selbstbewusstsein wird dann glaubwürdig, wenn es mit der selbstkritischen Frage verbunden wird, warum sie nur eine Minderheit derjenigen, die sich als hochspirituell verstehen, für ihre Praxis zu gewinnen versteht. Diese Erkenntnisse über soziale religiöse Praxis als Ressource einer freien, offenen und demokratischen Gesellschaft zeigen, dass sich eigentlich niemand, dem an eben dieser Gesellschaft gelegen ist, über den Rückgang der Kirchenmitgliederzahlen und Kirchlichkeit als kulturelle Praxis freuen kann. Jedenfalls dann nicht, wenn die Kirche aktiv an der Stärkung vorurteilshemmender Faktoren in Theologie und Praxis arbeitet. Dabei werden die Kirchen ein besonderes Augenmerk auf den Umgang mit Sexismus und Homophobie legen müssen – die beiden Themen, bei denen sich die Zentralität des christlichen Glaubens der Studie nach vorurteilsverstärkend auswirkt.

4 Offene Punkte

4.1 Das Kirchenbild

Kirche als Institution, als Organisation, als Bewegung, als Netzwerk, als Ort sozialer religiöser Praxis, als politisch-kultureller Aushandlungsprozesse, als Treffpunkt hochspiritueller Menschen – wenn man die Studie mit der Fragestellung durchliest, welche verschiedenen Kirchenbilder in ihr angesprochen oder als Hintergrund erkennbar sind, kommt man schnell auf eine stattliche Anzahl verschiedener typisierender Bezeichnungen. Und diese Aufzählung ist nicht abschließend. Zum einen ist klar: Solange die Kirche *auch* Institution ist, muss sie für eine Vielzahl von Kirchenbildern offen sein und diese integrieren. Die Entscheidung für nur ein Kirchenbild

---

20 A. a. O.: S. 158 [dort kursiv gesetzt].

als zentral oder gültig würde die Kirche zu einer sektiererischen Gruppe machen. Zum anderen bedarf es der Klärungen und Diskurse über die Kirchenbilder. Das lässt sich an einem Beispiel demonstrieren: Die EKD hat in der vergangenen Ratsperiode in mehreren Texten, insbesondere der Kammer für öffentliche Verantwortung, die Formel „Kirche als Ort demokratischer Beteiligung" geprägt. Dies war eine zentrale Aussage des Kammertextes „Konsens und Konflikt"[21]. Die Studie zeigt, insbesondere in TP 3, welche Voraussetzungen es braucht, um dieses Postulat einzulösen, denn von vornherein ist gar nicht davon auszugehen, dass die Kirchenmitglieder dieses Bild von Kirche teilen. Und auch wenn eine einzelne Pfarrperson mit diesem Bild aktiv wird, reicht das noch lange nicht aus. Es ist das eine, Kirche als Ort demokratischer Beteiligung zu postulieren; es ist das andere, eine Verständigung über dieses Bild von Kirche herbeizuführen. Diese Verständigung wird wiederum von Ort zu Ort verschieden ausfallen. Auch das zeigt TP 3: Wie sehr regionale Traditionen und geschichtliche Erfahrungen das Bild von Kirche bestimmen. Das Kirchenbild zu klären, heißt nicht, es zu vereinheitlichen. Es heißt, je nach Ort und Situation Verständigungen über das Kirchenbild im Diskurs herbeizuführen, um Konflikte bearbeiten und Handlungsoptionen beschreiben zu können. Hier kann man sich viele Anstrengungen in der Aus- und Fortbildung von Haupt- und Ehrenamtlichen vorstellen.

4.2 Narrative

Notwendig ist die Herausarbeitung und Klärung von theologischen Narrativen, die zur „host ideology" für rechtspopulistische Narrative werden können. Nicht einmal das uns so selbstverständlich erscheinende Narrativ vom Barmherzigen Samariter ist eindeutig.[22] Wer unser Nächster ist oder nicht – das kann von rechts und links ganz unterschiedlich bewertet werden. Die Narrative verknüpfen sich im öffentlich-medialen Diskurs auch überkreuz oder „überschreiben" sich, wenn das Eintreten für die Seenot-

---

21 Konsens und Konflikt: Politik braucht Auseinandersetzung
    Zehn Impulse der Kammer für Öffentliche Verantwortung der EKD zu aktuellen Herausforderungen der Demokratie in Deutschland, August 2017. Der Gedankengang wurde weitergeführt in: Vielfalt und Gemeinsinn. Der Beitrag der evangelischen Kirche zu Freiheit und gesellschaftlichem Zusammenhalt. Ein Grundlagentext der Kammer für öffentliche Verantwortung der EKD, Oktober 2021.
22 A. a. O.: S. 144.

rettung aus Nächstenliebe mit dem rechtspopulistischen Narrativ von der korrupten Elite, die den rechten Glauben und deutsche Interessen verrät, gewissermaßen „überschrieben" wird.

Dagegen wird, wenn überhaupt, die verstärkte gemeinsame Beschäftigung mit Theologie und Bibelauslegung helfen. Da nach einem liberal-aufgeklärten Verständnis von Theologie die richtige Bibelauslegung und die Lebensdeutung nur im Dialog plausibiliert werden können, liegt hier eine anspruchsvolle Aufgabe vor uns.

4.3 „Transreligiosität": nur „verdünnter" Glaube?

Zwischen der EKD und den Autor*innen von TP 1 wurde bei der Aufstellung des Fragebogens diskutiert, wie man das, was die EKD unter einem engagierten aufgeklärt-liberalen Glauben versteht, empirisch erheben kann. Die Indikatoren zur Messung von Trans- und Monoreligiosität[23] wurden in dieser Hinsicht kritisch angefragt. Die hermeneutisch-methodischen Verständigungsschwierigkeiten zwischen Theolog*innen und empirischen Sozialforscher*innen wiederholten sich auf der Auswertungstagung auf Schwanenwerder. Auf theologischer Seite ließ sich der Verdacht nicht ausräumen, Transreligiosität sei ein „verdünnter" Glaube. Ein aufgeklärt-liberaler Glaube, der nicht beliebig oder blass, sondern engagiert und von der Wahrheit des Evangeliums überzeugt ist, lasse sich durch die angewandten Fragen gar nicht abbilden. Von Seiten der empirischen Sozialforscher*innen wurde diesem Verdacht vehement widersprochen und angekündigt, man könne durch vertiefte Auswertung der Daten beweisen, Transreligiosität lasse sich auch als von der eigenen Wahrheit überzeugter Glaube modellieren. Insofern bleibt es spannend, die weitere Auswertung der Daten durch die Autor*innen von TP 1 abzuwarten.

---

23 A. a. O.: S. 39.

5 Vom „Priestertum aller Glaubenden"

Im Protestantismus beziehen wir unser Kirchenbild auf die „Freiheit eines Christenmenschen" und sprechen vom „Priestertum aller Glaubenden". Das sind Postulate, deren Einlösung nicht nur von Gott geschenkte geistliche, sondern auch menschliche Voraussetzungen hat. Man könnte durch alle Lebens- und kirchliche Handlungsbereiche durchbuchstabieren, was es heißt und was dazu erforderlich ist, ein freier Christenmensch sein und als solcher priesterlich handeln zu können. Das Ergebnis wäre eine integrierte Bildungsanstrengung von der Kindertagesstätte bis zur Senioreneinrichtung. Und – natürlich – für die kirchenleitend Verantwortlichen auch, denn auf diesen Bildungsprozess kann niemand aus Distanz schauen, sondern jeder ist Teil desselben und muss sich als solcher begreifen. Die Arbeitsform multiprofessioneller Teams, die in zahlreichen Landeskirchen erprobt wird, könnte eine Gestalt sein, dieses gemeinsame Priestertum abzubilden.[24]

Nur wenn ein Bildungsprozess in diesem weiten Sinne auch die kirchenleitend Handelnden oder Verantwortlichen mit einbezieht, kann vermieden werden, nicht selbst ausgrenzend oder gewaltförmig zu reden.[25]

Verantwortliche in der Kirche werden sorgsam mit unterschiedlichen und einander widersprechenden Erwartungen umzugehen haben, denn allzu schnell wird bei diesem Thema der Ruf nach kirchenleitendem Handeln, nach „klarer Kante" und gegebenenfalls Durchgreifen laut – ein Handeln, dass die Kirchenmitglieder ihren Leitungen gut protestantisch aber oft gar nicht zugestehen.[26] So kann man hier leicht in eine Falle laufen, wenn man es gut machen will.

Das sind nun freilich große und langfristig anzulegende Konsequenzen aus den Erkenntnissen dieses Forschungsverbundes. Es ist gut, sich die Größe der Herausforderung klarzumachen. Wichtig ist dann aber, loszugehen, Schritt für Schritt, als Kirche, die plural ist, profiliert und positioniert.

---

24 Vgl. die Studie des Sozialwissenschaftlichen Instituts der EKD „Multiprofessionalität und mehr" (2020): https://www.siekd.de/multiprofessionalitaet-und-mehr/.

25 Auf die Gefahr, dass das eigene Reden gewaltförmig sein oder so erlebt werden kann, weist TP 2 hin: a. a. O.: S. 161. In „Konsens und Konflikt" (siehe Anmerkung 21) wird auf die Gefahr hingewiesen, dass Politik in der Versuchung stehen kann, auf eine Rhetorik der Ausschließung selbst mit Ausgrenzung zu antworten. S. 25.

26 Vgl. Hans Michael Heinig (2021): Die Krisen der Repräsentation und das evangelische Kirchenrecht, in: *ZevKR* 66, S. 333–357, hier S. 346.

Implikationen für die Forschung im Bereich Kirchenmitgliedschaft, Religiosität, politische Kultur und Vorurteilsstrukturen aus der Perspektive des SI

Von Georg Lämmlin

Zum Ansatz des von der EKD finanzierten Verbundprojekts zu Kirchenmitgliedschaft und politischer Kultur[1] bestehen einige Überschneidungen und Schnittstellen zu Forschungsansätzen und Projekten im Sozialwissenschaftlichen Institut der EKD (SI). Sie wurden in das Verbundprojekt auch durch die personelle Mitwirkung von Hilke Rebenstorf in der Steuerungsgruppe und in der Projektleitung in die Konzeption eingebracht. Im Blick auf die Ergebnisse aus den drei Teilprojekten ergeben sich nun auch unterschiedliche Ansätze und Implikationen.

Grundsätzlich soll zunächst ein wesentlicher Punkt herausgestellt werden. Die Wahrnehmung und Diskussion der Einstellungen zu (gesellschafts-)politischen Themen, zum politischen System und zur politischen Partizipation kann in einen demokratietheoretischen Rahmen gestellt werden, der von „Repräsentativität" auf „Responsivität" umstellt (Susanne Pickel).[2] Diese Umstellung wirkt sich auch auf Implikationen bezüglich religiöser Einstellungen und kirchlicher Partizipationsformen aus. Welche Fragen ergeben sich, wenn (mangelnde) Responsivität als Aspekt kirchlicher Kommunikation, theologischer Konzeptualisierung und religiöser Einstellungen betrachtet wird? Die direkte Frage wird im Folgenden in Überlegungen und Beobachtungen von verschiedenen Überschneidungen

---

1 EKD (Hrsg.) (2022): *Zwischen Nächstenliebe und Abgrenzung. Eine interdisziplinäre Studie zu Kirche und politischer Kultur*, Leipzig, EVA.

2 Pickel, Susanne (2018): „Wahlkampfzeit ist Responsivitätszeit". Die Kluft zwischen Politikern und Bürgern in der repräsentativen Demokratie, in: Tom Mannewitz (Hrsg.): *Die Demokratie und ihre Defekte. Analysen und Reformvorschläge*, Wiesbaden, S. 171–195: „Mangelhafte Responsivität, die eine vom Bürger abgekoppelte Politik produziert und sein Vertrauen in die Volksvertreter untergräbt, stellt eine Gefahr für die repräsentative Demokratie dar. Sie ist zwar kein grundsätzlicher Defekt der repräsentativen Demokratie, fordert diese aber in ernst zu nehmender Weise heraus.", a. a. O.: 172 (i. O. kursiv).

und Schnittstellen zwischen dem Verbundprojekt und Studien am SI einge-
spielt.

1 Konkrete Vergleichsmöglichkeiten von SI-Studien und Verbundprojekt

Aktuell stellt sich die Frage einer Verknüpfung der Ergebnisse des Verbundprojekts mit der anlaufenden VI. Kirchenmitgliedschaftsuntersuchung
der EKD und erstmals der Deutschen Bischofskonferenz.[3] Im bereits ab-
geschlossenen Prozess der Fragebogenentwicklung wurde die Thematik
des Verbundprojekts in einzelnen Aspekten berücksichtigt. Darüber hinaus
sind die nun bereits vorliegenden Umfragedaten für Fragestellungen in
der Auswertung und für Vergleiche zwischen den beiden Stichproben von
Interesse. Eine Verbindung zwischen den Studien insbesondere mit dem
ersten Teilprojekt (Repräsentativerhebung)[4] ergibt sich über gleichsinnige
Fragen zu Autoritarismus- und Werteeinstellungen, die nun erneut in einer
repräsentativen Bevölkerungsstudie mit Religiositätsfaktoren in Beziehung
gesetzt und mit den Ergebnissen der Verbundstudie verglichen werden
können. Weitere Vergleiche sind mit den vorliegenden Ergebnissen der SI-
Studie zum Engagement im Bereich Flüchtlingsaufnahme[5] und mit der Studie zu Islam- und Muslimfeindlichkeit[6] bei Jugendlichen möglich. Für das

---

3 Für die VI. Kirchenmitgliedschaftsuntersuchung konnte die Mitwirkung der Deutschen
   Bischofskonferenz gewonnen werden. Dadurch ergibt sich im Unterschied zu den bisherigen fünf Kirchenmitgliedschaftsuntersuchungen von 1972 bis 2012 die Möglichkeit,
   die Untersuchung nicht nur auf eine Stichprobe von evangelischen Kirchenmitgliedern
   und Konfessionslosen zu beziehen, sondern auf einen repräsentativen Bevölkerungs-
   querschnitt mit ca. 5.500 Befragten, vgl. Wunder, Edgar (2022): Ausblick auf die VI.
   Kirchenmitgliedschaftsuntersuchung der EKD im Herbst 2022, in: Georg Lämmlin
   (Hrsg.): *Zukunftsaussichten für die Kirchen. Beiträge zum 90. Geburtstag von Karl-Fritz
   Daiber* (SI-Diskurse, Band 4), Baden-Baden, S 275–280; ders. (2022a): Selbsterkun-
   dung für die Zukunft. Die neue Kirchenmitgliedschaftsuntersuchung (KMU) hat begonnen, in: *Zeitzeichen* 23 (12), S. 12–14.
4 Vgl. Pickel, Gert/Huber, Stefan/Liedhegener, Antonius/Pickel, Susanne/Yendell,
   Alexander/Decker, Oliver (2022): Kirchenmitgliedschaft, Religiosität, Vorurteile und
   politische Kultur in der quantitativen Analyse (Teilprojekt 1, TP 1), in: *Zwischen Nächstenliebe und Abgrenzung* (Anm. 1); Vgl. auch Pickel/Pickel in diesem Band.
5 Sinnemann, Maria/Ahrens, Petra-Angela (2021): *Flüchtlingsaufnahme kontrovers. Band
   II: Relevanz von Motiven, Werten, Religion und Politik bei Engagierten*, Baden-Baden.
6 Janzen, Olga (2022): Islam- und muslim:innenfeindliche Einstellungen bei Jugendlichen und die Rolle von Religiosität, Kontakt und politischer Orientierung: eine empirische Studie, https://kompetenznetzwerk-imf.de/content/uploads/2022/06/knw-brosc
   hure_studie_aej_screen.pdf?x85269 (abgerufen am 06.07.2022).

SI ist die Rezeption der Ergebnisse im Kontext dieser Studien im Blick auf Engagement und Werthaltungen, Vorurteilsstrukturen sowie religiöse und politische Einstellungen eine Möglichkeit, um im Vergleich unterschiedlicher Stichproben, beobachteter Populationen und Forschungsansätze die Stabilität der Konstrukte zu validieren und, insbesondere im Anschluss an die Studie zum Engagement in der Flüchtlingsaufnahme, Einstellungsmuster zu typologisieren. Eine spezifische Zielperspektive könnte es dabei sein, diejenigen Sozialisations- und Bildungsfaktoren zu erhellen, die zu den unterschiedlichen Einstellungsmustern führen oder zumindest beitragen. Diese Fragestellung kann vor allem an die Kirchenmitgliedschaftsuntersuchung gerichtet werden, in der Sozialisationsaspekte breit abgefragt werden.

2 Weiterführende Fragen für die weitere Forschungsplanung

Zwei grundsätzliche Fragestellungen bedürfen meines Erachtens einer weitergehenden Bearbeitung, zum einen das Verhältnis von personaler und sozialer Religiosität im Rahmen von Kirchenzugehörigkeit, zum anderen die Aufklärung der Rolle von Theologien als Host Ideologies für die Demokratie wie aber auch für politisch (rechts-)populistische Positionen.

Das *Verhältnis von personaler und sozialer Religiosität zur kirchlichen Zugehörigkeit und Verbundenheit* zeigt sich in der Verbundstudie in einer Weise, die kirchliches Handeln beziehungsweise dessen Zielrichtung vor eine Herausforderung stellt. Die Ergebnisse legen eine Interpretation nahe, dass überwiegend nur der (verhältnismäßig kleine) Anteil hochreligiöser Menschen sowohl an der Gesamtheit der Kirchenmitglieder wie der Befragten insgesamt (im Bereich personaler Religiosität) von der kirchlichen Praxis (soziale Religiosität) erreicht wird. Diese Reichweite bedarf angesichts der breiten, insbesondere diakonischen wie lebensbegleitenden Ausrichtung kirchlicher und gemeindlicher Praxis einer genaueren Betrachtung und Analyse. Verschärft wird der Befund dieser Einschränkung auf das Erreichen von Hochreligiösen im Bereich personaler Religiosität dadurch, dass auch dieser Anteil nur zum Teil (zu einem Drittel deutlich, zu einem weiteren Drittel nur teilweise und im letzten Drittel wenig bis gar nicht)[7] erreicht wird. Die mit den Merkmalen sozialer Religiosität erfasste kirchliche Praxis spielt sich, wenn diese Interpretation zutrifft, in einem hoch selektiven gesellschaftlichen Segment ab und erreicht damit, anders als es

---

7 Pickel/Pickel et al. (Anm. 4), S. 24–98, hier S. 33–35.

im volkskirchlichen Anspruch einer an alle (Kirchenmitglieder) gerichteten Praxis liegt, nicht die Breite der Gesellschaft, ja nicht einmal der Mitgliedschaft.

Die Frage, welche Folgen dieser Befund zunächst für das Verständnis dieser Praxis und weitergehend für die Fragen von Kirchenentwicklung hat, dürfte einer intensiven Bearbeitung wert sein, sowohl im Blick auf die Sozialisationsfaktoren für diese kirchliche Praxis wie in Bezug auf die kirchlichen Erprobungsräume und Innovationsprozesse, in denen dezidiert Zielgruppen jenseits des hochreligiösen Milieus adressiert werden (sollen). In der aktuell im Blick auf Kirchen- und Gemeindeentwicklung diskutierten Sozialraumorientierung müsste dieser Befund intensiv aufgenommen und diskutiert werden, etwa im Blick auf die (erreichten und erreichbaren) Motivlagen und Wertehaltungen für freiwilliges Engagement und in Bezug auf spezifisch religiöse beziehungsweise spirituelle Ausrichtung des kirchlichen Beitrags zur Vernetzung im Sozialraum. Ebenfalls aktualisiert der Befund die Frage nach dem kirchlichen Beitrag zum (allgemeinen wie religiösen) Sozialkapital.[8]

Besonders brisant dürfte dabei die Spezifizierung der hochreligiösen Milieus in der Kirche zwischen trans- und monoreligiöser Orientierung sein, wenn sich in der Überrepräsentanz von monoreligiöser Orientierung unter den hochverbundenen Kirchenmitgliedern die Charakteristik des „kerngemeindlichen Milieus" zeigen würde. Dann wäre gerade mit dieser für die kirchliche und gemeindliche Praxis zentral bedeutsame Gruppe der Befund einer Vorurteilsstruktur gegeben, die der kirchlichen Linie im Umgang mit Geschlechter- und Flüchtlingsfragen wie generell mit fremdenfeindlichen beziehungsweise rassistischen Vorurteilen stark zuwiderläuft. Die Wirkung kirchlicher Bildungs- wie Kommunikationsprozesse bedürfte dann einer eigehenden, rezeptionsorientierten Untersuchung beziehungsweise Evaluation.

Mit diesem Punkt steht die zweite Fragestellung in Verbindung, welche Faktoren dafür entscheidend sind, dass *Theologien als Host Ideology für Positionen auf der politischen Rechten in Anspruch genommen werden oder als Basis für eine grundsätzliche Demokratieorientierung*, wie sie spätestens seit der Demokratie-Denkschrift der EKD von 1985[9] den durchgän-

---

8 Vgl. Horstmann, Martin/Park, Heike (2014): *Gott im Gemeinwesen. Sozialkapitalbildung in Kirchengemeinden* (SI-KONKRET), Münster.
9 Evangelische Kirche und freiheitliche Demokratie. Der Staat des Grundgesetzes als Angebot und Aufgabe. Eine Denkschrift der Evangelischen Kirche in Deutschland

gigen Konsens in den evangelischen Kirchen bildet. Die Ergebnisse des zweiten Teilprojekts (Analyse von Online-Kommunikaten)[10] basieren auf einer Annahme, dass sich in einzelnen Äußerungen etwa zur Gender- und Flüchtlingspolitik der EKD Narrationsfragmente eines populistischen Gesamtnarrativs zu erkennen geben. Zum einen ist es für die kirchliche Kommunikation bedeutsam, wie sich in solchen Äußerungen eine auf Sicherheitsbedürfnisse bezogene Besorgnis von populistischen Stereotypen und Diskriminierungen abgrenzen lässt. Zum anderen geht es um die Rolle religiöser und theologischer Aspekte für das populistische Gesamtnarrativ beziehungsweise die Funktionsweise von Narrationsfragmenten im Umfeld kirchlicher und religiöser Kommunikation. Um der legitimatorischen Instrumentalisierung biblischer und theologischer Motive in diesem Narrativ zu begegnen, gilt es, die Faktoren zu erhellen, die damit einhergehen. Da die untersuchten Äußerungen nicht mit Daten zu religiösen, politischen und Wertorientierungen verknüpft sind,[11] kann keine unmittelbare Brücke zur ersten Teilstudie hergestellt werden. Es bedarf deshalb meines Erachtens weitergehender interpretatorischer Feinarbeit, um die Wirkungsweise dieser Host Ideology in der demokratischen kirchlichen Öffentlichkeit genauer zu bestimmen. Auch hier dürfte die Frage der Responsivität sowohl im öffentlichen Raum auf dem Feld von Kirche und Gesellschaftspolitik wie in konkreten gemeindlichen Räumen, wie sie im dritten Teilprojekt (Gemeindestudie)[12] untersucht wurden, von zentraler Bedeutung sein. Konkret gefragt: Wie ist eine Theologie angelegt, die sich als Diskursrahmen für konkrete gesellschaftspolitische Konflikte auf Gemeindeebene wie für kirchliche Äußerungen auf gesamtkirchlicher Ebene eignet. Sie müsste mindestens zwei Bedingungen erfüllen: Sie dürfte den konfliktiven Dialog mit anderen gesellschaftspolitischen Diskussionen nicht im Voraus schließen. Und sie müsste theologisch eindeutig die Grenzen des demokratischen

---

(1985), https://www.ekd.de/ekd_de/ds_doc/evangelische_kirche_und_freiheitliche_de mokratie_1985.pdf (abgerufen am 06.07.2022).

10 Merle, Kristin/Watzel, Anita (2022): Religion und Rechtspopulismus/-extremismus: Analysen von Narrationen vorurteilsbezogener Kommunikation und Hassrede online (Teilprojekt 2, TP 2), in: *Zwischen Nächstenliebe und Abgrenzung* (Anm. 1), S. 99–168. Vgl. auch den Beitrag von Merle/Watzel in diesem Band.

11 Was dem Quellenmaterial geschuldet ist, das den Analysen zugrunde liegt. In den Online-Kommunikaten sind diese Informationen schlichtweg nicht enthalten.

12 Schulz, Claudia/Barriga Morachimo, Manuela/Rehm, Maria (2022): Kirchengemeinden in Aushandlungsprozessen um politisch-kulturelle Themen (Teilprojekt 3, TP 3), in: *Zwischen Nächstenliebe und Abgrenzung* (Anm. 1), S. 169–239. Vgl. auch den Beitrag von Schulz, Barriga Morachimo und Rehm in diesem Band.

Konsenses und Diskursrahmens markieren. Beide Bedingungen dürften sich wiederum gegenseitig weder neutralisieren noch ausschließen.[13]

3 Weiterführende Fragen zu kirchlicher Kommunikation und „Öffentlicher Theologie"

Für das SI stellt sich nicht die Aufgabe, die theologische Fundierung selbst zu formulieren, die der Spannung zwischen einer konfliktbereiten öffentlichen Intervention und der Zurückweisung des populistischen Narrativs gewachsen ist und dementsprechend geeignet scheint, die Responsivität kirchlicher Kommunikation zu erhöhen. Das SI sieht sich aber vor die Aufgabe gestellt, den theologischen Diskurs, insbesondere den der „Öffentlichen Theologie" beziehungsweise des „Öffentlichen Protestantismus", daraufhin zu beobachten, inwiefern hier diese Formulierung gelingt. Diese Beobachtung lässt sich dann auch mit der weiteren Beobachtung und Analyse des kirchlichen Kommunikationsfeldes und des Einflusses religiöser Faktoren kombinieren.

Die Verbundstudie erbringt eine starke Plausibilisierung zum Zusammenhang von religiöser Prägung und Vorurteilsstrukturen durch die Differenzierung von trans- und monoreligiöser Orientierung.[14] Während ohne diese Differenzierung Religiosität sich in vorausgehenden Untersuchungen häufig als ambivalenter Faktor im Verhältnis zu gesellschaftspolitischen Einstellungen und Vorurteilsstrukturen gezeigt hat, lässt sich nun eine deutliche Korrelation erkennen: Mit einer monoreligiös ausgerichteten Religiosität geht eine höhere Zustimmung zu spezifischen Vorurteilsstrukturen einher, während sich bei transreligiös ausgerichteter Religiosität ein entgegengesetzter Zusammenhang zeigt. Der Zusammenhang dieser unterschiedlichen mono- und transreligiösen Orientierungen mit Vorurteilsstrukturen wirft Fragen im Blick auf die Verbindung mit sozialer Religiosität auf beziehungsweise in Bezug auf Fragen der kirchlichen Zugehörigkeit und Verbundenheit. Dieses Ergebnis unterliegt einer methodischen Einschränkung. Die Antworten auf die Frage zur Religiosität sind so ungleich

---

13 Vgl. Albrecht, Christian/Anselm, Reiner (2020): *Differenzierung und Integration. Fallstudien zu Präsenzen und Praktiken eines Öffentlichen Protestantismus*, Tübingen; und (2022), Huber, Wolfgang (2022): *„Es geht vielmehr um eine Lebenshaltung". Wolfgang Huber im wissensbiographischen Gespräch mit Christian Albrecht, Reiner Anselm und Hans Michael Heinig*, Tübingen, insbes. 103–130.

14 Pickel et al. (Anm. 5), S. 38–41.

verteilt und weisen eine nur sehr niedrige Zustimmung auf, dass die Fall-zahlen für die manifeste Ausprägung von personaler und sozialer Religiosi-tät sehr niedrig ausfallen. Weitere statistische Zusammenhänge zwischen diesen Ausprägungen und anderen Faktoren können deshalb nur noch mit großer Zurückhaltung beobachtet und interpretiert werden. Wenn sich validieren lässt, dass es im Bereich sozialer Religiosität, die mit dem Got-tesdienstteilnahmeverhalten und der Bedeutung von gemeindlichem Sozi-alkapital gemessen wird, zu einer Überrepräsentation von monoreligiöser Orientierung kommt, ergeben sich Fragestellungen bezüglich der Wirkung kirchlicher respektive gemeindlicher Kommunikation auf die Ausprägung von Religiosität ebenso wie zum Zusammenhang mit den Motiven und Entscheidungsprozessen des Kirchenaustritts.

Oder anders: Es geht um eine weiterführende Klärung des Zusammen-hangs von religiöser Prägung im Verhältnis der Kirchenmitglieder insge-samt zu den Mitgliedern mit starker Kirchen- beziehungsweise Gemeinde-bindung. Zum einen: Wo sind die Orte religiöser respektive kirchlicher So-zialisation, die für die Ausprägung personaler Religiosität wirksam werden, welche Wirkung haben spezifisch kirchliche Sozialisationsprozesse etwa in kirchlichen Kindertagesstätten und im Konfirmanden- (beziehungsweise katholisch im Kommunion- und Firm-)Unterricht im Verhältnis zum Reli-gionsunterricht und zu freien Formen religiöser Sozialisation jenseits von Kirche etwa in Jugend- und Popkulturen. Welchen Einfluss hat die inter-generationelle formale wie informelle religiöse Sozialisation im Verhältnis zur Wirkung der Peers auf die Ausbildung (nicht-)religiöser Identitäten, welche Rolle spielen Engagement und Erlebnisformen (von Religion) wie beispielsweise Kirchentage.

Zum anderen wäre die Wirkung von kirchlicher Verkündigung und Bil-dung jenseits des Jugendalters auf die Ausbildung und Formung religiöser Identitäten interessant: Was bestimmt die Motivations- und Rezeptions-strukturen für die Wahrnehmung von religiösen Narrativen? Wo sind die Quellen, Medien und Orte für religiöse und theologische Produktivität? Während die Predigtkommunikation normativ als glaubensstiftend und glaubensstärkend definiert wird und empirisch – in den Kirchenmitglied-schaftsuntersuchungen – sich die Erwartung einer anregenden Predigt als ein nicht unerhebliches Motiv für den Gottesdienstbesuch zeigt (allerdings bezogen auf den sehr begrenzten Anteil von Gottesdienstbesucher*innen), gibt es kaum empirische Daten zur tatsächlichen Wirkung von Predigtkom-munikation. Sie scheint greifbar, wenn sich griffige Aussagen im öffentli-

chen Diskurs verselbständigen („Nichts ist gut in Afghanistan!", „Man lässt
niemanden ertrinken. Punkt."). Aber auch hier können über diskursive
Beobachtungen hinaus nur Vermutungen über die Wirkung auf religiöse
Identitäten angestellt werden. Es wäre aus meiner Sicht die Hypothese
zu prüfen, dass die Wirkung von (religiöser) Kommunikation auf religiöse Identitätsbildung wie indirekt auf gesellschaftspolitische Einstellungen
stark von der Einbettung in Kommunikationsformen, insbesondere unter dem Aspekt von Beteiligung und Partizipation, und von Beziehungs-
und Netzwerkaufbau beeinflusst wird. Dazu müsste der Zusammenhang
von religiöser Bildung und Sozialkapitalbildung untersucht und gemessen
werden. Die Ergebnisse des aktuellen SI-Gemeindebarometers[15] können
dafür möglicherweise erste Anhaltspunkte liefern. Ein weitergehendes For-
schungsdesign sehe ich als Desiderat an.

In diesem Zusammenhang dürfte es auch von Interesse sein, die Bedin-
gungsfaktoren für gemeindliche Konfliktbearbeitungs- und Aushandlungsprozesse noch genauer zu beleuchten. Dafür könnte die aus Fallstudien
entwickelte Matrix für Formen zivilgesellschaftlichen Engagements von
Kirchengemeinden[16] einen Bezugspunkt bilden. Die dort typologisierten
Formen von Kompensation, Moderation, Integration, Intervention und
Sozialisation, in denen sich Kirchengemeinden in zivilgesellschaftlichen
Zusammenhängen engagieren, könnten als spezifische Responsivitäts-Are-
nen verstanden werden, in denen religiöse Kommunikation wirksam werden kann. Gerade in dieser Frage machen die Fallstudien allerdings eine
Leerstelle deutlich, sofern sie zeigen, dass dieses zivilgesellschaftliche Engagement eben gerade keinen direkten Anschluss an die gemeindliche
religiöse Kommunikation herzustellen vermag. Hier könnten explorative
Forschungsdesigns ansetzen, in denen die Erkundung dieser Schnittstelle
intendiert wird.

---

15 Vgl. Renneberg, Ann-Christin/Rebenstorf, Hilke (2023): *Sozialraumorientierung.*
Neue Gemeindeformen und traditionelle Gemeinden im Vergleich, Baden-Baden.
16 Vgl. Ohlendorf, David/Rebenstorf, Hilke (2019): *Überraschend offen: Kirchengemein-*
den in der Zivilgesellschaft. Leipzig.

Über die Probleme der Operationalisierung miteinander verschränkter Vorurteile und die Integration verschiedener Ebenen

Implikationen für die Forschung

Von Olga Janzen

Mono-Religiosität weiterdenken

In der Studie „Zwischen Nächstenliebe und Abgrenzung" (EKD 2022) wird in Bezug auf Religiosität unter anderem zwischen trans- und mono-religiösen Orientierungen unterschieden, die bei Religionszugehörigen abgefragt werden (Huber 2022: 38–39). Während die trans-religiösen Orientierungen gekennzeichnet sind durch die Überzeugung, dass alle Religionen den gleichen wahren Kern haben sowie die Empfindung anderer Religionen als Bereicherung und die Bereitschaft religiöse Vorstellungen und Praktiken anderer Religionen zu übernehmen, sind die mono-religiösen Orientierungen durch eine besonders enge Sicht auf die eigene Religion charakterisiert. Gemessen wird diese durch die drei Items „Ich bin davon überzeugt, dass andere Religionen weniger wahr sind als meine eigene Religion.", „Ich versuche, möglichst viele Menschen für meine Religion zu gewinnen." und „Ich bin bereit, für meine Religion auch größere Opfer zu bringen."[1]. Die Zusammensetzung der Skala sowie ihre Bezeichnung sind neu, der grundlegende Gedanke lässt sich jedoch auch in zahlreichen vorangegangenen Studien finden. Wobei die Begriffe sowie die Items variieren und nicht immer konsistent sind.

So sprechen Pollack und Müller (2013) von Dogmatismus, den sie mit dem Item „Ich bin davon überzeugt, dass in religiösen Fragen vor allem meine eigene Religion recht hat und andere Religionen eher unrecht haben." erfassen, während Pollack (2014) religiösen Dogmatismus durch die Aussage „Es gibt nur eine wahre Religion" abbildet. Das gleiche Item wird bei Pickel et al. (2020a) als religiöser Fundamentalismus beziehungsweise religiöser Exklusivismus gefasst, während die Aussage „Die Bibel ist

---

[1] Antwortskala: 1 = trifft überhaupt nicht zu bis 6 = trifft voll und ganz zu.

wortwörtlich zu verstehen." religiösen Dogmatismus abbildet[2]. Ein ähnlich formuliertes Item „Die Heilige Schrift meiner Religion (wie zum Beispiel die Bibel) ist wortwörtlich zu nehmen." läuft bei Janzen und Ahrens (2022a) unter der Bezeichnung dogmatisches Religionsverständnis. Friedrichs (2020) fasst eine ebenfalls ähnliche Aussage als Orthodoxie („Die Bibel ist das Wort Gottes und muss wörtlich genommen werden.") und misst die Exklusivität durch die beiden Items „Es gibt nur eine wahre Religion." und „Der Glaube an Jesus Christus als dem Heiland ist für die Erlösung absolut notwendig.". Die bei Weitem nicht vollständige Aufzählung macht deutlich, dass es zum einen viele Variationen von Aussagen und Itemformulierungen gibt, zum anderen aber auch, dass die dahinterstehenden Konstrukte sich überschneiden und nicht deutlich voneinander abgegrenzt werden können. Darüber hinaus fehlt es den meisten Arbeiten an einer theoretischen Herleitung und begrifflichen Konsistenz (siehe dazu Friedrichs 2020: 169 ff.).

Die große Gemeinsamkeit all dieser Messungen ist jedoch der relevante Effekt auf die allermeisten Formen von Vorurteilen (siehe zum Beispiel Janzen und Ahrens 2022a; Pickel et al. 2020a: 177; Pickel et al. 2020b: 7; Rebenstorf 2018: 324; Pollack 2014; Pollack und Müller 2013: 39). Eine Zustimmung zu den Aussagen, und damit ein eng gefasstes Verständnis von Religion, geht demnach beispielsweise mit Sexismus und Vorurteilen gegenüber Muslim*innen und Homosexuellen einher. Auch wenn dieses Religionsverständnis in der Regel von einer Minderheit der Studienbefragten vertreten wird, spielt es im Verhältnis zu Vorurteilen eine wichtige Rolle und ist gleichzeitig, mit Blick auf die Variationen der Studien, nicht klar definiert. Daraus ergibt sich die Frage, ob sich dieses spezifische Religionsverständnis unter Berücksichtigung der verschiedenen Items eindeutig beschreiben beziehungsweise auch konsequent differenzieren lässt. Anders gefragt: *Was ist der Kern der mono-religiösen Orientierungen, des religiösen Exklusivismus, des religiösen Dogmatismus, des religiösen Fundamentalismus beziehungsweise der Orthodoxie und lässt sich dieser Kern in mehreren Dimensionen beschreiben?*

---

2 Am umfangreichsten wird Dogmatismus wahrscheinlich bei Pickel et al. (2020b) erfasst. Hier sind es insgesamt vier Items: „Es gibt nur eine Auslegung der Bibel/des Koran und alle Christen/ Muslime müssen sich daran halten.", „Die Regeln der Bibel/des Korans sind mir wichtiger als die deutschen Gesetze.", „Meine Religion gibt mir vor Juden zu misstrauen und sie abzulehnen." Und „Ich wäre bereit meine Überzeugungen auch mit Gewalt durchzusetzen."

Darüber hinaus zeigt sich in den Studienergebnissen immer wieder eine Verschränkung des speziellen Religionsverständnisses mit politischen Einstellungen. Beispielsweise korreliert bei Friedrichs (2020) Exklusivität mit Autoritarismus, ebenfalls korrelieren mono-religiöse Orientierungen (im Gegensatz zu trans-religiösen Orientierungen) mit Autoritarismus, aber auch mit sozialer Dominanzorientierung, Verschwörungsmentalität sowie einer Rechts-Orientierung (Pickel 2022: 79–80). Janzen und Ahrens (2022a) zeigen eine Verschränkung des dogmatischen Religionsverständnisses mit der politischen Selbstpositionierung (auf einer Links-Rechts-Skala) sowie Konventionalismus (als Teildimension von Autoritarismus). Hier stellt sich dementsprechend die Frage nach der politischen Dimension des spezifischen Religionsverständnisses.

Über GMF hinausdenken

Das Konzept der gruppenbezogenen Menschenfeindlichkeit, kurz GMF, beschreibt die Markierung von Personen als ungleichwertig, auf der Grundlage, dass diese einer Gruppe angehören oder ihnen die entsprechende Gruppenzugehörigkeit zugeschrieben wird (Heitmeyer 2006: 21). Die damit einhergehende Abwertung und Ausgrenzung bezieht sich somit auf die (vermeintliche) Gruppenzugehörigkeit der Person. Im ersten Erhebungsjahr einer Langzeituntersuchung, die dieses Konzept in der Forschung etablierte und deren Ergebnisse zehn Jahre in Folge in der Reihe „Deutsche Zustände" festhielt, wurden sieben Elemente von GMF untersucht. Dazu gehörten Rassismus/Dominanz, Fremdenfeindlichkeit, Antisemitismus, Islamophobie, Etabliertenvorrechte, klassischer Sexismus und Heterophobie (Heitmeyer 2002: 23).[3] Die Elemente weisen untereinander ohne Ausnahme eine Korrelation auf, wodurch das Syndrom der gruppenbezogenen Menschenfeindlichkeit als ein übergeordnetes Konstrukt ausgewiesen wird, dessen Kern in einer angenommenen Ungleichwertigkeit von Menschen ausgemacht wird (a. a. O.: 21–23). Dieses Analyseschema hat sich insofern bewährt, als dass es flexibel auf die veränderte soziale Realität re-

---

3 Dabei werden Rassismus und Dominanz gemeinsam aufgeführt und als ein Konstrukt erhoben. Unter Heterophobie wird allgemein die Abwertung von Gruppen verstanden, die als abweichend gelten (Heitmeyer 2002: 20). Die entsprechenden Items thematisieren homosexuelle und obdachlose Menschen sowie Menschen mit Behinderung (a. a. O.: 26).

agieren konnte. So sind in den zehn Jahren Untersuchung aus sieben zwölf Elemente[4] geworden, wobei einige Elemente ausdifferenziert wurden (die Abwertung von Obdachlosen und Behinderten sowie Homophobie waren in der ersten Version unter Heterophobie zusammengefasst, stehen nun für sich selbst) und andere neu dazugekommen sind (Abwertung von Sinti und Roma, Abwertung von Asylbewerbern). Teilweise veränderten sich auch die Begriffe für die Elemente und spiegelten so die aktuellen Diskurse um die Angemessenheit der Beschreibung von Vorurteilskonstruktionen wider (aus Islamophobie wurde zunächst Islam- und dann Muslimfeindlichkeit). Nachfolgestudien, die sogenannten Mitte-Studien (Zick und Klein 2014; Zick 2016; Zick et al. 2019; Zick und Küpper 2021), entwickeln das Konzept der gruppenbezogenen Menschenfeindlichkeit weiter und passen es an die aktuellen gesellschaftspolitischen und wissenschaftlichen Diskurse an, sodass neue relevante Phänomene darin Platz finden und in den Blick genommen werden können (Zick 2021b: 185 ff.). Es bietet damit zahlreiche Analysekategorien an, die unter einem gemeinsamen Schirm betrachtet werden können. Das Analyseschema GMF findet darüber hinaus in zahlreichen Studien Anwendung (zum Beispiel EKD 2022; Decker und Brähler 2020; Decker und Brähler 2018; Pickel et al. 2019) und hat sich nicht nur im wissenschaftlichen Kontext bewährt. Auch Projekte in der Praxis beschreiben ihre Arbeit mithilfe des Konzeptes der gruppenbezogenen Menschenfeindlichkeit; Ausschreibungen von Stiftungen und Ministerien machen ebenso davon Gebrauch, womit finanzielle Mittel teilweise an die Begriffe und Definitionen der einzelnen GMF-Elemente gebunden sind. Das Konzept der gruppenbezogenen Menschenfeindlichkeit ist damit ein voller Erfolg und hat für viele soziale Probleme eine Sprache entwickelt, die diese Probleme beschreibbar macht und die in Wissenschaft, Politik und Gesellschaft fest etabliert ist.

Jedoch hat das Konzept auch seine Grenzen. Deutlich wird das beispielsweise anhand der Elemente Muslim*innenfeindlichkeit und Rassismus, wenn andere Forschungsperspektiven antimuslimischen Rassismus als Analysekategorie entgegensetzen (Attia 2013). So spricht Shooman (2014) von einer Rassifizierung von Muslim*innen, da sie die Kategorien Ethnizität, Kultur und Religion intersektional miteinander verflochten

---

4 Rassismus, Fremdenfeindlichkeit, Antisemitismus, Muslimfeindlichkeit, Abwertung von Asylbewerbern, Abwertung von Sinti und Roma, Etabliertenvorrechte, Sexismus, Homophobie, Abwertung von Behinderten, Abwertung von Obdachlosen, Abwertung von Arbeitslosen (Heitmeyer 2012).

sieht. Sie könnten „weder einfach addiert noch auseinanderdividiert werden", was sich beispielsweise in „der synonymen Verwendung der Bezeichnungen „Türke", „Araber", Migrant" und „Muslim" zeige (Shooman 2014: 67). Historische Auseinandersetzungen mit antimuslimischem Rassismus verweisen auf eine lange Tradition der Gegenüberstellung des Islam als das negative Gegenstück zum Westen (Attia 2011: 147 f.). Das Aufzeigen einer Korrelation zwischen den GMF-Elementen Muslim*innenfeindlichkeit und Rassismus, reicht somit nicht aus, um das dahinterstehende Phänomen in seiner Komplexität zu beschreiben (Bojadžijev et al. 2019: 61). Vielmehr greifen Muslim*innenfeindlichkeit und Rassismus auf eine spezielle, historisch gewachsene Art ineinander und können nicht getrennt voneinander analysiert werden. Darüber hinaus ist Muslim*innenfeindlichkeit automatisch mit Rassismus verknüpft, da zu dieser Kategorie nicht nur Menschen zählen, die sich selbst als muslimisch begreifen, sondern auch Menschen, die keine Muslim*innen sind, aber als solche wahrgenommen beziehungsweise markiert und damit rassifiziert werden.

In der GMF-Tradition wird Rassismus jedoch in einer anderen Logik erhoben, die zum einen biologistisch und zum anderen sehr direkt ausfällt („Aussiedler sollten besser gestellt sein als Ausländer, da sie deutscher Abstammung sind." und „Die Weißen sind zurecht führend in der Welt.") (Zick et al. 2019: 70). Die Zustimmung zu diesen Aussagen fällt im Vergleich zu anderen Elementen wie Muslim*innenfeindlichkeit, Fremdenfeindlichkeit oder Abwertung von Asylsuchenden gering aus (a. a. O.: 82 f.). Das Nebeneinanderlegen dieser Zahlen generiert den Eindruck, als sei Rassismus ein weniger großes Problem. Darüber hinaus wird Rassismus ausschließlich auf der Einstellungsebene untersucht, wodurch ein großer Teil des Phänomens ausgeblendet bleibt. Rommelspacher (2011) unterscheidet zwischen dem strukturellen Rassismus, der durch „das gesellschaftliche System mit seinen Rechtsvorstellungen und seinen politischen und ökonomischen Strukturen Ausgrenzungen bewirkt", dem institutionellen Rassismus, der „sich auf Strukturen von Organisationen, eingeschliffene Gewohnheiten, etablierte Wertvorstellungen und bewährte Handlungsmaximen bezieht" sowie dem individuellen Rassismus, der „auf persönlichen Handlungen und Einstellungsmustern" beruht und „sich auf die direkte persönliche Interaktion" bezieht (Rommelspacher 2011: 30). Demnach wird im Rahmen der quantitativen Erhebungen nur die individuelle Ebene und darin lediglich die Einstellungsmuster angeschaut. Ohne der dahinterliegenden sozialwissenschaftlichen Perspektive und den quantitativen Studien ihre Relevanz absprechen zu wollen, wird deutlich, dass sie im Kontext der weiteren Perspektiven betrachtet werden müssen und weitere Perspektiven notwendig sind, um die großen sozialen Probleme angemessen beschreiben zu können.

Diskriminierungserfahrungen als Gegenstand der Forschung sichtbarer machen

Neue Studienergebnisse in Bezug auf Vorurteile gegenüber Muslim*innen zeigen: Je stärker (nicht muslimische) Befragte das Bewusstsein dafür vorweisen, dass Muslim*innen Diskriminierung erleben, desto weniger Vorurteile ihnen gegenüber werden berichtet (Janzen 2022: 41 f.). Das Bewusstsein über Diskriminierungserfahrungen korreliert also negativ mit Vorurteilen. Das kann zum einen einen wichtigen Aspekt für präventive Maßnahmen darstellen, zum anderen formuliert dieses Ergebnis aber auch einen Auftrag an die Forschung: Die stärkere Sichtbarmachung von Diskriminierungserfahrungen auf einer wissenschaftlichen Ebene. Vorhandene Studien (Uslucan 2017; DeZIM 2022; Beigang et al. 2017; Berghan et al. 2020; FRA 2018a; FRA 2018b) können das Ausmaß an Diskriminierungs- und Rassismuserfahrungen in verschiedenen Lebensbereichen offenlegen und quantifizieren. Sie können beispielsweise zeigen, dass Diskriminierung türkeistämmiger Menschen am meisten in den Bereichen Arbeitsplatz, Universität, Schule, bei der Arbeitssuche und bei der Wohnungssuche angegeben wird (Uslucan 2017: 137) und dass Muslim*innen nicht nur aufgrund ihrer Religion, sondern vor allem aufgrund der ethnischen Herkunft beziehungsweise des Migrationshintergrundes diskriminiert werden (FRA 2018a: 29). Eine der jüngsten Studien aus Deutschland, der Afrozensus, zeigt besonders eindrucksvoll, wie wichtig die Erhebung von Rassismus- und Diskriminierungserfahrungen ist, um das Ausmaß des Problems zu verstehen. Die umfangreiche Studie untersucht Lebensrealitäten und Diskriminierungserfahrungen Schwarzer, afrikanischer und afrodiasporischer Menschen in Deutschland (Aikins et al. 2021). Auch hier werden verschiedene Lebensbereiche in den Blick genommen. Nur sieben Prozent geben an, *keine* Diskriminierungserfahrungen in dem Bereich Öffentlichkeit und Freizeit innerhalb der letzten zwei Jahre erlebt zu haben, für nur 15 Prozent gilt das im Bereich Geschäfte und Dienstleistungen und für 18 Prozent im Bereich Polizei (a. a. O.: 92).[5] Dementsprechend haben in den letzten zwei Jahren 93 Prozent mindestens einmal Diskriminierungserfahrungen in Öffentlichkeit und Freizeit, 83 Prozent in Geschäften und bei Dienstleistungen und 82 Prozent mit der Polizei gemacht.[6] Das sind Zahlen, die ein anderes Bild zeichnen als fünf Prozent Zustimmung zu der Aussage „Die Weißen sind zu Recht führend in der Welt." (offener Rassismus) und zehn Prozent Zustimmung zu der Aussage „Wenn sich Schwarze Menschen mehr anstrengen würden, würden sie es auch zu etwas bringen.", denn immerhin stimmt die große Mehrheit der Bevölkerung diesen Aussagen nicht zu (Zick 2021a: 152 f.). Aus Sicht der Diskriminierungsforschung führen die Ergebnisse zu einer Sichtbarmachung des Problems auf einer anderen Ebene und zeigen die Perspektive derjenigen, die die Diskriminierung und den Rassismus erleben. Die entsprechenden wirkmächtigen Zahlen können für eine stärkere Sensibilisierung für die Themen sorgen und das Ausmaß an Vorurteilen kontextualisieren.

Dranbleiben und reflektieren

Terminologien, Forschungsperspektiven und gesellschaftspolitische Diskurse verändern sich. Soziale Probleme als solche zu benennen und zu erforschen, dabei die aktuellen Bedingungen einzubeziehen und neue Perspektiven zuzulassen, ist eine essenzielle Aufgabe der Forschung. Sie greift dabei auf Theorien, theoretische Annahmen beziehungsweise auf konzeptionelle Einteilungen der Realität zurück. Die Erkenntnisse aus der Forschung sollen schließlich auch eine empirische Grundlage für positive gesellschaftliche Veränderungen bringen. So werden Handlungsempfehlungen formuliert, um beispielsweise Kriminalität zu senken, Extremismus zu verhindern oder Diskriminierung und Vorurteile abzubauen. Die sozialwissenschaftliche Forschung formt damit auch die Realität. Sie kann zum Beispiel Auswirkungen auf Präventionsformate gegen Extremismus, auf Ausschreibungen für Projekte in Praxis und Wissenschaft beziehungsweise auf die Bereitstellungen von Ressourcen für bestimmte Themen haben. In diesem Prozess positionieren wir uns immer wieder aufs Neue, wenn wir Themen und Forschungsperspektiven festlegen. So ist beispielsweise

---

5 Geantwortet haben jeweils diejenigen Befragten, die vorher angaben, zu dem entsprechenden Lebensbereich Kontakt gehabt zu haben.

6 Die Antwortoptionen *selten, manchmal, oft* und *sehr häufig* sind zusammengefasst.

alleine die Tatsache, dass Sexismus untersucht wird, automatisch mit der Aussage verbunden, dass Sexismus ein gesellschaftliches Problem darstellt. Wir sprechen über Sexismus heute anders als noch vor 30 Jahren. Wir positionieren uns zum einen durch die Themen, die wir erforschen. Zum anderen aber auch durch die Art, wie wir arbeiten.

Wissenschaft muss sich dementsprechend fortwährend reflektieren, und zwar sowohl auf individueller Ebene, als auch als Teil von Institutionen, in denen Forschung betrieben wird, denn auf allen Ebenen sind wir nicht frei von Vorurteilen und Rassismus. Im Gegenteil. Wissenschaftliche Arbeiten können Vorurteile auch reproduzieren (Janzen und Ahrens 2022b). Leitende Fragen sind dabei: Welche Perspektiven und Forschungsansätze dominieren den wissenschaftlichen Diskurs? Wie sind Ressourcen dahingehend verteilt? Wie lässt sich Forschung rassismuskritisch gestalten? Vor allem für weiße Wissenschaftler*innen, die an Themen wie Migration, Vorurteile und Rassismus arbeiten, muss es von essentieller Bedeutung sein, an rassismuskritischen Weiterbildungen teilzunehmen und Konsequenzen für die eigene Arbeit zu ziehen. Neben dieser individuellen muss auch die institutionelle Ebene betrachtet werden. So schlussfolgern Bojadžijev et al. (2019) in ihrer Analyse zur Rassismusforschung in Deutschland, „dass die Rassismusforschung schwach institutionalisiert ist und wenig Resonanz im wissenschaftlichen Feld als auch in der gesellschaftlichen und politischen Sphäre findet" (Bojadžijev et al. 2019: 60). „So existieren bis heute weder Lehrstühle noch Institute, die explizit Rassismusforschung betreiben, zudem kaum Förderung von internationalen und nationalen Konferenzen und Publikationsmöglichkeiten" (a. a. O.: 64). Deshalb fordert Kelly (2021) in ihrem Buch „Rassismus. Strukturelle Probleme brauchen strukturelle Lösungen!" neben einer wissenschaftlichen „Aufarbeitung deutscher Kolonialgeschichte aus postkolonialer Perspektive […] auch die Institutionalisierung von Schwarzen Studien und eine Reform der Antirassismusforschung" (Kelly 2021: 48 ff.). Kelly geht es dabei vor allem um die antirassistische Wissensproduktion aus Schwarzer Perspektive (ebd.). Sie kritisiert damit die Ressourcenverteilung und die damit einhergehenden dominanten Forschungsperspektiven, die wiederum Wissen generieren, das rassistische Strukturen reproduziert. Für die sozialwissenschaftliche Forschung ist die Annahme einer rassismuskritischen Perspektive also eine der wichtigsten aktuellen Aufgaben, um den Anschluss an die soziale Realität nicht zu verlieren.

Literaturverzeichnis

Aikins, Muna AnNisa/Bremberger, Teresa/Aikins, Joshua (2021): Afrozensus 2020. Perspektiven, Anti-Schwarze Rassismuserfahrungen und Engagement Schwarzer, afrikanischer und afrodiasporischer Menschen in Deutschland. Online verfügbar unter https://afrozensus.de/reports/2020/#main, abgerufen am 27.09.2022.

Attia, Iman (2011): Diskurse des Orientalismus und antimuslimischen Rassismus in Deutschland. In: Claus Melter und Paul Mecheril (Hrsg.): Rassimuskritik. Band 2: Rassismustheorie und -forschung. 2. Auflage. Schwalbach/Ts.: Wochenschau Verlag (Reihe Politik und Bildung, Band 47), S. 146–162.

Attia, Iman (2013): Privilegien sichern, nationale Identität revitalisieren. Gesellschafts- und handlungstheoretische Dimensionen der Theorie des antimuslimischen Rassismus im Unterschied zu Modellen von Islamophobie und Islamfeindlichkeit. In: Journal für Psychologie 21 (1), S. 1–31.

Beigang, Steffen/Fetz, Karolina/Kalkum, Dorina/Otto, Magdalena (2017): Diskriminierungserfahrungen in Deutschland. Ergebnisse einer Repräsentativ- und einer Betroffenenbefragung. Hrsg. v. Antidiskriminierungsstelle des Bundes. Berliner Institut für empirische Integrations- und Migrationsforschung. Online verfügbar unter https://www.antidiskriminierungsstelle.de/SharedDocs/downloads/DE/publikationen/Expertisen/expertise_diskriminierungserfahrungen_in_deutschland.pdf?__blob=publicationFile&v=6, abgerufen am 03.08.2021.

Berghan, Wilhelm/Papendick, Michael/Wenk, Esra/Diekmann, Isabell/Pangritz, Johanna/Demir, Zeynep et al. (2020): "Kategorisch unterschätzt und ausgeschlossen": Wahrnehmung von und Erfahrungen mit Diskriminierung an der Universität Bielefeld 2019/2020. Online verfügbar unter https://pub.uni-bielefeld.de/record/2946687.

Bojadžijev, Manuela/Braun, Katherine/Opratko, Benjamin/Liebig, Manuel (2019): Rassismusforschung in Deutschland. Prekäre Geschichte, strukturelle Probleme, neue Herausforderungen. In: Tina Dürr und Reiner Becker (Hrsg.): Leerstelle Rassismus? Analysen und Handlungsmöglichkeiten nach dem NSU. Frankfurt: Wochenschau [Verlag] (Wochenschau Wissenschaft), S. 59–73.

Decker, Oliver/Brähler, Elmar (Hrsg.) (2018): Flucht ins Autoritäre. Rechtsextreme Dynamiken in der Mitte der Gesellschaft: die Leipziger Autoritarismus-Studie 2018. Gießen: Psychosozial-Verlag (Forschung psychosozial).

Decker, Oliver/Brähler, Elmar (Hrsg.) (2020): Autoritäre Dynamiken. Alte Ressentiments – neue Radikalität. Leipziger Autoritarismus Studie 2020. Gießen: Psychosozial-Verlag.

Deutsches Zentrum für Integrations- und Migrationsforschung (DeZIM) (2022): Rassistische Realitäten: Wie setzt sich Deutschland mit Rassismus auseinander? Auftaktstudie zum Nationalen Diskriminierungs- und Rassismusmonitor (NaDiRa). Berlin.

Evangelische Kirche in Deutschland (EKD) (Hrsg.) (2022): Zwischen Nächstenliebe und Abgrenzung. Eine interdisziplinäre Studie zu Kirche und politischer Kultur. Leipzig: Evangelische Verlagsanstalt GmbH.

FRA – Agentur der Europäischen Union für Grundrechte (2018): Zweite Erhebung der Europäischen Union zu Minderheiten und Diskriminierung. Muslimas und Muslime – ausgewählte Ergebnisse. Online verfügbar unter https://fra.europa.eu/sites/default /files/fra_uploads/fra-2017-eu-minorities-survey-muslims-selected-findings_de.pdf, abgerufen am 23.08.2021.

FRA – European Union Agency for Fundamental Rights (2018): Second European Union Minorities and Discrimination Survey. Being Black in the EU. Online verfügbar unter https://fra.europa.eu/sites/default/files/fra_uploads/fra-2018-being-black-in-t he-eu_en.pdf, abgerufen am 23.08.2021.

Friedrichs, Nils (2020): Integration von religiöser Vielfalt durch Religion? Wiesbaden: Springer Fachmedien Wiesbaden.

Heitmeyer, Wilhelm (Hrsg.) (2002): Deutsche Zustände. Folge 1. Frankfurt am Main: Suhrkamp Verlag.

Heitmeyer, Wilhelm (Hrsg.) (2006): Deutsche Zustände. Folge 4. Frankfurt/M: Suhrkamp Verlag.

Huber, Stefan (2022): Dimensionen des Religiösen. In: Evangelische Kirche in Deutschland (EKD) (Hrsg.): Zwischen Nächstenliebe und Abgrenzung. Eine interdisziplinäre Studie zu Kirche und politischer Kultur. Leipzig: Evangelische Verlagsanstalt GmbH, S. 27–43.

Janzen, Olga (2022): Islam- und muslim*innenfeindliche Einstellungen bei jungen Menschen und die Rolle von Religiosität, Kontakt und politischer Orientierung: eine empirische Studie. Hrsg. v. Arbeitsgemeinschaft der Evangelischen Jugend in Deutschland e. V. Hannover. Online verfügbar unter https://kompetenznetzwerk-i mf.de/aktivitaeten/aej-jugendstudie/, zuletzt aktualisiert am 2022, abgerufen am 17.08.2022.

Janzen, Olga/Ahrens, Petra-Angela (2022a): Islam- und Muslim:innenfeindlichkeit unter jungen Menschen in Deutschland: Eine Frage der religiösen Selbstverortung? In: Z Religion Ges Polit. DOI: 10.1007/s41682–022–00129–w.

Janzen, Olga/Ahrens, Petra-Angela (2022b): Kritik am Islam oder Muslim*innenfeindlichkeit? Empirische Einsichten zu einer schwierigen Abgrenzung. Sozialwissenschaftliches Institut der EKD. Hannover (SI Kompakt, 2*2022). Online verfügbar unter https://www.siekd.de/islamkritik-in-der-kritik/, abgerufen am 12.09.2022.

Kelly, Natasha A. (2021): Rassismus. Strukturelle Probleme brauchen strukturelle Lösungen! Zürich: Artrium Verlag.

Pickel, Gert/Celik, Kazim/Schuler, Julia/Decker, Oliver (2020b): Bedrohungsempfinden als Quelle gruppenbezogener Vorurteile durch Religionen in einer heterogenen Stadtgesellschaft. Analysen des Berlinmonitors. In: Z Religion Ges Polit 4 (1), S. 7–43. DOI: 10.1007/s41682–020–00054–w.

Pickel, Gert/Liedhegener, Antonius/Jaeckel, Yvonne/Odermatt, Anastas/Yendell, Alexander (2020a): Religiöse Identitäten und Vorurteil in Deutschland und der Schweiz – Konzeptionelle Überlegungen und empirische Befunde. In: Z Religion Ges Polit 4 (1), S. 149–196. DOI: 10.1007/s41682–020–00055–9.

Pickel, Gert/Reimer-Gordinskaya, Katrin/Decker, Oliver (Hrsg.) (2019): Der Berlin-Monitor 2019. Vernetzte Solidarität – Fragmentierte Demokratie. Springe: zu Klampen.

Pollack, Detlef (2014): Das Verhältnis zu den Muslimen. In: Christel Gärtner/Matthias Koenig/Gert Pickel/Kornelia Sammet und Heidemarie Winkel (Hrsg.): Grenzen der Toleranz. Wahrnehmung und Akzeptanz religiöser Vielfalt in Europa. Wiesbaden: Springer VS (Veröffentlichungen der Sektion Religionssoziologie der Deutschen Gesellschaft für Soziologie), S. 47–57.

Pollack, Detlef/Müller, Olaf (2013): Religionsmonitor – verstehen was verbindet. Religiosität und Zusammenhalt in Deutschland. Gütersloh: Bertelsmann Stiftung.

Rebenstorf, Hilke (2018): „Rechte" Christen? – Empirische Analysen zur Affinität christlich-religiöser und rechtspopulistischer Positionen. In: Z Religion Ges Polit 2 (2), S. 313–333. DOI: 10.1007/s41682–018–0024-z.

Rommelspacher, Birgit (2011): Was ist eigentlich Rassimus? In: Claus Melter und Paul Mecheril (Hrsg.): Rassimuskritik. Band 2: Rassismustheorie und -forschung. 2. Auflage. Schwalbach/Ts.: Wochenschau Verlag (Reihe Politik und Bildung, Band 47), S. 25–38.

Shooman, Yasemin (2014): »… weil ihre Kultur so ist«. Bielefeld: transcript.

Uslucan, Haci-Halil (2017): Diskriminierungserfahrungen türkeistämmiger Zuwanderer innen. In: Karim Fereidooni und Meral El (Hrsg.): Rassismuskritik und Widerstandsformen. Wiesbaden: Springer VS (Research), S. 129–141.

Zick, Andreas (Hrsg.) (2016): Gespaltene Mitte – feindselige Zustände. Rechtsextreme Einstellungen in Deutschland 2016. Friedrich-Ebert-Stiftung. Bonn: Dietz.

Zick, Andreas (2021b): Herabwürdigungen und Respekt gegenüber Gruppen in der Mitte. In: Andreas Zick und Beate Küpper (Hrsg.): Geforderte Mitte – feindselige Zustände. Rechtsextreme Einstellungen in Deutschland 2020/21. Bonn: Dietz, S. 181–212.

Zick, Andreas (2021a): Menschenfeindlicher Rassismus und Ungleichwertigkeitszuschreibungen. In: Andreas Zick und Beate Küpper (Hrsg.): Geforderte Mitte – feindselige Zustände. Rechtsextreme Einstellungen in Deutschland 2020/21. Bonn: Dietz, S. 141–171.

Zick, Andreas/Berghan, Wilhelm/Mokros, Nico (2019): Gruppenbezogene Menschenfeindlichkeit in Deutschland 2002–2018/19. In: Andreas Zick, Beate Küpper und Wilhelm Berghan (Hrsg.): Verlorene Mitte – feindselige Zustände. Rechtsextreme Einstellungen in Deutschland 2018/19. Bonn: Dietz, S. 53–102.

Zick, Andreas/Klein, Anna (Hrsg.) (2014): Fragile Mitte – feindselige Zustände. Rechtsextreme Einstellungen in Deutschland 2014. Friedrich-Ebert-Stiftung. Bonn: Dietz.

Zick, Andreas/Küpper, Beate (Hrsg.) (2021): Geforderte Mitte – feindselige Zustände. Rechtsextreme Einstellungen in Deutschland 2020/21. Friedrich-Ebert-Stiftung. Bonn: Dietz.

Zick, Andreas/Küpper, Beate/Berghan, Wilhelm (Hrsg.) (2019): Verlorene Mitte – feindselige Zustände. Rechtsextreme Einstellungen in Deutschland 2018/19. Friedrich-Ebert-Stiftung. Bonn: Dietz.

Zurück zur „natürlichen" Geschlechterordnung?

Theologische und theopolitische Motive im Anti-Gender-Diskurs

Von Ruth Heß

1 Einführung

Seit Mitte der 2010er-Jahre wächst die akademische wie zivilgesellschaftliche Aufmerksamkeit für Anti-Gender-Diskurse[1] kontinuierlich an. Der Fokus der interdisziplinären Analysen lag dabei zunächst auf Entwicklungslinien, Spielarten, Argumentationsstrategien und -effekten des Phänomens sowie Schlüsselfiguren und Netzwerken, die zusammen ein strategisches Dispositiv bilden, welches eine illiberale Wende in der Geschlechterpolitik herbeizuführen versucht.[2] Hinzu kamen regionale Fallstudien zur Verbreitung des Diskurses, insbesondere in Mittel-Ost-Europa.[3]

Regelmäßig rückte dabei auch der *Faktor Religion* in den Blick: So ist inzwischen gut erforscht, dass das Mitte der 1990er-Jahre ausgeprägte Anti-Gender-Dispositiv religiöse Wurzeln hat und bis heute offensiv von christlich motivierten Akteur*innen vorangetrieben wird.[4] Erste Bestandsaufnahmen über die Kontroverse „Gender – ja oder nein?", wie sie sich speziell in kirchlichen Kontexten ausprägt, liegen vor.[5] Oft zielen sie darauf, die kulturkämpferischen Anwürfe gegen „Gender" zu entkräften. Doch fragen wir einmal umgekehrt: *Von welcher Theologie lebt der religiös motivierte Anti-Gender-Diskurs selbst*? Mit welchen theologischen Motiven sucht er

---

1 „Anti-Gender" bezeichnet hier und im Folgenden jene Diskursformation, die mittels einer Stigmatisierung des Fachbegriffs „Gender" die ganze Bandbreite progressiver Geschlechterpolitiken anzugreifen versucht. Darüber, wie sie begrifflich zu fassen ist, genauer: ob sie ein eigenständiges Phänomen darstellt oder eine modernisierte Spielart des historisch älteren „Antifeminismus", führt die Geschlechterforschung kontroverse Debatten (vgl. für einen Überblick Henninger 2020: 13–19).

2 Vgl. exemplarisch Hark/Villa (²2017); Heß (2017).

3 Vgl. exemplarisch Kuhar/Paternotte (2017); Strube u. a. (2021).

4 Vgl. zu Ersterem exemplarisch Case (2019); zu Letzterem exemplarisch Stoeckl (2021) sowie unten 3.3.

5 Vgl. für den römisch-katholischen Bereich u. a. Laubach (2017); für den evangelischen Bereich Nierop (2018).

sich in Schrift und Tradition zu verankern? Und wie genau sollen diese seinen Ruf nach einer Rückkehr zur „natürlichen Geschlechterordnung" christlich begründen? Hierzu liegen bisher nur einzelne Beiträge vor;[6] ein systematischer Überblick, der die Orientierung erleichtert, fehlt noch ganz. Dies ist aus mindestens drei Gründen misslich:

1. Im religiösen Gewand lassen sich illiberale Geschlechterpolitiken von einer säkularen Öffentlichkeit offenbar nur *schwer entschlüsseln*. Wo sie undurchsichtig bleiben, entgehen sie aber auch der kritischen Reflexion. So geschehen im Zusammenhang der Rede Benedikts XVI. vor dem Deutschen Bundestag 2011.[7] Im Vorfeld höchst umstritten, erntete sie später fast durchweg Beifall, obwohl der Papst die zuvor geäußerten Bedenken – Sorge um eine Vermischung von Politik und Religion; Kritik an seiner Haltung zu Themen wie HIV/AIDS oder Homosexualität – faktisch allesamt bestätigt hatte. So beanspruchte er gleich eingangs seiner Rede selbstbewusst jene internationale Rolle, in der der Heilige Stuhl seit Jahrzehnten auf UN-Ebene und darüber hinaus federführend gegen Frauen- und Minderheitenrechte opponiert. Gegen Ende ließ er gar die komplette Geschlechtertheo/ontologie anklingen, auf der die restaurativen Positionen Roms rund um Sexualität und Ehe fußen.[8] Er tat all dies aber auf eine Weise, die vorgefasste Erwartungen subversiv unterlief und seine umstrittenen Positionen in philosophisch-theologische Chiffren kleidete.[9] Einmal in den öffentlichen Raum gelangt, ernteten diese jedoch nicht nur Standing Ovations aller Parteien im Bundestag, sondern wurden und werden von interessierten Kreisen aufgegriffen und so lange wiederholt, bis sie eine Art metapolitisches Eigenleben entwickeln – mit beachtlichen realpolitischen Folgen.

2. Seit Langem weisen Expert*innen wie Sonja A. Strube darauf hin, dass Geschlechterthemen als *zentraler Transponder recht[spopulistisch]en*

---

6 Vgl. etwa Heimbach-Steins (2004); Vinken (2006); Marschütz (2021); Werner (2021).
7 S. hierzu auch unten 3.1 und 3.2.
8 So auch Berger (2011) in einem der wenigen kritischen Einwürfe. S. ausführlich unten 3.2.
9 Es lag also ein grobes Missverständnis vor, wenn SPIEGEL Online wie viele andere Medien die Papstrede am Folgetag auf die trockene Formel brachte: „22 Minuten Philosophie und Theologie", um abschließend festzuhalten: „[V]ieles hat der Papst in seiner Rede eben auch nicht gesagt. Er hat kein Wort verloren zu Homosexuellen, kein Wort zum Missbrauch von Kindern und Jugendlichen in der Kirche, kein Wort zur Haltung der Kirche Geschiedenen und Wiederverheirateten gegenüber" (Meiritz/Wittrock 2011). Klarsichtiger diagnostizierte die konservative WELT: „Politische Rede: Wie Papst Benedikt XVI. den Bundestag überlistete" (Schmid 2011).

Denkens in bürgerliche und mehr noch christlich-kirchliche Milieus hinein dienen.[10] „Anti-Gender" zu sein und stattdessen ein „traditionelles" Verständnis von Geschlechtlichkeit zu pflegen, bildet Anknüpfungspunkt und Schnittmenge.[11] Dass die entsprechenden „Policy-Angebote"[12] etwa seitens der AfD unter manchen Christ*innen tatsächlich mit höherer Zustimmung rechnen können, hat sich inzwischen auch empirisch bestätigt.[13] In dem quantitativ ausgerichteten Teilprojekt der EKD-Verbundstudie „Politische Kultur und Kirchenmitgliedschaft" konnten Gert Pickel und andere zeigen, dass nicht Kirchenmitglieder generell, wohl aber ein bestimmter Typus christlicher Hochreligiöser signifikant stärkere Vorbehalte gegen gewandelte Geschlechterrollen sowie sexuelle und geschlechtliche Vielfalt aufweist als der Bevölkerungsdurchschnitt.[14] Die Autor*innen vermuten, dass dies auch „mit fest gefügten *theologischen* Traditionen zusammen[hängt], die eine hohe Veränderungsresistenz aufweisen"[15]. Doch welche genau sind das und wie funktionieren sie?

3. Die genannte Studie zeigt zugleich, dass es sich bei den betreffenden Kirchenmitgliedern um eine zahlenmäßig sehr kleine Gruppe handelt. In den einschlägigen kirchlichen Geschlechter-Debatten beansprucht sie jedoch eine extrem hohe Prägekraft, und zwar just dadurch, dass sie *offensiv theologisch*, als „gute" Theologie auftritt. Die progressive Fraktion trifft hingegen regelmäßig der Vorwurf, sie betreibe den Ausverkauf christlicher Werte und eine „dünne" Theologie, die allein dem Zeitgeist huldige. Diese folgenreiche Selbst- und Fremdstilisierung trat prototypisch 2013 in der Kontroverse um das sogenannte Familienpapier der EKD zutage,[16] bestimmte ein Vierteljahrhundert zuvor, 1989, aber auch schon die Ausein-

---

10 Vgl. u. a. Strube (2019).

11 Vgl. prägnant Kuhs (2018). 15 der 16 „Bekenntnisse von Christen in der AfD" nennen explizit, wenn nicht exklusiv geschlechterpolitische Gründe für ihre Parteimitgliedschaft. Die Themenpalette reicht vom Leitbild Ehe und Familie über Abtreibung bis zu Sexualpädagogik und Frauenquote und bündelt sich in Schlagworten wie „Gender-Ideologie", „Gender-Lobby", „Genderisierung" oder „Gender-Gaga" (vgl. 46, 55, 62, 67 u. ö.).

12 Püttmann (2019: 71) u. ö.

13 Vgl. Pickel u. a. (2022), zum Folgenden besonders 51–53, 75–79, 86–89, 246–251.

14 Dies unterscheidet Geschlechter-Ressentiments von allen anderen gruppenbezogenen Vorurteilen, die untersucht wurden (zum Beispiel Einstellungen gegenüber Geflüchteten, Menschen mit Behinderung).

15 A. a. O.: 87 (Hervorhebung von RH).

16 Vgl. die Dokumentation der Debattenbeiträge Kirchenamt (2013) sowie Thiessen (²2017).

andersetzung um die Bad Krozinger Synodenbeschlüsse zur Geschlechter-gerechtigkeit in der Kirche, und zwar bis in den Wortlaut hinein.[17] So schwer ihr bis heute zu entkommen scheint, so dringend gehört sie auf den Prüfstand.

Die drei Punkte zeigen, warum es sowohl geschlechter- als auch kir-chenpolitisch Not tut, die „Theologie" des Anti-Gender-Diskurses einmal genauer unter die Lupe zu nehmen. *Nach allem Gesagten muss das Ziel dabei sein, zum einen die dort einschlägigen religiös konnotierten Motive in ihrer Tragweite identifizierbar zu machen, zum anderen ihre theologische Urteilskraft kritisch zu prüfen.* Der folgende Beitrag versucht dies, indem er eine kursorische Übersicht mit ausgewählten Tiefenbohrungen verbindet: Nach einer knappen Charakterisierung und Systematisierung des Diskurs-feldes (2.) beleuchtet er mit „Naturrecht" und „Ökologie des Menschen" zwei besonders einflussreiche Diskursmotive und ihre Folgen detaillierter (3.). Eine Zusammenfassung (4.) und ein Ausblick (5.) schließen den Bogen ab. Letzterer fragt danach, wie eine dynamisierte Theologie des Geschlecht-lichen aussehen müsste, die verletztes religiöses Alltagswissen zu heilen vermag.

2 Übersicht

Wer nach der Theologie des Anti-Gender-Diskurses fragt, betritt unüber-sichtliches Gelände. Dies betrifft schon den schillernden Kreis der *Ak-teur*innen*: Er reicht von antiliberalen intellektuellen Impulsgeber*innen über Milieus frustrierter Konservativer, die sich populistisch radikalisieren, bis hin zu christlich-extremistischen Kräften, deren geschlechterpolitische „Agenda Europe" in erklärtem Widerspruch zur liberalen Demokratie steht, nebst selbsterklärten Vertreter*innen eines „rechten Christentums".[18] Daneben zeichnen sich auch die *Medien*, über die Anti-Gender sich kaska-denartig verbreitet, durch eine enorme Bandbreite aus. Sie umfasst neben Hochwerttexten mit lehramtlichem Gewicht oder wissenschaftlichem An-spruch auch bekenntnishafte Manifeste, polemische Sachbücher und Bro-schüren, Vorträge, Predigten, Webseiten, Blogs und Videos – darunter nicht

---

17 Vgl. die Plenardebatte zum Schwerpunktthema „Gemeinschaft von Männern und Frauen in der Kirche" in: Kirchenamt (1990), zum Beispiel 196, 200 f., 204, 241.
18 Vgl. hierzu paradigmatisch Dirsch u. a. (2018).

selten Einlassungen, die wissenschaftlich kaum satisfaktionsfähig, dafür medial umso wirkmächtiger sind.[19]

Angesichts dieser Gemengelage fällt auf, dass es eine *höchst überschaubare Anzahl* religiös konnotierter Motive ist, die auf allen genannten Kanälen wieder und wieder in Stellung gebracht werden. Sie können neben Rekursen auf Biblisches[20] stehen, dieses auf den Begriff zu bringen versuchen oder auch unabhängig davon auftreten. Im Kern teilen sie eine gemeinsame Stoßrichtung, nämlich die mit „Gender" verbundene Dynamisierung des Geschlechtlichen kategorisch stilllegen zu wollen. Diskurspragmatisch erfüllen sie allerdings unterschiedliche Funktionen. Daher schlage ich eine heuristische Einteilung in *drei Motivklassen* vor:

1. *Rahmengrammatiken* steuern die Theologik von „Anti-Gender" wie ein Vorzeichen vor der Klammer. Dies, indem sie die menschliche Geschlechtlichkeit in einer einzig möglichen Form, als heteronormative Zweigeschlechtlichkeit, innerhalb einer ganz und gar ursprünglichen, von Gott selbst begründeten und ein für alle Mal geordneten Sphäre – Natur und/oder Schöpfung[21] – fixieren und isolieren. Im Diskurs verbürgen die Rahmengrammatiken den Nimbus von Treue zur Tradition und gediegener Theologie.

2. *Applikationen* sorgen dagegen für ein modernisiertes Gewand. Dies, indem sie die in den Rahmengrammatiken schöpfungstheologisch festgelegte Geschlechterkonstruktion mit aktuellen, tendenziell progressiven Diskursen wie Leiblichkeit oder Naturschutz verknüpfen, ohne sie inhaltlich substanziell zu verändern. Im Diskurs stiften die Applikationen konzeptionelle Verwirrung und umgehen zugleich den ideengeschichtlichen Ballast der Rahmengrammatiken.

3. *Katalysatoren* dramatisieren den Anti-Gender-Diskurs. Dies, indem sie mittels Verfallsrhetorik und Spaltung die Auseinandersetzung um liberale Geschlechterpolitiken zu einem Kampf mit apokalyptischen Zügen stilisieren.[22] Der progressiven Gegenseite eine dämonische Übermacht zu-

---

19 Auf die methodischen Herausforderungen, die sich daraus für die Analyse ergeben, weisen treffend Claussen u. a. (2021) hin.

20 Vgl. für eine Sichtung biblischer Bezüge im Anti-Gender-Diskurs am Beispiel Joseph Ratzingers bereits Heß (2008).

21 Vgl. zur Bedeutung der entsprechenden Rahmengrammatiken „Naturrecht" und „Schöpfungsordnung" für ein „rechtes" Christentum schon Fritz (2021: 27–33).

22 Diese Strategie, die bei der Rechtfertigung des russischen Angriffskriegs auf die Ukraine eine bedeutende Rolle spielt (vgl. Elsner 2022), prägt den religiös motivierten Anti-Gender-Diskurs seit Jahrzehnten. Vgl. exemplarisch Johannes Paul II. (1995: 28

zuschreiben, lässt die Akteur*innen im Diskurs selbst als Opfer dastehen und rechtfertigt ihre aggressive Agenda als Ausdruck einer Art Notwehr im Namen der Menschenrechte.

Die folgende Skizze zeigt die gängigen Motive im Zusammenhang:

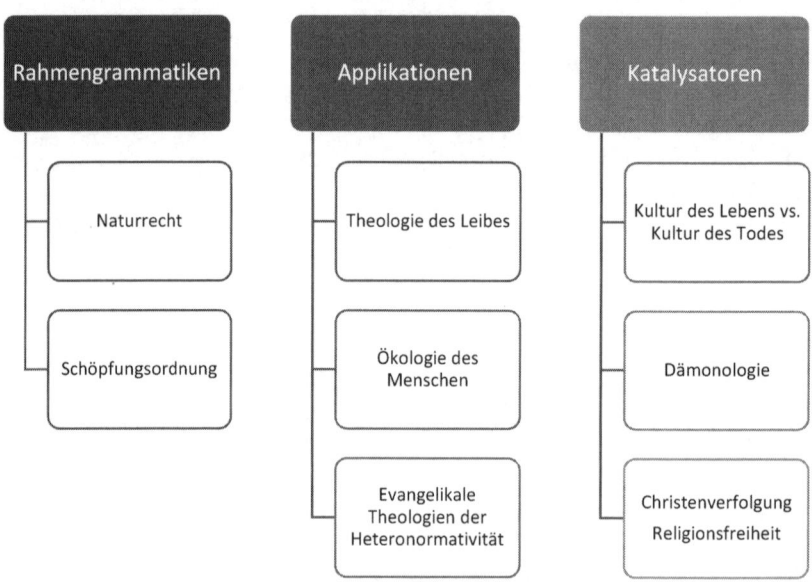

Abbildung 1: Skizze zeigt die gängigen Motive im Zusammenhang

Die große Mehrheit der Motive geht auf römisch-katholische Akteur*innen zurück: Sie stellen die eigentlich produktive Kraft im religiösen Anti-Gender-Diskurs dar,[23] während die protestantischen und weitere Akteur*innen

---

u. ö.), sowie folgende, viel zitierte Aussagen: „Der ganze Genderdreck ist ein Angriff auf Gottes Schöpfungsordnung, ist teuflisch und satanisch" (Pastor Olaf Latzel 2019). „Der große Feind der Ehe ist die Gendertheorie. Es gibt heute einen Weltkrieg, um die Ehe zu zerstören. Er wird nicht mit Waffen geführt, sondern durch ideologische Kolonialisierung" (Papst Franziskus 2016).

23 Der Fortgang wird zeigen, dass dies kein einseitig anti-katholisches „Bashing" meinen kann. Denkt man an den sogenannten Synodalen Weg in Deutschland oder an progressive Initiativen wie #OutInChurch, muss man für den römischen Katholizismus westeuropäischer Prägung ohnehin von einer Gleichzeitigkeit des Ungleichzeitigen sprechen. Nichtsdestotrotz geht es darum, die Diskursbeiträge der verschieden-konfessionellen Akteur*innen in Sachen Anti-Gender differenziert wahrzunehmen. Was die theologische Kreativität betrifft, erweisen sich die evangelikalen und orthodoxen

das dort Vorgedachte häufig einfach kopieren und verbreiten. Dass alle Motive, selbst die klar römisch-katholisch („Naturrecht") und protestantisch („Schöpfungsordnung") geprägten, konfessionell nahezu austauschbar sind, weist auf ihre theologische Entkernung hin. Doch gerade so formen sie eine „Anti-Gender-Ökumene", deren einender Grund das „schöpfungsethische" Bekenntnis zu geschlechtlicher Orthodoxie ist.[24]

3 Tiefenbohrungen

Schauen wir uns zwei der Motive, die Rahmengrammatik „Naturrecht" (3.1) und die Applikation „Ökologie des Menschen" (3.2), mitsamt ihren geschlechterpolitischen Katalysationen (3.3) genauer an, und zwar anhand einer Lektüre paradigmatischer Quellentexte. Methodisch lehne ich mich dabei an den argumentationslogischen Ansatz des Philosophen Daniel-Pascal Zorn[25] sowie an Einsichten der linguistischen Diskursanalyse[26] an.

Mit seiner „Logik für Demokraten" unternimmt Zorn den Versuch, „Populismus" so zu fassen, dass das Phänomen nicht – unfreiwillig – verdinglicht oder psychologisiert wird.[27] Unter populistischem wie unter jedem anderen Typus politischen Denkens versteht er daher nicht per se eine *inhaltlich* gefüllte Ideologie oder politische Einstellung, sondern zunächst schlicht eine „Form des *Argumentierens*", das heißt eine spezifische „Art und Weise, in einer Rede für das Gesagte Geltung zu beanspruchen."[28] Diese gilt es als solche beim Wort und unter die Lupe zu nehmen, und zwar mittels „einer genauen Aufmerksamkeit auf die konkret gegebene Rede."[29] So kann am Exempel praktisch überprüft werden, ob eine Position sich tatsächlich konsistent rechtfertigt und also Geltungskraft hat oder nicht.

Das Proprium des populistischen und in seiner Zuspitzung des totalitären (gegenüber dem demokratischen) Denkens besteht demnach in einer

---

Kräfte dabei weitgehend als Trittbrettfahrerinnen. In Sachen Politisierung und globale Verbreitung sind sie dafür umso aktiver.

24 Anschaulich zeigt dies die „Salzburger Erklärung" von 2015, die sich als ein Kompendium der genannten Anti-Gender-Motive liest und unter ihren Erstunterzeichner*innen römisch-katholische, orthodoxe, anglikanische und protestantische Akteur*innen versammelt (vgl. IKBG 2015, besonders 32 f.). Siehe außerdem unten 3.3.

25 Vgl. Zorn (2017).

26 Vgl. Niehr (2014); Spieß (2014).

27 Vgl. Zorn (2017: 33 f.).

28 A. a. O.: 35f.

29 A. a. O.: 36.

„Verabsolutierung der eigenen Perspektive", die in einen „Alleinvertretungs-anspruch" mündet.[30] Wer auf dieser Basis spricht, meint, „ohne weitere Be-gründung etwas für alle anderen festlegen zu können."[31] Wo Widerspruch dennoch aufkommt, wird er nicht argumentativ entkräftet; denn das hieße ja, alternative Optionen als denkbar anzuerkennen. Vielmehr setzt sich ein Netz an Taktiken in Gang, die ihn ins Abseits zu spielen beziehungsweise für die eigenen Zwecke zu instrumentalisieren versuchen. Mit all dem verstrickt der Populismus sich indes in (Selbst-)Widersprüche:[32] Er tritt im öffentlichen Diskurs auf und verleugnet diesen zugleich. Er äußert etwas Bestimmtes und gibt es als Ganzes aus. Dies und die sich anschließenden logischen Fehlschlüsse[33] lassen sich mit Zorn Zug um Zug aufdecken und so entzaubern.

„[E]inen populistischen Strategen entmachtet man, indem man seine Strategie für alle sichtbar offenlegt."[34] Auf dieser Linie werde ich die ausge-wählten Motive nachfolgend in aller Kürze motivgeschichtlich einordnen, bevor ich ihre Machart am Quellentext engmaschig nachzuzeichnen versu-che. Denn: Erst eine möglichst nüchterne Rekonstruktion ist die Bedingung der Möglichkeit von Dekonstruktion.[35]

3.1 Die Rahmengrammatik „Naturrecht"

Eine, wenn nicht die zentrale Rahmengrammatik im Anti-Gender-Diskurs, ist zweifellos die des „Naturrechts". Sie unterliegt zahllosen lehramtlichen Schreiben zur Sexualmoral, wurde aber seit einigen Jahren insbesondere von Joseph Ratzinger, dem jüngst verstorbenen Papst Benedikt XVI., neu und offensiv in Stellung gebracht, und zwar just gegen „Gender".[36] In dieser Fassung wirkt sie implizit oder explizit auch weit in den evangelikalen Bereich hinein.[37]

---

30 A. a. O.: 40 f.
31 A. a. O.: 20.
32 Vgl. besonders a. a. O.: 194–203.
33 Vgl. a. a. O.: 40–71, 287–303.
34 A. a. O.: 93.
35 Vgl. ähnlich Claussen u. a. (2021).
36 Die strategischen wie inhaltlichen Grundzüge von dessen Kulturkampf gegen Indivi-dualismus, Liberalismus et cetera liegen bereits seit 1985 frappierend klar zutage: vgl. Messori/Ratzinger (1985), zur Sexualmoral besonders Kapitel 6.
37 Vgl. exemplarisch Raedel (2013, besonders 169 f.).

3.1.1 Natur spricht

2011 plädierte der damalige Papst in seiner bereits erwähnten Bundestagsrede über „die Grundlagen des freiheitlichen Rechtsstaats" ausdrücklich für die Wiederbelebung eines Naturrechtsdenkens, das hinter die „dramatische Veränderung" der letzten fünfzig Jahre zurückführt.[38] Im Fokus steht damit sofort jene Epoche, in der sich die Demokratien westlicher Prägung allmählich liberalisierten, nicht zuletzt geschlechterpolitisch. Diese Entwicklung verdankte sich unter anderem der Einsicht, dass der Geschlechtskosmos in all seinen Schichtungen – vom Geschlechterverhältnis bis hin zum Geschlechtskörper – keineswegs so „natürlich" geordnet ist, wie immer wieder behauptet. Solchem „Gender Trouble" hält der Papst kategorisch entgegen: „Wir müssen auf die Sprache der Natur hören und entsprechend antworten."[39] Die Natur solle „wieder in ihrer wahren Tiefe, in ihrem Anspruch und mit ihrer Weisung erscheinen."[40] Und so macht Benedikt sich daran, das Naturrechtsdenken aus der Schmuddelecke einer „katholische[n] Sonderlehre"[41] zu befreien und zu altem Glanz zu bringen.

Nun ist das Motiv des Naturrechts bekanntlich bereits seit seiner Entstehung in der Antike höchst vieldeutig.[42] Seine (formale) Funktion besteht seit jeher darin, eine geltendem Recht und Moral vor- und übergeordnete Größe des eigentlich Gerechten festzuhalten, an der sich menschliche Setzungen und Handlungen zu messen haben, die sie rechtfertigt oder kritisiert. Wie dies jedoch inhaltlich zu fassen ist, schillert und hängt entscheidend davon ab, was unter *Natur* und unter *Recht* verstanden wird. So konnte das *natürlich Richtige* wahlweise in den Vitalkräften der Natur selbst, in einer göttlichen Ordnung, in der menschlichen Autonomie verankert werden; seine Anrufung konnte gegenüber dem Status Quo restaurative oder revolutionäre Züge tragen, es konnte religiös imprägniert oder ausgesprochen profan ausgerichtet sein. Spätestens mit der Aufklärung wurde zudem die Frage nach der Erkennbarkeit einer solchen metaphysischen Größe und das Problem ihres zirkulären Charakters unausweichlich.

All dies beschäftigt – jedenfalls seit dem 2. Vaticanum und bis heute – auch die römisch-katholische Theologie,[43] von der evangelischen ganz zu

---

38 Benedikt XVI. (2012: 26, 30).
39 A. a. O.: 32.
40 Ebd.
41 A. a. O.: 30.
42 Vgl. zum Folgenden zusammenfassend Wolf/Wolf (1960).
43 Vgl. exemplarisch Herr (1972); Goertz (2014).

schweigen.[44] Der junge Ratzinger selbst unterstrich 1964 mit Verve die kon-
stitutive Geschichtlichkeit des Naturrechtsdenkens und kritisierte dessen
Gerinnen zu einem „Pseudonym", welches, unter der Hand vermischt mit
„Ideen der verflossenen Jahrhunderte", die katholische Sozialethik dominie-
re.[45] Es verursache eine „starke Option in Richtung auf das Konservative"
und „hat wohl auch zur Folge, dass die Sozallehre der Päpste [...] die
Menschen des technischen Milieus kaum zu treffen vermochte."[46] Demgegenüber insistierte er darauf, dass das *von Natur Rechte* „nicht im Sinne
einer überzeitlichen Formel" gefasst, sondern „je in den neuen Tatsachen
neu gefunden werden muss."[47]

Von solchen Problemanzeigen ist 2011 nichts mehr zu spüren. Der späte
Ratzinger präsentiert ein *Naturrecht im Singular*, indem er eine große
Synthese aufspannt. Sie führt bruchlos vom alttestamentlichen König Salo-
mo bis zum Grundgesetz der Bundesrepublik Deutschland und vom Sein
zum Sollen. Im Zentrum steht eine „objektive Vernunft, die sich in der
Natur zeigt", der subjektiven Vernunft aller Menschen erschlossen sei und
sie unbedingt verpflichte.[48] An diesem „Gesetz der Wahrheit" hätten auch
Politik und Gesetzgebung sich auszurichten – namentlich da, wo es um „die
grundlegenden anthropologischen Fragen" gehe, für die das demokratische
Mehrheitsprinzip, so der frühere Papst, nicht genüge.[49]

Es ist nichts Geringeres als ein *universaler Deutungsanspruch*, den Benedikt hier erhebt. Keinesfalls will er seine Konstruktion bloß *religiös*
verstanden wissen (auch wenn die behauptete Harmonie von Sein und
Sollen letztlich „in der schöpferischen Vernunft Gottes"[50] wurzeln müsse).
Anders als andere Religionen schreibe das Christentum damit aber keine
partikulare „Rechtsordnung aus Offenbarung" vor, sondern reihe sich, indem es „Vernunft und Natur in ihrem Zueinander als die *für alle* gültige
Rechtsquelle" beanspruche, in vorchristliche Ideen aus Philosophie und
Recht ein.[51]

Freilich begründet der Verweis auf die noch so klassische *Herkunft* einer
These keineswegs deren *Geltung*. Insofern ist bis hierher argumentativ noch

---

44 Vgl. hierzu Tanner (1993: 38–53).
45 Ratzinger (1964: 29).
46 Ebd.
47 Ebd.
48 Benedikt XVI. (2012: 32 f.).
49 A. a. O.: 28.
50 A. a. O.: 29.
51 A. a. O.: 28, 29 (Hervorhebung von RH).

nichts gewonnen. Doch eine weitere Begründung seiner Position scheint Benedikt für entbehrlich zu halten. Eine Auseinandersetzung mit relevanten Einwänden fehlt ganz. Damit stehen diese indes weiter im Raum. Ganz ohne diskursive Plausibilisierung kommt der Papst also nicht aus. Tatsächlich versucht er dies – nur eben nicht substanziell von innen, sondern zunächst[52] kontrastiv von außen, indem er verschiedene *Negativfolien* um sich herum aufbaut. Schon seine Inanspruchnahme antiker Rechtsphilosophie lebt ja von dem „Gegensatz zu anderen großen Religionen", der das Christentum als quasi „neutrale" Religion dastehen lässt. Daneben beschwört Benedikt offensiv zwei Gefährdungsszenarien herauf, welche das, was er selbst vorschlägt, als einziges Bollwerk gegen Extremismus und Entmenschlichung erscheinen lassen. Im Politischen soll die NS-Diktatur illustrieren, was drohe, wenn der Staat seine Bindung durch das Naturrecht missachte. Er mutiere zur „Räuberbande"[53] (Augustin), die Unrecht als Recht ausgebe und umgekehrt. Im Philosophischen zeichnet der Heilige Vater die Abgründe eines rein positivistischen Natur- und Vernunftverständnisses, das alles Lebendige auf seine Funktionalität reduziere.[54] Es erzeuge eine „Kulturlosigkeit", die „radikale Strömungen" befördere, ja letztlich die „innere Identität Europas" bedrohe.[55] Die Alternative lautet also: Zustimmung oder Katastrophe – tertium non datur. Dass dies nichts anderes als ein „falsches Dilemma" ist, zeigte Ratzinger selbst schon 1964.

3.1.2 Vergewaltigung der Schöpfungsnatur

„Wir müssen auf die Sprache der Natur hören und entsprechend antworten." Was dies politisch konkret heißen soll, lässt die Bundestagsrede seltsam offen. Doch deutet sich zwischen den Zeilen an, was die päpstlichen Reden seit Langem durchzieht: dass Benedikt unter jenen naturrechtlich einschlägigen „Grundfragen des Rechts, in denen es um die Würde des Menschen und der Menschheit geht"[56], im Klartext *Geschlechter*politisches

---

52 Ein zweiter Anlauf Benedikts, die eigene Konstruktion zu plausibilisieren, nämlich durch rhetorische Modernisierung, wird uns unten 3.2 mit dem Motiv einer „Ökologie des Menschen" weiter beschäftigen.

53 A. a. O.: 28; vgl. 27 f.

54 Vgl. für eine scharfe Kritik an dieser Darstellung Albert (2012). Zu Benedikts Rekurs auf den Wiener Rechtstheoretiker Hans Kelsen Bugiel (2021: 136–138).

55 Benedikt XVI. (2012: 31, 33).

56 A. a. O.: 28.

versteht.[57] Explizit wird dies in einem kurzen Essay aus dem Jahr 2015, in dem der Papst sich scharf gegen die „Ehe für alle" wendet.[58] Wo sie legalisiert werden soll, geht es seines Erachtens nicht um ein Mehr oder Weniger an Toleranz, sondern ums Ganze, die Menschenwürde selbst.

Um dies plausibel zu machen, bemüht Benedikt wiederum zwei klassisch naturrechtlich grundierte Argumentationslinien. Sie folgen demselben Schema wie seine Bundestagsrede. Zunächst macht er einen „consensus gentium", eine *Übereinstimmung der Kulturen* hinsichtlich Ehe und Familie, geltend. Dass „die Gemeinschaft von Mann und Frau und die Offenheit für die Weitergabe des Lebens das Wesen dessen ausmachen, was man Ehe nennt", gilt ihm als „Urgewissheit" und „Selbstverständlichkeit", die die ganze Kulturgeschichte durchziehe. Das Projekt der „homosexuellen Ehe" – Benedikt setzt den Ausdruck konsequent in Anführungszeichen – stelle demgegenüber eine „kulturelle Revolution" dar, „die sich der gesamten bisherigen Tradition der Menschheit entgegensetzt."

Erneut sehen wir hier den Ausgriff auf eine Tradition, die homogenisiert und bis in den Wortlaut hinein mit der Position Roms identifiziert wird. Doch auch ein solches „Argument der Masse" – dass viele vermeintlich schon immer das Gleiche dachten – könnte allenfalls empirisch evident sein, nicht jedoch eine über sich selbst hinausreichende Wahrheit begründen, wie Benedikt dem demokratischen Mehrheitsprinzip 2011 ja selbst attestierte.[59] Alle Menschen aller bisherigen Zeiten könnten sich ebenso gut geirrt haben und taten dies offenkundig auch immer wieder – man denke an die lange Zeit naturrechtlich legitimierte Sklaverei.

Und so wechselt der Papst denn auch vom historischen ins systematische Register, indem er das Herzstück aller lehramtlichen Geschlechtertheo/ontologie ansteuert – die unbedingte *Koppelung von Sexualität und Fortpflanzung.* In ihrem Hintergrund steht die scholastische Vorstellung, dass die Natur von Gott auf vernünftige Zwecke hin ausgerichtet ist, denen alle menschlichen Handlungen, sollen sie als moralisch „gut" gelten, zu entsprechen haben. Aus der natürlichen Neigung zur Arterhaltung folgt demnach, dass Sexualität auf Fortpflanzung zu zielen hat, was nachhaltig nur in der

---

57 Siehe auch unten 3.2.

58 Vgl. zum Folgenden Benedikt XVI. (2015: o. S.). Unter der Überschrift „Rendere giustizia di fronte a Dio del compito affidatoci per l'uomo" entstand der Text als Einleitung für den italienischen Sammelband „La vera Europa: Identità e Missione", der Reden Ratzingers zu Europa enthält. Ich verwende im Folgenden die erstmals in der Tagespost erschienene, autorisierte Übersetzung ins Deutsche.

59 Solcher Anspruch wird von diesem freilich gar nicht erhoben.

dauerhaften heterosexuellen Einehe geschehen könne. Wo diese Teleologie durchbrochen wird, gerät für Benedikt der ganze Geschlechtskosmos aus den Fugen. So geschehen mit der „Erfindung der Pille", in deren Gefolge plötzlich „alle Formen der Sexualität gleichberechtigt" erschienen. „Es gibt keinen grundsätzlichen Maßstab mehr."

Doch damit nicht genug. In der päpstlichen Optik setzt sich der amoralische Dominoeffekt, einmal begonnen, weiter fort. Der Heilige Vater schreibt: „Wenn zunächst Sexualität von der Fruchtbarkeit getrennt wird, dann kann umgekehrt natürlich auch die Fruchtbarkeit ohne die Sexualität gedacht werden." Im Zuge dessen werde der Mensch aber von einer „geschenkte[n] Gabe" zu einem „geplante[n] Produkt unseres Machens", welches, so die finale Zuspitzung, eigenmächtig auch wieder vernichtet werden könne, etwa im Suizid.

Was passiert hier? Im Kern will Benedikt offensichtlich einen Kausalzusammenhang geltend machen, der von der Entwicklung hormoneller Empfängnisverhütung *notwendig* zur Anerkennung von Homosexualität zur Reproduktionsmedizin zur Sterbehilfe führe. Doch nichts an dieser eigenartigen Kette ist so „logisch", wie behauptet.

Zur Erinnerung: Es geht um die Legalisierung der „Ehe für alle", die Benedikt vehement ablehnt. Doch schon auf der ersten Stufe der geschilderten Abwärtsbewegung verschwindet die Emanzipation Homosexueller, die nebenbei bemerkt lange vor dem sogenannten Pillenknick aufkam und noch lange nach ihm unterdrückt blieb, im Nebel eines *angeblich totalen Sexualrelativismus*, der Schlimmes ahnen lässt. Er entpuppt sich seinerseits als klassischer Pappkamerad, denn tatsächlich existiert die Sexualethik seit der Pille immer noch, sie diskutiert nur einfach andere Kriterien als allein das der Fertilität, allen voran die Konsensualität und liebende Verbindung zwischen den Sexualpartner*innen.[60] Die zweite Eskalationsstufe leitet Benedikt durch eine rhetorische Umkehrung ein, die ihn auf das hoch kontroverse Feld der Bioethik katapultiert. In der Folge werden unterschiedliche Phänomene, die im Einzelnen ethisch durchaus diskussionswürdig sein mögen, assoziativ ineinandergeschoben und zu einem großen Dammbruch verschmolzen.

„Sinn" ergibt diese Aufstellung nur dann, wenn man die *unterliegende Matrix* in Rechnung stellt – Benedikts Furor gegen den liberalen Bewusstseinswandel der vergangenen Jahrzehnte, der das Selbstbestimmungsrecht jedes Individuums als Ausdruck seiner Menschenwürde auch im

---

60 Vgl. etwa Dabrock u.a. (2015); Schockenhoff (2021).

Geschlechtlichen anerkennt. Er ist sein eigentlicher Antipode. Ihn beklagt und bekämpft er als „Verbildung des Gewissens, die offenbar tief in die Kreise des katholischen Volkes hineinreicht". Doch statt sich mit ihm transparent auseinanderzusetzen, stilisiert er ihn zu einem neuerlichen und nun gar mehrstufigen Bedrohungsszenario, das in den Abgrund führe. Hier wiederholt sich das rhetorische Muster der Bundestagsrede: Zustimmung oder Katastrophe. In dieser Optik interessiert die „Ehe für alle" nicht mehr in ihrem Eigensinn, als eine Rechtsform, in der konkrete Menschen ihr Zusammenleben verantwortlich gestalten wollen, sondern allein, insofern sie sich zum Symbol einer vermeintlich perversen Destruktion instrumentalisieren lässt, die der Menschwürde selbst Gewalt antue und sie in ihrer Existenz bedrohe.

Benedikts letzte Wendung, die faktisch seine erste ist, führt ihn ins *Theologische*. Die ausgemalte „schiefe Ebene" wurzele am Ende darin, dass der Mensch den Schöpfergott verleugne und mit ihm die eigene Schöpfungsnatur. „Wo der Schöpfungsgedanke preisgegeben wird, ist die Größe des Menschen preisgegeben, seine Unverfügbarkeit und seine alle Planungen übersteigende Würde." So viel Pathos in diesen Worten steckt, so reduziert erscheinen sie theologisch: Der späte Ratzinger unterwirft seine Geschlechtertheo/ontologie dem ersten Artikel, schließt diesen mit einer historisch überkommenen Sexualteleologie kurz und stellt in deren Zentrum allein (!) den Fortpflanzungszweck. Dagegen forderte der frühe Ratzinger von einer gehaltvollen katholischen Soziallehre noch ein Doppeltes – dass sie (1) nicht „von einem vorgefassten Tatsachen-Soll" ausgehe, „ohne die Wirklichkeit hinlänglich genau zu prüfen", und dass sie (2) „wirklich de[n] Leitfaden des *Evangeliums* redlich und nüchtern auf die konkreten Sozialtatsachen" beziehe.[61] Hieran lassen sich wichtige Rückfragen anschließen und in evangelischer Perspektive vertiefen. Um nur drei zu nennen: Wie ist es (1) um den Geist einer Theologie bestellt, die die Lebenswirklichkeit von Menschen ausschließlich kulturkämpferisch verzwecken kann? Entspricht es (2) dem biblischen Zeugnis, ausgerechnet die sexuelle Reproduktion zum Inbegriff des christlichen Ethos zu machen? Und wo bleibt (3) die Realität der Sünde, aber auch die von Versöhnung und Erlösung, die nicht nur unser Erkennen fundamental brechen und unter einen Bewahrheitsvorbehalt stellen, sondern auch unser Menschsein selbst zutiefst transformieren und auf Freiheit und Zukunft ausrichten.

---

61 Ratzinger (1964: 28) (Hervorhebung im Original).

„Religion als Wertespeicher" – so hat der evangelische Theologe Ingolf U. Dalferth die „katholische Denkform" am Beispiel des verstorbenen Papstes charakterisiert.[62] Aber, so Dalferth weiter: „Im Diskurs ist der Rekurs auf Werte immer ein Rekurs auf *strittige* Werte, und das gilt auch für Grundwerte wie Menschenwürde, Freiheit oder Recht auf Leben."[63] Die bloße Behauptung, man habe diese nicht selbst er-, sondern in der Schöpfungsnatur vorgefunden, kann ihre Strittigkeit nicht ausräumen. Und so bleiben am Ende tatsächlich wenig mehr als eine dogmatisch gesetzte, aber eigenartig kaschierte Geschlechtertheo/ontologie und das Schüren moralischer Panik.

3.2 Die Applikation „Ökologie des Menschen"

Das Motiv, welches Ratzingers Naturrechtsdenken explizit mit „Gender" verklammert, ist das einer „Ökologie des Menschen". Als Applikation versieht es die lehramtliche Geschlechtertheo/ontologie zugleich mit einem auf den ersten Blick zeitgemäßeren Gewand, indem es sie mit dem Anliegen des Umweltschutzes parallelisiert.

So auch in der *Bundestagsrede von 2011*: Gegen deren Ende kam Benedikt, für viele überraschend, auf das „Auftreten der ökologischen Bewegung in der deutschen Politik seit den 70er Jahren"[64] zu sprechen. Er würdigte emphatisch deren Drängen, die Natur zu achten und zu schützen, als „Schrei nach frischer Luft"[65], identifizierte ihn stillschweigend mit seiner Verteidigung des „Naturrechts", um ihn schließlich auf das Menschsein selbst zu beziehen:

> „Die Bedeutung der Ökologie ist inzwischen unbestritten. Wir müssen auf die Sprache der Natur hören und entsprechend antworten. Ich möchte aber nachdrücklich auf einen Punkt hinweisen, der nach wie vor [...] ausgeklammert scheint: *Es gibt auch eine Ökologie des Menschen.* Auch der Mensch hat eine Natur, die er *achten* muss und die er *nicht beliebig manipulieren* kann."[66]

---

62 Dalferth (2008: 54, vgl. 53–55).
63 A. a. O.: 55 (Hervorhebung von RH).
64 Benedikt XVI. (2012: 31).
65 Ebd.
66 A. a. O.: 32 (Hervorhebungen von RH).

Daraus, so der Papst, folgt die unbedingte Weisung, dass der Mensch „sich annimmt, als der, der ist und der sich nicht selbst gemacht hat."[67] Was das bedeutet, zeigt erneut der schon betrachtete *Essay von 2015*. Auch er wartet mit dem Motiv der „Humanökologie" auf. In einer zu 2011 zunächst parallelen, dann drastisch zugespitzten Formulierung vermerkt Benedikt:

> „Die Ökologische Bewegung hat die Grenze der Machbarkeit entdeckt und erkannt, dass die ‚Natur' uns ein Maß vorgibt, das wir nicht unge-straft ignorieren können. *Leider ist die ‚Ökologie des Menschen' noch immer nicht konkret geworden.* Auch der Mensch hat eine ‚Natur', die ihm vorgegeben ist und deren *Vergewaltigung* oder *Verneinung* zur *Selbst-zerstörung* führt. Gerade darum geht es auch im Fall der Schöpfung des Menschen als Mann und Frau, die im Postulat der ‚homosexuellen Ehe' ignoriert wird."[68]

Dass Benedikt hier konkret an die reproduktive heterosexuelle *Ehe* denkt, die er geschlechterpolitisch gegen eine Öffnung für gleichgeschlechtliche Paare schützen zu müssen meint, sahen wir. Während seine naturrechtliche Argumentation dazu jedoch gezwungen wirkte, lässt das Motiv der „Ökolo-gie des Menschen" als Metapher die *„Ehe für alle"* im Handstreich wie einen gewaltsamen Raubbau an der menschlichen Natur aussehen: Gleichstellung als Vergehen an der Menschlichkeit.

Der Gedankengang, der sich in beiden Fällen abzeichnet: affirmative Anknüpfung an die Ökologie → metaphorische Wendung ins Anthropo-logische → Identifikation mit einer natürlich-moralischen Struktur im Menschen → geschlechtertheologische Konkretion → geschlechterpolitische Konklusion, kehrt in fast allen päpstlichen Rekursen auf das Motiv einer „Ökologie des Menschen" wieder. Aurica Nutt hat ihre Chronologie nach-gezeichnet:[69] Schon in der 1991 erschienenen *Enzyklika „Centesimus annus"* schreibt Johannes Paul II., freilich in einem noch viel selbstbewusster na-turrechtlichen Zungenschlag:[70]

> „Während man sich mit Recht [...] darum kümmert, die natürlichen Lebensbedingungen der verschiedenen vom Aussterben bedrohten Tier-arten zu bewahren, [...] *engagiert man sich viel zu wenig für die Wah-*

---

67 Ebd.
68 Benedikt XVI. (2015: o. S.) (Hervorhebungen von RH).
69 Vgl. Nutt (2016). Zuletzt nahm auch Papst Franziskus, anknüpfend an seinen direkten Vorgänger, das Motiv auf, allerdings, so Nutt, stark relativierend.
70 Zum Folgenden Johannes Paul II. (1991: 38 f.) (Hervorhebungen von RH).

rung der moralischen Bedingungen einer glaubwürdigen ‚Humanökologie'. Nicht allein die Erde ist von Gott dem Menschen gegeben worden, dass er von ihr unter Beachtung der ursprünglichen Zielsetzung des Gutes, das ihm geschenkt wurde, Gebrauch machen soll. Aber der Mensch ist sich selbst von Gott geschenkt worden; darum muss er die *natürliche und moralische Struktur, mit der er ausgestattet wurde, respektieren.*"

Diese schutzbedürftige Humanstruktur wird hier vornehmlich auf die „Aufgabe", ja „Verpflichtung" zur *Zeugung von Kindern* (natürlich innerhalb der ehelichen Bindung) bezogen, die durch Individualismus und eine „Kultur des Todes"[71] verdunkelt werde. Geschlechterpolitisch stehen dementsprechend *Abtreibung* und *Geburtenkontrolle* im Fokus, deren Förderung im Rahmen der Entwicklungshilfe Johannes Paul mit dem kriegerischen Einsatz von Chemiewaffen vergleicht.

2008, drei Jahre *vor* seiner Rede im deutschen Bundestag, bringt sein Nachfolger in einer *Weihnachtsansprache an die römische Kurie* das Motiv der „Ökologie des Menschen" schließlich explizit gegen „Gender" in Stellung.[72] Wieder heißt es:

„Es muss so etwas wie eine Ökologie des Menschen im recht verstandenen Sinn geben. [...] Die Regenwälder verdienen unseren Schutz, ja, aber nicht weniger der Mensch als Geschöpf, dem eine *Botschaft eingeschrieben* ist." Daraus folge: „Es ist nicht überholte Metaphysik, wenn die Kirche von der *Natur des Menschen als Mann und Frau* redet und das *Achten* dieser Schöpfungsordnung[73] einfordert. Da geht es in der Tat um den Glauben an den Schöpfer und das Hören auf die Sprache der Schöpfung, die zu missachten *Selbstzerstörung* des Menschen und so *Zerstörung von Gottes eigenem Werk* sein würde."

Als Inbegriff solch destruktiver „Selbstemanzipation des Menschen", die es geschlechtertheologisch und -politisch zu bekämpfen gilt, versteht der Papst nun „Gender". Neben Ehe und Fortpflanzung rückt damit auch die (natürlich schon immer vorausgesetzte) *Zweigeschlechtlichkeit als unhintergehbare Dualität von Mann und Frau* eigens ins Portfolio der vermeintlich gefährdeten Güter menschlicher Natur ein.

---

71 Siehe oben 2.
72 Zum Folgenden Benedikt XVI. (2008) (Hervorhebungen von RH).
73 Siehe oben 2.

Wie stellt sich die Applikation „Ökologie des Menschen" als Baustein einer Anti-Gender-Theologie also dar? Wie bereits bemerkt, bringt sie (1) eine zunächst *rhetorische Modernisierung* mit sich. Tatsächlich ist der Begriff *Humanökologie* keine originäre Wortschöpfung der Päpste. Vielmehr spielt er auf eine seit den 1920er-Jahren *etablierte Forschungsrichtung* an, die sich inter- und transdisziplinär mit den Wechselbeziehungen von Mensch, Gesellschaft und Umwelt beschäftigt.[74]

Biologische und soziokulturelle Perspektiven greifen dabei stets wechselseitig ineinander. Im Mittelpunkt stehen Themen wie Bevölkerungsentwicklung, Ernährungssicherheit, Ressourcennutzung, Gesundheit und Klimawandel, wobei Genderaspekte längst eine selbstverständliche Rolle spielen.[75]

Mit Phänomenen wie dem Artensterben stellen sich der Humanökologie auch *ethische* Fragen. Sie verzichtet aber auf metaphysische Letztbegründungen.[76] An keiner Stelle geht es um eine passive Entsprechung des Menschen gegenüber natürlichen Vorgaben, sondern darum, zwischen „biologischen Grundbedürfnissen und kulturell moderierten Lebensansprüchen der Art *homo sapiens* und [...] der Biosphäre"[77] aktiv zu vermitteln. Erst recht kommt keine moralische Struktur in Betracht, die ein Gott der Menschennatur eingeschrieben hat und deren Kern und Stern die ungehinderte Fortpflanzung ist. So mag es nicht verwundern, dass die Einlassungen der Päpste in der wissenschaftlichen Humanökologie, soweit ich sehe, keinerlei Resonanz gefunden haben.

Die religiöse Rede von einer „Ökologie des Menschen", die als Bollwerk gegen „Gender" diene, eignet sich mithin einen komplexen *progressiv konnotierten* Diskurs an und nutzt dessen Nimbus – gegen sein Selbstverständnis – für die eigenen, gleichbleibend restaurativen Absichten. Tessa Lewin hat dies treffend als „discourse capture" beschrieben.[78]

---

74 Vgl. kompakt Glaeser (2021).

75 Vgl. Franz-Balsen/Teherani-Kroenner (2005).

76 Vgl. Glaeser (2021: 30).

77 A. a. O.: 39 (Hervorhebung im Original).

78 Lewin (2021: 253 u. ö.) – Vielleicht erklärt sich so die eingangs erwähnte Verwirrung um Benedikts Bundestagsrede von 2011. Sein Eintreten auf die ökologische Frage wurde ja weithin als überraschendes „Lob" für „seine Kritiker von den Grünen" verstanden, sein Einwurf, er wolle „nicht Propaganda für eine bestimmte politische Partei machen – nichts liegt mir ferner als dies" (Benedikt XVI. 2012: 32), als Scherz: „Bei diesem Papst darf sogar gelacht werden" (Meiritz/Wittrock 2013). Womöglich war sie aber schlicht ernst gemeint.

Die Wirkung der Applikation lässt sich aber noch genauer fassen: Aus der Perspektive linguistischer Diskursanalyse erscheint sie als „konzeptuelle Metapher" mit argumentativer Potenz.[79] Als solche leistet sie (2) auch ein bestimmtes *inhaltliches „Ausbeuten von Assoziationen"*[80], die mit dem Begriff *Ökologie* aufkommen.

Konzeptuelle Metaphern plausibilisieren ein Konzept durch ein anderes, indem sie die Bedeutungsgehalte eines Herkunftsbereichs (source) auf einen Zielbereich (target) projizieren.[81] Damit taucht *stillschweigend* ein ganzer Horizont an Implikationen auf, der nicht nur das Denken, sondern auch das Fühlen und Wollen anspricht und so wahrnehmungs- und handlungsleitend wirken (kann). Wie dies mit Blick auf das päpstliche Motiv einer „Ökologie des Menschen" aussieht, verdeutlicht die folgende Graphik:

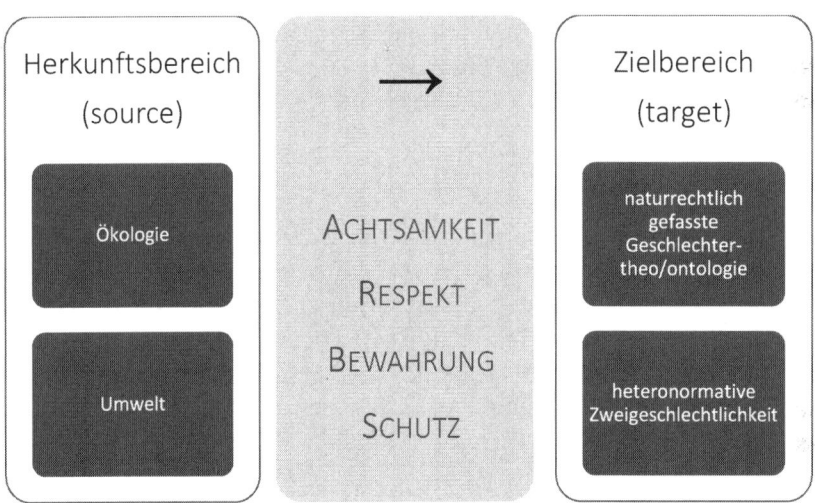

Abbildung 2: Skizze zeigt die argumentative Potenz der Metapher „Ökologie des Menschen"

Mit dem Begriff *Ökologie* kommt ein „Hochwertwort"[82] unserer Zeit ins Spiel, dessen Dynamik metaphorisch mit dem Anti-Gender-Diskurs ver-

---

79 Das linguistische Konzept geht entscheidend auf George Lakoffs und Mark Johnsons Studie „Metaphors We Live By" (1989) zurück.
80 Niehr (2014: 87, 91).
81 Vgl. zum Folgenden a. a. O.: 93–95, 99 f.; Spieß (2014: 35–39).
82 Vgl. Niehr (2014: 90 f.).

knüpft wird. So entsteht der Eindruck von existenziell dringlicher Gefährdung einerseits, wohlwollender Verantwortungsübernahme andererseits.[83]
Das Motiv einer „Ökologie des Menschen" lässt die propagierte heteronormative Zweigeschlechtlichkeit als bedrohte Spezies betrachten und empfinden, eine Zuschreibung, die wiederum folgern lässt, man müsse ihr mit
Achtsamkeit und Respekt begegnen und Schutz und Bewahrung vor Gefährdung angedeihen lassen. Dies sicherzustellen, dient sich die naturrechtlich gefasste Geschlechtertheo/ontologie an. Wo sie hingegen infrage gestellt wird, allem voran durch „Gender", wird, gleichsam auf der Rückseite
der Metapher und im Laufe der Zeit immer vehementer, ein Schreckenssze-
nario aus Manipulation, Vergewaltigung, ja Zerstörung der Menschennatur
mobilisiert.

Die Applikation wirkt so als „implizite Argumentation"[84]: Sie nimmt
metaphorisch *für* das Zielkonzept (und *gegen* seine Konkurrenz) ein, ohne
dies nachvollziehbar begründen zu müssen, und stützt so ganz entscheidend die argumentativen Schwachstellen der Rahmengrammatik „Naturrecht".

Keiner dieser Effekte verdankt sich (3) *theologischer* Reflexion. Auch
die Redundanz der Darstellung sowie die Austauschbarkeit, mit der un-
terschiedlichste geschlechterpolitische Konfliktfelder – von Lebensformen
über Abtreibung und Empfängnisverhütung bis zu Geschlechterrollen und
Zweigeschlechtlichkeit – über den immer gleichen Leisten geschlagen werden, zeigen, wie reduktionistisch die Applikation „Ökologie des Menschen"
als Ganze ist. Anti-Gender riegelt den Geschlechtskosmos hermetisch ab
und verknüpft alles mit allem, sodass schon der kleinste Riss das Ganze
kollabieren zu lassen scheint. Die Wacht davor hält indes keine Theologie,
sondern ein vitalistisches Primat der Fortpflanzung.

Die theologische Entkernung, die in all dem sichtbar wird, erweist sich
(4) strategisch als vorteilhaft. Indem die Applikation „Ökologie des Menschen" nicht nur den motivgeschichtlichen Ballast, der die Rahmengrammatik „Naturrecht" unumgänglich heimsuchen muss, abstreift, sondern
jegliche theologische Differenzierung, erhöht sie die Integrationskraft des
religiös motivierten Anti-Gender-Diskurses. Auf ihrer Basis lassen sich
die Reihen nach innen schließen, nach außen erweitern. Nicht umsonst
stellt die „Ökologie des Menschen" das Leitmotiv der bereits erwähnten

---

83 Vgl. zum folgenden Wortfeld nochmals die oben zitierten Quellen.
84 A. a. O.: 99.

„Salzburger Erklärung" dar, die Anti-Gender-Akteur*innen aus den unterschiedlichsten Denominationen vereint.[85] Nicht umsonst findet sie sich bei einer Autorin wie Birgit Kelle wieder, deren Anti-Gender-Polemiken auch in nicht-religiöse Milieus hineinwirken.[86]

3.3 Die theopolitische Agenda „Zurück zur natürlichen Ordnung"

Die naturrechtlich gefasste Geschlechtertheo/ontologie, die insbesondere Joseph Ratzinger in immer neuen Anläufen vorgetragen hat, bleibt nicht folgenlos, sondern inspiriert andere. Zivilgesellschaftliche Akteur*innen, die sich unter dem Dach von „Anti-Gender" mit ihm einig wissen, versuchen sie in reale Geschlechterpolitik umzusetzen – durchaus mit Erfolg. Dies gilt insbesondere für die Region Mittel-Ost-Europa, wo sich in den vergangenen Jahren eine ganze Reihe antiliberaler Gesetzesinitiativen durchgesetzt hat: extreme Verschärfungen des Abtreibungsrechts (Polen); Verfassungsänderungen, die die Ehe exklusiv als Verbindung zwischen Frau und Mann festschreiben (Slowakei); Gesetze gegen eine sogenannte Gay-Propaganda (Ungarn); Blockaden gegen die Ratifizierung der Istanbul-Konvention (Bulgarien).

Im Hintergrund stand dabei regelmäßig das christlich motivierte Netzwerk „Agenda Europe". 2013 (nahezu zeitgleich mit dem Rücktritt Benedikts XVI. vom Papstamt) ins Leben gerufen, operierte es im Verborgenen, bis investigative Recherchen des „European Parliamentary Forum for Sexual and Reproductive Rights" (EPF) seine Existenz 2018 öffentlich machten.[87] Unterdessen hatte es sich laut EPF bereits zum „European gravitational centre"[88] der globalen Anti-Gender-Bewegung entwickelt. Federführend waren dabei von Anfang an Personen und Institutionen in unmittelbarer Rufweite zum Vatikan. Zugleich bündelte das Netzwerk religiösen Aktivismus gegen sexuelle und reproduktive Selbstbestimmung über die Konfessionsgrenzen hinweg. Laut EPF gehörten ihm zuletzt mehr als

---

85 Nicht weniger als 42 Mal kommt sie dort vor: vgl. IKGB (2015).
86 Vgl. Kelle (2020: 20, 271, 281).
87 Vgl. zum Folgenden Datta (2018: besonders 2, 20, 34).
88 A. a. O.: 34.

100 Organisationen römisch-katholischer, evangelikaler und orthodoxer Prägung aus über 30 europäischen Ländern an.[89]

Was die verschiedenen Akteur*innen eint, ist ihre Frontstellung und ihr gemeinsames Ziel – die sogenannte „Cultural Revolution" der vergangenen vier bis fünf Jahrzehnte[90] (Benedikts Terminus und Zeitfenster!) rückgängig zu machen und in den westlichen Gesellschaften eine „natürliche" Geschlechterordnung wiederherzustellen. Den Weg dorthin beschreibt ein 134 Seiten langes, anonym verfasstes Papier mit dem programmatischen Titel „Restoring the Natural Order. An Agenda for Europe".[91]

In Diagnose wie Therapie bewegt sich das Manifest unübersehbar auf den Spuren des späten Ratzinger: Als Wurzel des Übels gilt auch hier die sogenannte sexuelle Revolution,[92] die Sexualität von ihrem primären Zweck, der *Fortpflanzung*, gelöst und zur allseits verfügbaren Ware gemacht habe: „[C]ontemporary society wants sex without procreation, and procreation without sex."[93] Da aber im Geschlechtlichen alles mit allem zusammenhänge, ziehe dies eine Fülle unerwünschter Entwicklungen nach sich: „Whoever finds the use of contraceptives ‚normal‘, must also accept homosexuality, and whoever has accepted assisted procreation will find it difficult to argue against abortion."[94] Gemeinsam führten sie unweigerlich in die Selbstzerstörung der westlichen Zivilisation.

Um den moralischen Verfall zu stoppen, mobilisiert das Manifest eine *offensive* Agenda, die alle Facetten liberaler Geschlechterpolitik systematisch anzugreifen versucht. Ihre Grundlage ist – das *Naturrecht*,[95] einmal mehr verstanden als präexistente Größe, die über alle Zeiten und Orte hinweg unveränderlich gültig und dem menschlichen Erkennen voll erschlossen sei. Mit ihm begegne, so auch „Agenda Europe", kein religiöser Glaubenssatz, sondern ein „actual fact", wie seine Anerkennung seit der vorchristlichen Antike bis zur Französischen Revolution zeige. Alles positive Recht

---

89 Vgl. zu den transkonfessionellen Verflechtungen der Anti-Gender-Bewegung *weltweit* auch die enorm instruktive Forschung des „Postsecular Conflicts"-Projekts an der Universität Innsbruck: https://www.uibk.ac.at/projects/postsecular-conflicts/.

90 Agenda Europe (o. J.: 8 u. ö.).

91 In einem nach der Veröffentlichung des EPF-Reports lancierten Statement distanzierte eine wiederum anonyme Gruppe sich von diesem Manifest als Publikation, nicht aber von dessen Inhalten: vgl. Agenda Europe Network (2018).

92 Vgl. zum Folgenden a. a. O.: 6–8.

93 A. a. O.: 7.

94 Ebd.

95 Vgl. zum Folgenden a. a. O.: 9. Freilich spricht das Manifest von „Natural Law *Theory*", was die behauptete Unmittelbarkeit von ‚Naturrecht‘ etwas einklammert.

müsse naturrechtlichen Vorschriften entsprechen; andernfalls habe es „no legitimacy and nobody is morally bound by it."

Die Parallelen zum verstorbenen Papst sind frappierend.[96] Zugleich geht das Manifest einen entscheidenden Schritt weiter als er: *Es füllt die Lücken, die Benedikt diplomatisch offenlässt, und überführt seine philosophisch-theologisch imprägnierten Überlegungen mit äußerster Konsequenz in Theopolitik.* Räumte der Pontifex 2011 noch ein, dass das Erkennen des „wahrhaft Rechten" und seine politische Ausgestaltung stets mit gewissen Unwägbarkeiten verbunden sei,[97] so liegt für „Agenda Europe" vollkommen unproblematisch zutage, wie eine Geschlechterordnung „in *full* compliance with Natural Law"[98] auszusehen habe. Sie organisiert sich dadurch, dass sie alles, was auf den Feldern „Ehe und Familie", „Recht auf Leben" sowie „Gleichstellung und Antidiskriminierung" gegen die von ihr ausgemachten naturrechtlichen Vorgaben verstoße, gesetzlich verbieten und mit abschreckenden Strafen ahnden lässt.

Was dies im Einzelnen heißen soll, konkretisiert ein zehnseitiger Aktionsplan, der kurz-, mittel- und langfristige Ziele für das Netzwerk definiert und subversive Strategien[99] empfiehlt, diese zu erreichen. Bei allen Themen folgen sie einer ähnlich abgestimmten „Salamitaktik"[100] – von gezielten Beeinflussungen der öffentlichen Meinung über schrittweise Restriktionen progressiver Gesetzgebung bis zur vollständigen Installation restaurativer Verbote.

Um nur eine Auswahl zu nennen: Mit Blick auf *Homosexualität*[101] führt der Weg von der Verspottung der „Ehe für alle" („expose [...] to ridicule") über Verbote, öffentlich über sexuelle Vielfalt aufzuklären, zur Zurücknahme aller Gesetze über gleichgeschlechtliche Lebenspartnerschaften

---

96 Siehe oben 3.1.1 und 3.1.2.
97 Benedikt XVI. (2012: 28).
98 Agenda Europe (o. J.: 20) (Hervorhebung von RH).
99 Diese kreisen im Kern darum, die Strategien der progressiven Gegenseite zu kopieren und gegen sie zurückzuwenden (vgl. a. a. O.: 105–125). So soll zum Beispiel Abtreibung als Form der Altersdiskriminierung thematisiert werden (vgl. a. a. O.: 66). Insbesondere greifen die Autor*innen bis in den Wortlaut hinein auf ein in den späten 1980er-Jahren konzipiertes und hoch umstrittenes Kampagnen-Design für die Homosexuellenbewegung zurück (vgl. Kirk/Madsen 1989: 172–191, mit Agenda Europe o. J.: 111, 115 f.).
100 Hier liegt eine der typischen Umkehrungen vor, mit denen das Manifest selbst tut, was es der Gegenseite vorwirft: vgl. a. a. O.: 105.
101 Vgl. a. a. O.: 125–127.

bis hin zur Rekriminalisierung Homosexueller („Adoption of anti-sodomy-laws"[102]).

Mit Blick auf *Empfängnisverhütung*[103] reicht das Spektrum von schulischem Sexualkundeunterricht, der deren Amoralität herausstellt, über Beschränkungen der Erhältlichkeit (zum Beispiel aufgrund von Gesundheitsrisiken; für Minderjährige nur mit Zustimmung der Eltern; Gewissensklausel für Ärzt*innen und Apotheker*innen) bis zu einem kompletten Verkaufsverbot („prohibition of sale of [...] contraceptive devices").

Mit Blick auf *Ehescheidung*[104] strebt „Agenda Europe" beginnend mit der Abschaffung von „perverse incentives" für Singles, Alleinerziehende oder geschiedene Eltern über Restriktionen im Scheidungsrecht (Wiedereinführung des Schuldprinzips; Erschwerung der Wiederverheiratung) ein komplettes Scheidungsverbot an („repeal of all laws allowing for divorce").

Mit Blick auf *Abtreibung*[105] sollen praktische Hürden (rigide Hygienestandards und Meldepflichten; finanzielle Anreize, eine Krankenkasse zu wählen, die Abtreibung nicht abdeckt) über diverse Zustimmungspflichten (der Eltern von Minderjährigen, des Vaters) und schrittweise Restriktionen (Abtreibung nur nach Vergewaltigung, Inzest et cetera) schließlich zum vollständigen Abtreibungsverbot (außer bei akuter Lebensgefahr für die Schwangere) führen („Legal ban on abortion in all jurisdictions" inklusive „international law").

Mit Blick auf *Gleichstellung*[106] reicht die Zielspanne vom Skandalisieren der Kosten und bürokratischen Mühen über die Bildung von Allianzen kleiner und mittelständischer Unternehmen, die ihre Vertragsfreiheit durch Anti-Diskriminierung gefährdet sehen, bis hin zur Streichung der Artikel 21 (Nichtdiskriminierung) und 23 (Gleichheit von Frauen und Männern) der EU-Grundrechtecharta.[107]

---

102 Auch die negative Umprägung von Schlüsselbegriffen, ihr „contaminating", gehört zum Methodenrepertoire, das das Manifest vorschlägt (siehe oben 3.2). Laut dem entsprechenden Glossar soll gleichgeschlechtliche Liebe konsequent als „Sodomie" bezeichnet werden, Regenbogen- und Patchworkfamilien als „broken-up families", „[f]reedom to choice" als „freedom to kill", Gleichbehandlung als Privilegierung et cetera (vgl. a. a. O.: 121–125).

103 Vgl. a. a. O.: 127 f.

104 Vgl. a. a. O.: 30–32, 125 f.

105 Vgl. a. a. O.: 128–130.

106 Vgl. a. a. O.: 134.

107 Man mag all dies zunächst für eine abwegige Dystopie halten. Doch im Nachgang der Entscheidung des US-Supreme Courts, das Grundsatzurteil „Roe v. Wade" zu widerrufen, zeigte sich sehr bald die realpolitische Relevanz einer ganzen Reihe der

Die Akteur*innen sehen sich „in the midst of a culture war", der ihnen noch maximal zwanzig Jahre Zeit lässt, die Dinge in ihrem Sinne zu wenden.[108] Umso zwingender lautet ihre Devise: „We should [...] not be afraid to be ‚unrealistic' or ‚extremist' in choosing our policy objectives. On the contrary, the seemingly ‚unrealistic' objectives may be helpful in achieving the ‚realistic' ones. And once we begin achieving the ‚realistic' objectives, the ‚unrealistic' ones will no longer be out of reach."[109]

Hier ist, um Daniel-Pascal Zorns Überlegungen noch einmal aufzugreifen, das populistische endgültig zum *totalisierenden* Denken geworden, das die Fundamente liberaler Demokratie selbst angreift. Es will *„von einem verabsolutierten Punkt [...] aus das Ganze vollständig"*[110] determinieren. Es ist präzise die Anrufung eines hermetischen „Naturrechts", die dieses totalisierende Zentrum abgibt und verschiedene fatale Effekte produziert: Weil sie den Akteur*innen erlaubt, ihre Agenda nicht als subjektive Überzeugung, sondern als „objective truth"[111] zu verstehen, sehen sie sich (1) nicht nur im Recht, sondern in der Pflicht, diese unbedingt durchzusetzen – auch und gerade gegen abweichende Meinungen. In ihrer Perspektive widersprechen Andersdenkende ja nicht allein einem bestimmten, nämlich *ihrem* geschlechterpolitischen Programm, sondern der Wahrheit selbst und letztlich ihrer eigenen Natur. Sie gewähren zu lassen, hieße folglich hinzunehmen, „that the person or group of persons with the lowest moral and cultural standards will be allowed to set the standards and make the rules for the rest of us. What results therefrom is a process of de-civilization."[112]

Punkte. So etwa in den Ankündigungen aus Justice Clarence Thomas' „concurring opinion", nun auch Urteile über den Zugang zu Kontrazeptiva („Grisvold v. Connecticut" 1965) und zur Legalität homosexueller Verbindungen („Lawrence v. Texas" 2003; „Obergefell v. Hodges" 2015) überprüfen zu wollen, aber auch in der extrem restriktiven Ausgestaltung der bundesstaatlichen Abtreibungsgesetze, die der Entscheidung unmittelbar folgten. Zudem werden in den USA, unterstützt durch „Alliance Defending Freedom", eine eng mit Agenda Europe verbundene NGO, immer wieder Fälle von Kleinunternehmer*innen verhandelt, die gegen bundesstaatliche Anti-Diskriminierungsgesetze klagen, weil sie aus religiösen Gründen keine Dienstleistungen für bestimmte Anlässe (zum Beispiel Hochzeiten gleichgeschlechtlicher Paare) erbringen wollen – und zwar ebenfalls bis vor den Obersten Gerichtshof (Masterpiece Cakeshop v. Elenis 2017/18; 303 Creative LLC v. Elenis 2022).

108 A. a. O.: 105; vgl. 8.
109 A. a. O.: 106.
110 Zorn (2017: 107) (Hervorhebung im Original); vgl. a. a. O.: 98, 144–149.
111 Agenda Europe (o. J.: 6 u. ö.).
112 A. a. O.: 6.

Gesellschaftliche Pluralität ist damit zur existenziellen Bedrohung geworden, die es vollständig auszulöschen gilt.

Auf dieser Basis erübrigt sich (2) auch jegliche Reflexion über die eigenen Voraussetzungen oder gar deren Begründung. „Agenda Europe" entzieht sich dem öffentlichen Diskurs ins Verborgene und versucht zugleich, ihn von dort aus zu manipulieren. Interne Abweichungen können dabei ebenso wenig geduldet werden wie externe: Nach innen versteht das Manifest seine Grundlinien für alle Angehörigen des Netzwerks als verbindlich.[113] Nach außen ist *Toleranz* nur mehr als vorübergehende Taktik denkbar, die zum Zug kommt, um erwartbare soziale Unruhen zu umgehen. „However, this should never lead us to give up the ultimate objective, i. e. to attain full compliance with Natural Law at a later stage."[114]

4 Zusammenfassende Perspektiven

Von welcher Theologie lebt der religiös motivierte Anti-Gender-Diskurs? Und wie ist es um deren Qualität bestellt? Unser exemplarischer Durchgang ergab folgendes Bild: *Der kulturkämpferische Ruf nach einer Rückkehr zur „natürlichen" Geschlechterordnung hat theologisch kaum Substanz. Theopolitisch ist er gerade dadurch umso potenter.* Ich fasse noch einmal in vier Perspektiven zusammen:

1. Auf tönernen Füßen: So weitreichend der Geltungsanspruch ist, mit dem die untersuchten Figuren auftreten, so haltlos erschienen sie schon argumentativ. Ja, mit „dem Naturrecht" und seinen Derivaten will der religiöse Anti-Gender-Diskurs vergangene Gewissheiten allgemeingültig wiedereinschärfen.[115] Doch eine substanzielle Begründung für die Gegenwart bleibt, wie wir sahen, aus. Die Rahmengrammatiken versuchen stattdessen, offenkundige historische wie systematische Differenzen so zu überspringen, dass die Illusion einer von Anti-Gender authentisch verkörperten Tradition entsteht, die immer schon mit sich identisch war. Dem entspricht die unablässige Wiederholung derselben „wortstrategischen Operationen"[116] in den

---

113 Vgl. a. a. O.: 116.

114 A. a. O.: 20.

115 Claussen u. a. (2021: 3) sprechen mit Blick auf die „Theologie" der Neuen Rechten insgesamt von solchen „Déjà-vus": „Motive begegnen einem, die man aus der Theologiegeschichte kannte, aber längst für überwunden oder abgelegt gehalten hatte."

116 Niehr (2014: 86).

Applikationen. Wie gezwungen Ersteres ist, macht in der Bundestagsrede 2011 etwa die ungenierte Vereinnahmung von Aufklärung, Menschenrechten und Demokratie deutlich, zu denen Rom bekanntlich erst in einem überaus zähen Prozess ein positives Verhältnis gewonnen hat.[117] Zweiteres hat Mark D. Jordan als „program of tedium"[118] beschrieben, die Taktik des Lehramts, durch Langeweile Widerspruch zu ersticken. All dies ändert jedoch nichts daran, dass die angestrebten Wiederbelebungen in der Luft hängen.[119]

2. *Vom „Zeitgeist" heimgesucht:* So sehr der Anti-Gender-Diskurs die Post-68er-Gegenwart verfemt, so abhängig ist er von ihr. Dies zeigte sich schon darin, dass die untersuchten Figuren sich, wie wir sahen, vorzugsweise durch Absetzen von dieser Negativfolie stabilisieren. Die Rahmengrammatiken anempfehlen sich als Bastion gegen den Relativismus, der indes bis in ihre inhaltliche Füllung hineinreicht: Rechnete noch die Enzyklika „Casti conubii" Pius' XI. von 1930 die Unterordnung der Frau unter den Mann zum festen Kern der naturrechtlich verankerten Geschlechtertheo/ontologie,[120] so ist davon längst nur noch sehr verbrämt die Rede. Stattdessen

---

117 Vgl. Maier (2014).

118 Jordan (2000: 54; vgl. 54–59). „Reiteration gives the impression of grand stability – indeed, of immutability. Official moral theology cultivates the illusion of immutability as a way of excusing itself from the effort of arguing morals or from the embarrassment of acknowledging how difficult that effort would be" (a. a. O.: 55).

119 Ratzinger war sich dieses unbehaglichen Desiderats wohl bewusst. Im Gespräch mit Jürgen Habermas konzedierte er noch 2004, dass ein substanzontologisch gefasster Naturrechtsbegriff als „Instrument [...] leider stumpf geworden" sei (Ratzinger 2005: 50; vgl. 50 f.) – eine Aussage, die offenbar auf allen Seiten große Überraschung auslöste (vgl. Geyer 2004). Zu Beginn seines Pontifikats beauftragte er dann die päpstliche Internationale Theologische Kommission, die gegenwärtige Relevanz des Naturrechts zu reflektieren. Das Ergebnis erschien 2009 unter dem Titel „Auf der Suche nach einer universalen Ethik: Ein neuer Blick auf das natürliche Sittengesetz". Das Dokument setzt zwar vordergründig erfahrungsbezogen an und nimmt auch kritische Einwände auf, etwa die Frage nach Evidenz, Geschichtlichkeit und Kulturalität des Naturrechts oder den Vorwurf des naturalistischen Fehlschlusses (vgl. Internationale Theologische Kommission 2009: 52–54, 73). Sie werden aber entweder gegen sich selbst ins Leere gewendet oder innerhalb der Grenzen des Lehramts sorgsam eingehegt. Besonders gilt dies für Fragen des Geschlechtlichen, die mehrfach auftauchen, jedoch direkt mit den unwandelbaren Vorschriften des natürlichen Sittengesetzes kurzgeschlossen und so der weiteren Reflexion entzogen werden (vgl. a. a. O.: 34, 49, 79 f.). Entsprechend verurteilt auch die IThK stereotyp „[d]ie *Gender*-Theorie" (a. a. O.: Anm. 72, Hervorhebung im Original). Vgl. zum Ganzen Vicini (2010: bes. 344 f.).

120 Pius XI. (1930: 26–29).

verschiebt sich die Zielscheibe derzeit von Homosexualität verstärkt zu Transgeschlechtlichkeit.[121] Die Applikationen wurzeln bereits in der Frontstellung gegen einen näher oder weiter zurückliegenden Kulturwandel, zu dessen Abwehr sie eigens formuliert wurden. Ihr Versuch, den eigenen restaurativen an progressiv konnotierte Diskurse zu akkommodieren, zeugt vollends von Anleihen am „Zeitgeist", wie sie analog auch in säkularer Form – etwa im sogenannten Femo- oder Homonationalismus[122] – begegnen.

3. *Theologisch entkernt:* So gediegen die Theologie des Anti-Gender-Diskurses sich ausgibt, so reduktionistisch fällt sie aus. Ja, es stellt sich bei den hier untersuchten Figuren gar die Frage, ob sie überhaupt Theologie im engeren Sinne sein wollen. Programmatisch unberührt zeigen sie sich von konkreten menschlichen Lebenslagen wie von humanwissenschaftlichen Einsichten. Wo diese der eigenen Geschlechtertheo/ontologie widersprechen, werden sie kurzerhand zur „Ideologie" erklärt und so an den Rand des Diskurses verbannt. Doch selbst binnentheologisch betrachtet, geben die untersuchten Figuren ein höchst karges Bild ab: Um die menschliche Geschlechtlichkeit schöpfungstheologisch vollständig als unveränderliche „Natur" einzufrieren, müssen sie die trinitarische Dynamik des christlichen Bekenntnisses und mit ihr den Spannungsreichtum aus Schrift und Tradition verleugnen oder zumindest radikal eindämmen – ein Unterfangen, das nie vollständig gelingen kann.[123] Eine gehaltvolle (evangelisch-)theologische Anthropologie hält demgegenüber fest, „dass ‚Natur' innerhalb der Theologie [stets] im Horizont des schöpferischen, versöhnenden und erlösenden Handelns Gottes bedacht werden kann und muss. [...] Es geht letztlich um ein differenziertes Verhältnis Gottes zur Schöpfung, das seiner eigenen Lebendigkeit entspricht."[124] Noch die eigenartige Monopolisierung der Geschlechterthematik durch die christliche Anti-Gender-Bewegung, ihr Erheben in eine Art Bekenntnisrang, entspricht weniger den Prioritäten aus Schrift und Tradition als der ganz und gar modernen (und übrigens auch antireligiös verwertbaren) Vorstellung, „dass die geheimsten und tief-

---

121 Vgl. Case (2019).
122 Hierbei handelt es sich um die Berufung auf Frauen oder LGBTIQ+-Rechte, um nationalistische Motive zu legitimieren. Ersterer Begriff geht auf die britische Soziologin Sara R. Farris, zweiterer auf die US-amerikanische Queer-Theoretikerin Jasbir Puar zurück.
123 Vgl. Heß (2008).
124 Thomas (2020: 4), siehe hierzu ausführlicher unten 5.

sten Wahrheiten [sc. des Individuums] im Geschlecht gesucht werden müssen."[125]

4. Theopolitisch exzessiv: So rechtgläubig der religiöse Anti-Gender-Diskurs auftritt, so hemmungslos ordnet er alle Differenzen, konfessionelle wie weltanschauliche, seinen geschlechterpolitischen Zielen unter. Wie wir sahen, ist die theologische Entkernung geradezu Voraussetzung für die Bindungs- und Schlagkraft des Unternehmens „Zurück zur natürlichen Ordnung". Womöglich rührt der Furor gegen „Gender" ohnehin weniger aus frommen Motiven denn aus einem ganz und gar weltlichen Kalkül: „To loose control over matters of family, marriage, and sexuality is for many religious authorities in the secular age to loose the only authority they still have."[126]

5 Verletztes religiöses Alltagswissen heilen: Ein Ausblick

Was macht eine derart reduktionistische Anti-Gender-Theologie dennoch attraktiv für bestimmte hochreligiöse Milieus? Und wie lässt sich verhindern, dass verbreitete Vorbehalte gegen progressive Geschlechterpolitiken sich unter ihrem Einfluss zu einem totalisierenden Denken radikalisieren, das demokratiegefährdende Ausmaße annehmen kann?

Für den abschließenden Ausblick auf diese Fragen möchte ich an Überlegungen anknüpfen, die Hilke Rebenstorf aus der Perspektive einer Soziologie des Alltagslebens angestellt hat.[127] Im Anschluss an Vertreter des sogenannten interpretativen Programms (Alfred Schütz, Peter L. Berger/Thomas Luckmann, Erving Goffman) lenkt sie den Blick darauf, dass die Routinen unserer alltäglichen Interaktion von vorbewusstem *Alltagswissen* leben. Das Vertrauen darauf, dass die Dinge ihrer Natur nach so sind, wie sie sind, und auch in Zukunft so sein werden, vermittelt Handlungssicherheit und stabilisiert die eigene Identität. Wird das Alltagswissen jedoch fortgesetzt irritiert, etwa dadurch, dass die „konservative" Gewissheit, es gebe genau zwei komplementär aufeinander bezogene Geschlechter, in der Öffentlichkeit vermehrt auf die Thematisierung von Homosexualität oder

---

125 Foucault (1998: 11; vgl. 15–17).
126 Butler (2019: 962). „Whether [a] Church is evangelical or Catholic matters less than the fact that the Church has accepted its relegation by secular powers to the private sphere" (a. a. O.: 965).
127 Vgl. zum Folgenden Rebenstorf (2021, bes. 252–257).

Transgeschlechlichkeit trifft, kann dies zu tiefgreifender Verunsicherung führen.

Für bestimmte hochreligiöse Menschen mag der Riss umso tiefer gehen, als ihr geschlechtliches Alltagswissen zusätzlich durch theologische Überzeugungen mit hohem Wahrheitsanspruch unterfüttert wird.[128] In jedem Fall verlangt die Störung aber nach *Verstehbarkeit*, wie sogenannte *Alltagstheorien* sie leisten. Sie „bauen dadurch, dass sie die Verletzung des Alltagswissens erklären und beschädigte Identität hierüber heilen können, neue Sicherheiten auf, sodass die eigene Lebenswelt wieder stimmig ist, man sich in ihr in alter Vertrautheit bewegen kann."[129] Dies kann freilich sowohl durch *Annäherung* an die irritierende Erfahrung als auch durch *Abgrenzung* von ihr geschehen. Und genau hier liegt, so Rebenstorf, das Einfallstor für populistische Deutungsangebote – und mit ihnen für Anti-Gender-Theologien. Ihre Rahmengrammatiken, Applikationen und Katalysatoren versprechen ja nichts anderes, als hergebrachte religiöse Gewissheiten maximal zu restabilisieren, indem sie sie als von Gott selbst eingesetzte Ordnung deklarieren und ihre Infragestellung als deren widergöttliche (sündige, satanische) Zerstörung.

Wo sie die einzigen sind, die derart verletztes religiöses Alltagswissen verarzten, haben sie leichtes Spiel, den Schmerz in eine Spaltung hineinzutreiben. Wie aber müsste ein alternatives Deutungsangebot aussehen, das stattdessen auf therapeutische *Integration* setzt? Rebenstorf weist darauf hin, dass nach regelmäßiger Auskunft von Bevölkerungsumfragen „die *Inhalte des Glaubens* mehr zur Erklärung [sc. von Geschlechter-Ressentiments] beitragen als die Praxis des Glaubens."[130] *Demnach müsste es um eine Rekonstruktion des christlichen Geschlechtskosmos gehen, die zweierlei leistet – menschliche Geschlechtlichkeit (1) aus ihrer einseitigen Umklammerung durch den ersten Artikel des Glaubensbekenntnisses („Ich glaube an Gott den Schöpfer") und seine Derivate zu befreien und in ihrer Vielfalt und Dynamik theologisch denkbar zu machen: dies jedoch so, dass sie (2) an Schrift und Tradition in ihrer Breite und Mitte anschließt, um von verschiedenen Seiten, namentlich von konservativer her zugänglich zu sein.*

Sofern „glaubwürdige Quellen"[131] diesen Prozess unterstützen können, schlage ich vor, an *Karl Barths Grundlegung der Schöpfungslehre* aus KD

---

128 Berger/Luckmann (2003: 115) u. ö., sprechen treffend von „Stützkonzeptionen".
129 Rebenstorf (2021: 255).
130 A. a. O.: 249 (Hervorhebung von RH).
131 A. a. O.: 255.

III/1 (§ 40.1) und III/4 (§ 52.1) anzuschließen. Barth steht sicherlich kaum im Verdacht, eine zeitgeistige Theologie vertreten zu haben. Vielmehr gilt das Umgekehrte: Gerade aus seiner christologischen Konzentration heraus[132] begreift er „Schöpfung nicht als einen naturhaften, in sich selbst verschlossenen Kosmos, als ein Gefüge von Schöpfungsordnungen [...], sondern als den Raum einer *Geschichte*, die in die *Zukunft* weist."[133] *Grundlage hiervon ist eine trinitarisch-heilsgeschichtliche Rahmengrammatik.*[134] Unter ihrem Vorzeichen nimmt Barth zu Beginn von KD III/1 zwei dogmatische Weichenstellungen vor, die den religiös allzu selbstgewissen Anti-Gender-Figuren den Boden entziehen. Zum einen fasst er die Lehre von der Schöpfung konsequent als *„Glaubensartikel"*, dessen Inhalt außerhalb von Jesus Christus ein „Geheimnis" bleibe.[135] Zum anderen hält er fest, dass „Schöpfung" als erstes göttliches Werk notwendig *„in einem Zug"* mit dem zweiten und dritten Artikel, dem Versöhnungs- und Erlösungshandeln Gottes, zur Sprache kommen müsse[136] – eine Dynamik, die mit der Schöpfung immer schon die *Neu*schöpfung zum Vorschein bringt.[137]

Allerdings hat Barth die damit geforderte fundamentaltheologische Komplexität selbst nicht lange durchgehalten, sondern schon in § 40.2 von einer eschatologisch offenen Drei- auf eine gnadentheologisch geschlossene Zweistelligkeit umgestellt. Die folgenschwere Reduktion geschieht quasi unter der Hand. Barth schreibt: „Eben als erstes Werk Gottes steht aber die Schöpfung – wieder nach dem Zeugnis von Schrift und Bekenntnis – in einer Reihe, in einem unlösbaren sachlichen Zusammenhang mit Gottes weiteren Werken. Und diese sind – *wenn wir von dem Werk der Erlösung und Vollendung vorläufig absehen* – die Taten Gottes zur Begründung, Erhaltung und Durchführung des Gnadenbundes."[138] Jenes Absehen ist nicht vorläufig geblieben – mit der Folge, dass bekanntlich auch Barth eine heteronormative Zweigeschlechtlichkeit zwar nicht als Schöpfungs-, wohl

---

132 Vgl. Barth (1947: 29 f.).
133 Link (1991: 270; Hervorhebungen von RH).
134 Vgl. Barth (1947: 51).
135 A. a. O.: 1, 3 u. ö. (Hervorhebung im Original); vgl. Barth (1951: 24 f.).
136 Barth (1947: 23 u. ö.) (Hervorhebung von RH). Barth reguliert die Spannung von Besonderheit und Bezogenheit der göttlichen Werke jeweils durch eine klassisch trinitätstheologische Figur: „Opera trinitatis ad extra sunt indivisa", können aber „per appropriationem" einer Person der Trinität in besonderer Weise zugeordnet werden (vgl. a. a. O.: 52; Barth 1951, 35 f.).
137 Vgl. Barth (1947: 34 f. u. ö.).
138 A. a. O.: 46 (Hervorhebung von RH).

aber als Bundesordnung festgeschrieben hat. Damit ist er weit hinter seinen eigenen Weichenstellungen zurückgeblieben. Und so hat der unterschlagene dritte Artikel des Glaubensbekenntnisses („Ich glaube an den Heiligen Geist") ihn denn auch bis zum Schluss immer wieder heimgesucht.[139]

In § 52.1, der Grundlegung der speziellen Ethik aus KD III/4, nimmt Barth den Faden wieder auf. Entschieden wendet er sich nun gegen eine „kasuistische Ethik", die – auf der Basis von einzelnen Bibelworten, von Naturrecht oder Tradition – Gottes Gebot als „bekannte[n] Gesetzestext" fixiert, den es technisch auf definierte menschliche Lebenslagen „anzuwenden" gelte.[140] Ein solcher Ansatz usurpiere die Position, die allein Gott zustehe, und zerstöre die menschliche Freiheit.[141]

Barths Alternative: eine *komplexe Dynamisierung* auch der theologischen Ethik, die er als integralen Bestandteil der Dogmatik versteht, durch die trinitarisch-heilsgeschichtliche Rahmengrammatik. Spezielle Ethik kann demnach immer nur ein „Hinweis" auf das hier und jetzt konkrete ethische „Ereignis" sein, eine „Anleitung" dem „entgegenzugehen", dass das Gebot des ewigreichen Gottes in unverwechselbarer Situation den individuellen Menschen trifft.[142] Form und Füllung erhält der Hinweis dadurch, dass er sich an der in aller *Gliederung* doch *zusammenhängenden* Geschichte Gottes – „Schöpfer, Versöhner und Erlöser" – mit dem Menschen – „Gottes Geschöpf und Bundesgenosse, der begnadigte Sünder, das noch in der Gegenwart seiner ewigen Zukunft gewärtige und gewisse Gotteskind" – orientiert.[143] „Gott gebietet und der Mensch handelt im ethischen Ereignis in allen drei Gebieten *zugleich*."[144]

---

139 Vgl. Barth (1968: 310 f.). Barth schreibt hier, in einem seiner letzten Texte: „Was ich [...] gelegentlich in Erwägung gezogen [...] habe, wäre die Möglichkeit einer Theologie des 3. Artikels, beherrschend und entscheidend also des Heiligen Geistes. Alles, was von Gott dem Vater und Gott dem Sohn in Verständnis des 1. und 2. Artikels zu glauben, zu bedenken und zu sagen ist, wäre in seiner Grundlegung durch Gott den Heiligen Geist, das vinculum pacis inter Patrem et Filium, aufzuzeigen und zu beleuchten. Das ganze Werk Gottes für die Kreatur, für und in und mit dem Menschen wäre in seiner einen, alle Zufälligkeit ausschließenden Teleologie sichtbar zu machen."

140 Barth (1951: 5, 9) (Hervorhebungen getilgt).

141 „[K]asuistische Ethik ist ein Unternehmen, in welchem der Mensch, auch wenn er sich auf Gottes Gnade berufen sollte, [...] aus der Gefährdung [des ethischen] Ereignisses gerade heraustreten, sich gewissermaßen aufs Trockene bringen möchte, um dort, wissend um Gut und Böse, wie Gott zu sein" (a. a. O.: 10; vgl. 9–14).

142 A. a. O.: 15 f.; vgl. 4.

143 A. a. O.: 25, 27; vgl. 29 f.

144 A. a. O.: 35 (Hervorhebung im Original).

Biblisch-theologisch gewendet, bedeutet dies mit Blick auf die menschliche Geschlechtlichkeit: Wir bewegen uns bis auf Weiteres zwischen dem „*Männlich und weiblich* schuf Gott sie" aus Gen 1,27 und dem „In Christus ist *nicht männlich und weiblich*" aus Gal 3,28. Beide Pole repräsentieren die zwei Linien, die den biblischen Kanon durchziehen: eine eher *schöpfungs- und gnadentheologisch* grundierte, in der „Zweigeschlechtlichkeit" und „Ehe" schlicht vorausgesetzt oder symbolisch ausgereizt werden, und eine eher *eschatologisch* grundierte, in der sie radikal relativiert oder sogar ganz infrage gestellt werden. An beides lässt sich anknüpfen. Aber keins von beidem lässt sich „zwischen den Zeiten" verabsolutieren.

Vielleicht kann ein solcher Ansatz, der aus der frommen Fülle heraus menschliche Geschlechtlichkeit gerade nicht fundamentalisiert, sondern dialektisch zu denken aufgibt, einen Weg eröffnen, durch „Gender" verletztes religiöses Alltagswissen zu heilen – nicht mit trostloser Menschenfeindlichkeit, sondern mit hoffnungsvoller Menschenfreundlichkeit.

Literaturverzeichnis

Agenda Europe (anonym) (o. J.): Restoring the Natural Order: An Agenda for Europe, o. O., archiviert unter: https://de.scribd.com/document/375160699/Agenda-Europe-Restoring-the-Natural-Order?secret_password=fxTErpzKt9kbBUZFX5E5#download&from_embed (abgerufen am 30.11.22).

Agenda Europe Network (2018): Position Regarding EPFPD Book on Agenda Europe (2018), http://www.agendaeurope.org/ (abgerufen am 30.11.22).

Albert, Hans (2012): Joseph Ratzinger als Rechtsphilosoph, in: *Aufklärung und Kritik* 19, S. 7–9.

Barth, Karl (²1947): *Die Kirchliche Dogmatik,* Bd. III/1: Die Lehre von der Schöpfung, Zollikon-Zürich.

Barth, Karl (1951): *Die Kirchliche Dogmatik,* Bd. III/4: Die Lehre von der Schöpfung, Zollikon-Zürich.

Barth, Karl (1968): Nachwort, in: Heinz Bolli (Hrsg.): *Schleiermacher-Auswahl*, München/Hamburg, S. 290–312.

Benedikt XVI. (2008): *Ansprache an das Kardinalskollegium und die Mitglieder der römischen Kurie 2008*, https://www.vatican.va/content/benedict-xvi/de/speeches/2008/december/documents/hf_ben-xvi_spe_20081222_curia-romana.html (abgerufen am 30.11.22).

Benedikt XVI. (2012): Grundlagen des Rechts: Ansprache im Berliner Reichstagsgebäude am 22.09.2011, in: Ders.: *Die Ökologie des Menschen: Die großen Reden des Papstes*, München, S. 26–34.

Benedikt XVI. (2015): *Vor Gott dem uns für den Menschen anvertrauten Auftrag gerecht werden*, https://www.benedictusxvi.org/wer-ist-der-mensch (abgerufen am 30.11.22).

Berger, David (2011): *Benedikt XVI. im Bundestag: Die brandgefährliche Rede des Papstes*, https://www.queer.de/detail.php?article_id=15059 (abgerufen am 30.11.22).

Berger, Peter L./Luckmann, Thomas ([19]2003): *Die gesellschaftliche Konstruktion der Wirklichkeit: Eine Theorie der Wissenssoziologie*, Frankfurt a.M.

Bugiel, Daniel (2021): *Diktatur des Relativismus? Fundamentaltheologische Auseinandersetzung mit einem kulturpessimistischen Deutungsschema* (Religion – Geschichte – Gesellschaft 52), Münster.

Butler, Judith (2019): Anti-Gender-Ideology and Mahmood's Critique of the Secular Age, in: *JAAR* 87, S. 955–967.

Case, Mary Anne (2019): Trans Formations in the Vatican's War on ‚Gender Ideology', in: *Signs: Journal of Women in Culture and Society* 44/3, S. 639–664.

Claussen, Johann Hinrich u. a. (2021): Einleitung, in: Ders. u. a.: *Christentum von rechts: Theologische Erkundungen und Kritik*, Tübingen, S. 1–8.

Dabrock, Peter u. a. (2015): *Unverschämt – schön: Sexualethik evangelisch und lebensnah*, Gütersloh.

Dalferth, Ingolf U. (2008): *Naturrecht in protestantischer Perspektive* (Würzburger Vorträge zur Rechtsphilosophie, Rechtstheorie und Rechtssoziologie 38), Baden-Baden.

Datta, Neil (2018): ‚*Restoring the Natural Order': The Religious Extremists' Vision to Mobilize European Societies Against Human Rights on Sexuality and Reproduction*, hrsg. vom European Parliamentary Forum for Sexual and Reproductive Rights, Brüssel.

Datta, Neil (2021): *Tip of the Iceberg: Religious Extremist Funders Against Human Rights for Sexuality and Reproductive Health in Europe*, Brüssel.

Dirsch, Felix u. a. (Hrsg.) (2018): *Rechtes Christentum? Der Glaube im Spannungsfeld von nationaler Identität, Populismus und Humanitätsgedanken*, Graz.

Elsner, Regina (2022): Woher dieser Hass? Russlands Krieg um die ‚natürliche Ordnung', in: *RGOW* 50, S. 10–13.

Foucault, Michel (1998): Das wahre Geschlecht, in: Wolfgang Schäffner/Joseph Vogl (Hrsg.): *Über Hermaphroditismus: Der Fall Barbin* (es N.F. 733), Frankfurt a. M., S. 7–18.

Franz-Balsen, Angela/Teherani-Krönner, Parto (2005): Gender in der Humanökologie: Von der Marginalie zum Mainstream, in: *GAIA*: Ecological Perspectives for Science and Society 14, S. 196 f.

Fritz, Martin (2021): *Im Bann der Dekadenz: Theologische Grundmotive der christlichen Rechten in Deutschland* (EZW-Texte 273), Berlin.

Geyer, Christian (2004): Strukturwandel der Heiligkeit: Dogma gegen Diskurs. Jürgen Habermas und Joseph Kardinal Ratzinger treffen aufeinander, in: *FAZ* vom 21.01.2004, S. 17.

Glaeser, Bernhard u. a. (2021): *Humanökologie*, Wiesbaden.

Goertz, Stephan (2014): Naturrecht und Menschenrecht: Viele Aspekte der kirchlichen Sexualmoral werden nicht mehr verstanden, in: *HerdKorr* 68, S. 509–514.

Hark, Sabine/Villa, Paula-Irene (Hrsg.) ([2]2017): *Anti-Genderismus: Sexualität und Geschlecht als Schauplätze aktueller politischer Auseinandersetzungen*, Bielefeld.

Heimbach-Steins, Marianne (2004): Ein Dokument der Defensive: Kirche und Theologie vor der Provokation durch die Genderdebatte, in: *HerdKorr* 58, S. 443–448.

Henninger, Annette (2020): Anti-Feminismus: ‚Krisen'-Diskurse mit gesellschaftsspaltendem Potenzial, in: Dies./Ursula Birsl (Hrsg.): *Anti-Feminismen: ‚Krisen'-Diskurse mit gesellschaftsspaltendem Potenzial*, Bielefeld, S. 9–41.

Herr, Theodor (1972): Perspektiven eines dynamisch-geschichtlichen, biblisch-eschatologischen Naturrechts, in: *JCSW* 13, S. 111–135.

Heß, Ruth (2008): ‚Ursprungsnarrationen' zwischen Affirmation und Subversion: J. Butler und J. Ratzinger, in: Anne Brüske u. a. (Hrsg.): *Szenen von Widerspenstigkeit: Geschlecht zwischen Affirmation, Subversion und Verweigerung*, Frankfurt a. M., S. 119–140.

Heß, Ruth (2017): Anti_Gender_ismus: Hintergründe und Konturen der aktuellen Front gegen ‚Gender', in: *epd-Dokumentation* 42, S. 4–24.

Internationale Konferenz Bekennender Gemeinschaften (IKBG) (2015): *Salzburger Erklärung: Die heutige Bedrohung der menschlichen Geschöpflichkeit und ihre Überwindung. Leben nach dem Schöpferwillen Gottes. Eine theologische Wegweisung der Internationalen Konferenz Bekennender Gemeinschaften*, https://www.ikbg.net/pdf/S alzburger-Erklaerung-Original.pdf (abgerufen am 30.11.22).

Internationale Theologische Kommission (2009): *Auf der Suche nach einer universalen Ethik: Ein neuer Blick auf das natürliche Sittengesetz*, https://www.vatican.va/roman _curia/congregations/cfaith/cti_documents/rc_con_cfaith_doc_20090520_legge-na turale_ge.html (abgerufen am 30.11.22).

Johannes Paul II. (1991): *Enzyklika Centesimus annus*, https://www.vatican.va/content/ john-paul-ii/de/encyclicals/documents/hf_jp-ii_enc_01051991_centesimus-annus.h tml (abgerufen am 30.11.22).

Johannes Paul II. (1995): *Enzyklika Evangelium Vitae*, https://www.vatican.va/content /john-paul-ii/de/encyclicals/documents/hf_jp-ii_enc_25031995_evangelium-vitae.h tml (abgerufen am 30.11.22).

Jordan, Mark D. (2000): *The Silence of Sodom. Homosexuality in Modern Catholicism*, Chicago.

Kelle, Birgit (2020): *Noch normal? Das lässt sich gendern! Gender-Politik ist das Problem, nicht die Lösung*, München.

Kirchenamt der EKD (Hrsg.) (1990): *Bad Krozingen 1989: Bericht über die sechste Tagung der siebten Synode der Evangelischen Kirche in Deutschland vom 5. bis 10. November 1989*; Hannover.

Kirchenamt der EKD (Hrsg.) (2013): *Zwischen Autonomie und Angewiesenheit: Die Orientierungshilfe der EKD in der Kontroverse*, Hannover.

Kirk, Marshall/Madsen, Hunter (1989): *After the Ball: How America Will Conquer Its Fear and Hatred of Gays in the 90s*, New York.

Kuhar, Roman/Paternotte, David (Hrsg.) (2017): *Anti-Gender Campaigns in Europe: Mobilizing against Equality*, London/New York.

Kuhs, Joachim (Hrsg.) (2018): *Warum Christen AfD wählen*, o. O. Neuauflage.

Laubach, Thomas (Hrsg.) (2017): *Gender: Theorie oder Ideologie?*, Freiburg i. Br.

Lewin, Tessa (2021): Nothing is as it seems: 'Discourse capture' and backlash politics, in: *Gender & Development* 29, S. 253–268.

Link, Christian (1991): *Schöpfung: Schöpfung in reformatorischer Perspektive* (HST 7/1), Gütersloh.

Maier, Hans (2014): Kirche und Menschenrechte – Menschenrechte in der Kirche, in: *JCSW* 55, S. 21–42.

Marschütz, Gerhard (2021): Katholische Genderkritik im Gegenwind des kritischen Anspruchs menschenrechtlicher Diskurse, in: Strube u. a. (2021), S. 241–252.

Meiritz, Anett/Wittrock, Philipp (2011): *Papst im Bundestag: Der Überraschungsgast,* https://www.spiegel.de/politik/deutschland/papst-im-bundestag-der-ueberraschung sgast-a-787836.html (abgerufen am 30.11.22).

Messori, Vittorio/Ratzinger, Joseph (2018): *The Ratzinger Report: An Exclusive Interview on the State of the Church (1985),* San Francisco.

Niehr, Thomas (2014): *Einführung in die linguistische Diskursanalyse,* Darmstadt.

Nierop, Jantine (Hrsg.) (2018): *Gender im Disput: Dialogbeiträge zur Bedeutung der Genderforschung in Kirche und Theologie* (Schriften zu Genderfragen in Kirche und Theologie 3), Hannover.

Nutt (Jax), Aurica (2016): ‚Ökologie des Menschen‘ oder ‚Queering of Nature‘? Zum Zusammenhang von Natur, Geschlecht und Glaube, in: Daniel Bogner/Cornelia Mügge (Hrsg.): *Natur des Menschen: Brauchen die Menschenrechte ein Menschenbild?* (Studien zur theologischen Ethik 144), Freiburg i. Br., S. 207–220.

Pickel, Gert u. a. (2022): Kirchenmitgliedschaft, Religiosität, Vorurteile und politische Kultur in der quantitativen Analyse, in: EKD (Hrsg.): *Zwischen Nächstenliebe und Abgrenzung: Eine interdisziplinäre Studie zu Kirche und politischer Kultur,* Leipzig, S. 24–98.

Pius XI. (1930): *Enzyklika Casti Conubii,* https://www.vatican.va/content/pius-xi/en/ encyclicals/documents/hf_p-xi_enc_19301231_casti-connubii.html (abgerufen am 30.11.22).

Püttmann, Andreas (2019): Geschlechterordnung und Familismus als Policy-Angebote des Rechtspopulismus und Autoritarismus an das katholische Milieu, in: Maren Behrensen u. a. (Hrsg.): *Gender – Nation – Religion: Ein internationaler Vergleich von Akteursstrategien und Diskursverflechtungen* (Religion und Moderne 14), Frankfurt a. M./New York, S. 51–80.

Ratzinger, Joseph (1964): Naturrecht, Evangelium und Ideologie in der katholischen Soziallehre: Katholische Erwägungen zum Thema, in: Klaus von Bismarck/Walter Dirks (Hrsg): *Christlicher Glaube und Ideologie,* Stuttgart/Berlin, S. 24–30.

Ratzinger, Joseph (²2005): Was die Welt zusammenhält: Vorpolitische moralische Grundlagen eines freiheitlichen Staates, in: Jürgen Habermas/Joseph Ratzinger: *Dialektik der Säkularisierung: Über Vernunft und Religion,* Freiburg i. Br. u. a., S. 39–60.

Raedel, Christoph (2013): Begründung und Bewährung christlicher Ethik bei Joseph Ratzinger/Benedikt XVI., in: Ders. (Hrsg.): *‚Mitarbeiter der Wahrheit‘: Christuszeugnis und Relativismuskritik bei Joseph Ratzinger/Benedikt XVI. aus evangelischer Sicht,* Göttingen, S. 138–172.

Rebenstorf, Hilke (2021): Ansprechbarkeit von Christ_innen durch Rechtspopulismus: Verletztes Alltagswissen heilen, in: Wolfgang Schröder/Markus Trömmer (Hrsg.): *Rechtspopulismus – Zivilgesellschaft – Demokratie*, Bonn, S. 240–258.

Schmid, Thomas (2011): *Politische Rede: Wie Papst Benedikt XVI. den Bundestag überlistete*, https://www.welt.de/debatte/article13620452/Wie-Papst-Benedikt-XVI-den-Bundestag-ueberlistete.html (abgerufen am 30.11.22).

Schockenhoff, Eberhard (2021): *Die Kunst zu lieben: Unterwegs zu einer neuen Sexualethik*, Freiburg i. Br.

Spieß, Constanze (2014): Diskurslinguistische Metaphernanalyse, in: Matthias Junge (Hrsg.): *Methoden der Metaphernforschung und -analyse*, Wiesbaden, S. 31–58.

Stoeckl, Kristina (2021): Konservative Netzwerke über Konfessionsgrenzen hinweg: Die ‚konservative Ökumene‘ des World Congress of Families, in: Strube u. a. (2021), S. 217–228.

Strube, Sonja A. (2019): Rechtspopulismus und konfessionelle Anti-Gender-Bewegung: Milieu-übergreifende Allianzen und rhetorische Strategien im deutschen Sprachraum, in: Maren Behrensen u. a. (Hrsg.): *Gender – Nation – Religion: Ein internationaler Vergleich von Akteursstrategien und Diskursverflechtungen* (Religion und Moderne 14), Frankfurt a. M./New York, , S. 25–49.

Strube, Sonja A. u. a. (Hrsg.) (2021): *Anti-Genderismus in Europa: Allianzen von Rechtspopulismus und religiösem Fundamentalismus. Mobilisierung – Vernetzung – Transformation*, Bielefeld.

Tanner, Klaus (1993): *Der lange Schatten des Naturrechts: Eine fundamental-ethische Untersuchung*, Stuttgart u. a.

Thiessen, Barbara ([2]2017): Gender Trouble evangelisch: Analyse und Standortbestimmung, in: Hark/Villa (2017), S. 149–166.

Thomas, Günter (2020): Instabilitäten im Naturbegriff und Ambivalenzen der Natur: Einführende Beobachtungen zu den naturalen Seiten der Schöpfung, in: Irmtraut Fischer u. a. (Hrsg.): *Natur und Schöpfung* (JBTh 34), Göttingen, S. 1–24.

Vicini, Andrea (2010): Auf der Suche nach einer universalen Ethik: Das Dokument der Internationalen Theologenkommission über das Naturrecht, in: concilium 46, S. 339–346.

Vinken, Barbara (2006): Aufhebung ins Weibliche: Mariologie und bloßes Leben bei Joseph Ratzinger, in: Thomas Meineke u. a.: *Ratzinger-Funktion (es 2466)*, Frankfurt a. M., S. 24–55.

Werner, Gunda (2021): Die Kontinuität des Frauenbildes in römischen Dokumenten: Ein dogmatisches close reading, in: Strube u. a. (2021), S. 229–240.

Wolf, Erik/Wolf, Ernst ([3]1960): Art. Naturrecht, in: *RGG* 4, S. 1353–1365.

Zorn, Daniel-Pascal (2017): *Logik für Demokraten: Eine Anleitung*, Stuttgart.

Empörung als Methode

Politikkonzepte des Rechtspopulismus – und was das die evangelische Kirche angeht[1]

Von Martin Becher

„Zwischen Nächstenliebe und Abgrenzung" ist ein Meilenstein in Bezug auf das Wissen und die Selbstvergewisserung der evangelischen Kirche hinsichtlich der politischen Einstellungen ihrer Mitglieder. Endlich wissen wir mehr über abwertende Haltungen und gruppenbezogene Menschenfeindlichkeit bei evangelischen Christ*innen, aber auch über die Energien und Motive dieser Menschen, sich für Demokratie, Respekt, Toleranz und Vielfalt zu positionieren.

Die drei Teilstudien mit ihren methodisch sehr unterschiedlichen Ansätzen liefern sehr verschiedene Einblicke in die oben genannten Phänomene und vermitteln Erkenntnisse über Zusammenhänge von Religiosität und Vorurteilen. Sie zeigen die Gefahr auf, wie christliche Theologie zur Host Ideology von Rechtspopulismus werden kann. Sie informieren über konkrete Erscheinungsformen vorurteilsfreier wie vorurteilsbeladener Kommunikation in Kirchengemeinden. Letztendlich geben uns alle drei Teilstudien Hinweise auf Konsequenzen, die diese Ergebnisse für die kirchliche Praxis haben sollten.

Was aus meiner Perspektive jedoch fehlt, sind Ausführungen zur grundsätzlichen Haltung, die einer solchen Praxis zugrunde liegen muss. Um sich dieser Notwendigkeit gewahr zu werden, ist ein tieferes Verständnis rechtpopulistischer Politikkonzepte erforderlich, die in diesem Beitrag in aller Kürze vorgestellt werden sollen.

1 Kennzeichen

Mit dem Politikwissenschaftler Jan Werner Müller aus Princeton sehe ich zwei Elemente als konstitutiv für den Rechtspopulismus an.

---

1 Mit Unterstützung von Valentin Fleck, Halle/Saale.

Erstens: Rechtspopulismus ist antirepräsentativ. Das bedeutet, er lehnt das Repräsentativitätskonzept in der Demokratie ab. Er diffamiert diejenigen, die Ämter übernehmen und sich in Ämter wählen lassen als Eliten. Rechtspopulismus diffamiert damit das Repräsentationsprinzip und setzt diesem ein glorifiziertes (naives) Bild direkter Demokratie entgegen.

Das zweite Element ist der Antipluralismus. Der Rechtspopulismus negiert, dass es unterschiedliche Weltanschauungen gibt, die in der Demokratie in den offenen Wettstreit der Ideen treten. Er geht von einem einheitlichen Volkswillen aus, den es umzusetzen gilt. Er bezeichnet damit den Pluralismus als etwas, das angeblich nicht den Willen des Volkes abbilden würde. Rechtspopulismus lehnt deshalb das pluralistische System ab.

Ganz entscheidend finde ich einen dritten Punkt, nämlich dass der Rechtspopulismus Institutionen und Verfahren ablehnt und in der Regel auch aktiv bekämpft. Durch Institutionen und Verfahren werden in der Regel demokratische Grundstrukturen und die Pluralität gesichert. Insbesondere werden dadurch jedoch der Schutz von Minderheiten und ihrer Rechte sowie allgemein die Menschenrechte gesichert. All diejenigen, die zu schwach sind, sich im Staat oder in der Gesellschaft durchzusetzen und deswegen diese Institutionen und Verfahren benötigen, werden durch die Aushöhlung, Ablehnung und Bekämpfung dieser nachhaltig geschädigt und an den Rand gedrängt. Hierfür gibt es jede Menge Beispiele, insbesondere bei Donald Trump, aber auch bei Politikern wie Orban oder Kaczyński, wo sich das politische Handeln früher oder später gegen Institutionen und Verfahren im Bereich der Justiz oder der Medien richtet.

2 Der Begriff des Politischen

Durch den Rechtspopulismus wird ein anderer Begriff von „Politik" eingeführt. Rechtspopulist*innen verstehen unter Politik nicht das, was traditionellerweise der Begriff des Politischen in klassischen Aushandlungsprozessen demokratischer Akteurinnen und Akteure ist.

Festzustellen ist als erstes — hier greife ich eine Formulierung des Journalisten Justus Bender auf, der für die Frankfurter Allgemeine Zeitung (FAZ) schreibt — dass die Realpolitik der Feind des Rechtspopulismus ist. Es fällt schwer, sich Fachleute der AfD in einzelnen Politikbereichen vorzustellen, im Bereich des Arbeitsmarktes, des Gesundheitswesens, der Bildungspolitik, der Verteidigungspolitik, der Außenpolitik, der Innenpolitik. In der Regel werden im Rechtspopulismus die unterschiedlichsten

Politikbereiche vermischt und populistisch aufgeladen, deswegen gilt die *Realpolitik als Feind des Rechtspopulismus.*

Ein anderer Aspekt des Bergriffs des Politischen ist die *Metapolitik.* Der 1998 verstorbene Bielefelder Soziologe Niklas Luhmann hat diese in einem FAZ-Artikel im Jahr 1990, also in der Zeit der Wende- und Vereinigungseuphorie, einmal mit den Begriffen „BluBo" und „BrauSi" gekennzeichnet – Blut und Boden, Brauchtum und Sippe. Metapolitik hebt in der Regel ab auf übergeordnete, metaphysisch aufgeladene Begriffe, die relativ unkonkret bleiben. Häufig hört man so etwas wie Kultur, Geschichte, Volk, Nation oder Vorsehung. Diese Begriffe kodifizieren letztendlich Rassismen, Menschenfeindlichkeit, Othering-Prozesse, Ausschlüsse von Menschen, aber sie adressieren übergeordnete Werte und sie müssen dechiffriert werden. Es ist sehr interessant, sich Reden einzelner Abgeordneter aus den Reihen der AfD anzuhören, die schwer fassbar scheinen und unkonkret bleiben. Gleichzeitig sind sie eine Kodierung und ihre Anhängerschaft weiß in der Regel genau, wovon die Rede ist.

Ein drittes Element scheint mir die *Symbolpolitik* zu sein. Symbolpolitik heißt unter anderem, dass es wichtig ist, bestimmte Zeichen und Symbole zu besetzen. Besonders eindrücklich erscheint mir dabei das Symbol der deutschen Nationalflagge Schwarz-Rot-Gold zu sein. Sie wird komplett von der AfD vereinnahmt. Bei Kundgebungen der Partei werden die schwarz-rot-goldenen Fahnen geschwenkt, während sie bei den Gegendemonstrierenden für gewöhnlich nicht zu sehen sind. Dabei steht Schwarz-Rot-Gold nicht nur für die (bürgerlichen) Einheitsbestrebungen im Deutschland des 19. Jahrhunderts, sondern selbstverständlich auch für den föderalen Staat, den Rechtsstaat, den Sozialstaat sowie den Staat des Grundgesetzes und der Grundrechte. Hier ist es der AfD beklemmenderweise gelungen, dieses Symbol und diese Farben für sich zu reklamieren und es damit aus seinem demokratischen Kontext zu reißen. Dieser symbolpolitische Erfolg hat für die AfD eine ganz besondere Bedeutung.

Eine vierte Dimension ist etwas, das ich *Staubsaugerpolitik* nenne. Rechtspopulistische Parteien sind in der Regel gut darin, Probleme zu identifizieren und diese lautstark zu überhöhen. Sie sind dagegen nicht existent bei der Frage nach Lösungen – ihre Lösungsvorschläge sind unterkomplex und inkonsistent sowie häufig menschenverachtend. Um Probleme zu identifizieren und damit Menschen zu empören, in Wallung zu bringen, zu emotionalisieren, ist es wichtig, dass rechtspopulistische Parteien eine Strategie entwickeln, solche Themen zu finden, sie mit entsprechenden Codes zu thematisieren und in Schwarz-Weiß-Bildern zu simplifizieren – Empörung als Methode. So ist es kein Wunder, dass innerhalb von acht Jahren der Geschichte der AfD die von ihr herausgehoben behandelten Themen rasant gewechselt haben. Erst war es die sogenannte „Eurokrise", dann die angebliche und sogenannte „Flüchtlingskrise", dann der „Islam", später die sogenannte „Corona-Krise" und jetzt ist es die „Energie- und Inflationskrise". Dabei spielt es keine Rolle, dass bei der jeweils aktuellen Krise möglicherweise Lösungen vorgeschlagen werden, die genau dem entgegenstehen, was man früher als Lösung für die vorangegangene Krise vorgeschlagen hatte. Es geht Rechtspopulist*innen eben nicht um den mühsamen Weg, Lösungen zu finden, sondern es geht um die Empörung, das Auffinden von Themen und um das Halten eines Staubsaugers in die Menge der Empörten und Wütenden, um damit möglichst viele Stimmen abzusaugen — das bezeichne ich als Staubsaugerpolitik.

Als fünftes wichtiges Element fasse ich die *Metakommunikation* auf. Das bedeutet, dass es Rechtspopulist*innen bewusst ist, dass sie in der Auseinandersetzung mit Demokrat*innen in der Regel inhaltlich aufgrund ihrer nicht vorhandenen realpolitischen Kompetenzen keine Chance haben – ihnen ist klar, dass dies eine asymmetrische Auseinandersetzung wäre. Deshalb versuchen sie auf der metakommunikativen Ebene (Aufreger- und Staubsauger-)Themen zu besetzen, indem sie diese immer wieder lautstark in die Debatte einbringen. Gelingt es ihnen, auf diese Weise die Agenda zu bestimmen und sachpolitische Fragen im Deutungsmuster einer Schwarz-weiß-Problematik zu emotionalisieren, erregen sie Aufmerksamkeit und generieren damit letztendlich Wählerstimmen. Diese Form der metakommunikativen Strategie ist letztendlich das Spiegelbild zur nicht vorhandenen realpolitischen Kompetenz und einem nicht vorhandenen realpolitischen Interesse.

3 Erklärungsversuche

In der Sozialwissenschaft gibt es zwei maßgebliche Erklärungsmuster für Rechtspopulismus, die hier kurz skizziert werden können.

Der erste Erklärungsversuch ist „Rassismus als Grundeinstellung". Dieser Rassismus ist geprägt durch eine Selbsterhöhung, die immer auch einhergeht mit der Abwertung anderer. Er ist verbunden mit der Sicherung von Privilegien – was in der Regel ein unbewusster Prozess ist – sowie einem Mantra der Zugehörigkeit. Menschen wollen zu einer größeren Einheit

gehören und das nimmt der Rassismus auf, indem er die Nicht-Dazugehö-
rigen ausgrenzt; das sind die sogenannten Othering-Prozesse.

Wir kennen solche Zugehörigkeitsprozesse und das Verlangen danach
auch aus der Migrationsforschung, die uns darüber aufklärt, dass häufig
jene, die als letzte in ein Land oder eine Gemeinschaft dazugekommen
sind, am stärksten die Noch-Zu-Kommenden ablehnen. Wenn man sich
die jüngere Geschichte des Rechtspopulismus in Deutschland anschaut,
ist es durchaus von Interesse, sich die Gruppe der Ostdeutschen und der
sogenannten „Russlanddeutschen" genauer anzusehen, auch wenn das sozi-
alwissenschaftlich unscharfe Begrifflichkeiten darstellt.

Ein zweiter Erklärungsversuch ist die Wahrnehmung von Neoliberalis-
mus als Bedrohung. Hier sind die Zumutungen, welche die Moderne mit
sich bringt, zu erwähnen. Zumutungen in der Arbeitswelt, durch die Bü-
rokratisierung, in der Bildung, aber auch zum Beispiel jene, die durch
ein Virus verursacht werden, das sich in einer globalisierten Welt leichter
ausbreitet. Diesen Zumutungen der Moderne treten Rechtspopulist*innen
durch Simplifizierung entgegen. Personifiziert wird das in den sogenannten
„Modernisierungsverlierern". Der Begriff kann sich hier sowohl auf Menschen als auch auf Regionen beziehen. Hierfür ist sicherlich die Begriffspaa-
rung interessant, die der britische Soziologe David Goodhart formuliert
hat: die *Somewheres* und die *Anywheres*. „If I can make it there, I can
make it anywhere", singt Frank Sinatra in *New York, New York* – damit
ist im Prinzip die liberale, flexible, örtlich ungebundene Elite aus Medien,
Wissenschaft, Wirtschaft, Justiz und Politik gemeint, die an allen Orten
der Welt erfolgreich sein kann. Dem gegenübergestellt werden die Somewheres, die sich nur vorstellen können, an einem bestimmten Ort zu leben.
Goodhart weist nach, dass bei der Wahl Donald Trumps 2016 sowie bei der
Brexit-Abstimmung 2016 die Somewheres überwiegend für Trump beziehungsweise den Brexit und damit rechtspopulistische Positionen gestimmt
haben. Ich finde dieses Begriffspaar im Grunde überzeugend, da Somewhere ein nicht-abwertender, nicht-diffamierender Begriff ist. Die Problematik
dieser Gegenüberstellung ist der Begriff Anywhere, denn damit wird ein
klassisches antisemitisches Stereotyp reproduziert: der heimatlose, rastlose,
umherziehende Jude in der Diaspora. Das entspricht natürlich genau dem
Bild der „globalistischen Elite", das die Rechtspopulist*innen aufbauen wollen.

4 Attraktivität des Rechtspopulismus

Aus dem oben Gesagten, lässt sich die Attraktivität, die Rechtspopulismus ausstrahlt, ableiten: Warum werden Menschen zu Anhänger*innen des Rechtspopulismus, warum wählen sie solche Parteien? Fünf Punkte sind hier zu nennen:

Attraktiv ist sicherlich die dem Rechtspopulismus typische Vereinfachung in der Darstellung und Analyse politischer Prozesse, die diese in der Regel auf gewisse Weise ihrer Komplexität beraubt und zu einfachen Schwarz-Weiß-Entscheidungen herunterbricht.

Der Rechtspopulismus neigt darüber hinaus strukturell zu Dichotomien. Wir und die Anderen; innen oder außen; dies oder jenes. Es existieren im Prinzip keine Grautöne und damit ist der Rechtspopulismus auch ein Antiprogramm für jegliche Form von Kompromissen.

Der Rechtspopulismus ist eine Form organisierter Verantwortungslosigkeit: Ganz gleich, was auch passiert – jüngst erst die Aufdeckung der Putschversuche durch die Reichsbürger*innen mit Beteiligung einer ehemaligen AfD-Bundestagsabgeordneten – es wird von niemandem aus dem rechtspopulistischen Bereich Verantwortung übernommen. Die „Schuld" wird immer bei anderen gesucht. Sehr aufschlussreich ist in diesem Zusammenhang, dass ein dezidiert konservativer Politiker wie Wolfgang Schäuble als Reaktion auf das Auftreten der Verantwortungslosigkeit der Rechtspopulist*innen in seinen Reden regelmäßig explizit gesagt hat, „in Verantwortung vor ..." oder „aus Verantwortung zu ..." handele er auf diese oder jene Weise. Dieses Betonen von Verantwortung ist eine implizite Abwehr des Konservativen gegenüber dem Rechtspopulismus.

Die Abwehr von Reflexivität oder Selbstreflexivität, man kann sogar von einer Anti-Selbstreflexivität sprechen. Wenn Jörg Meuthen die „versifften, rotgrünen 68er" angriff, dann meinte er damit in erster Linie die psychologische Komponente der „68er"-Bewegung mit Selbsthilfegruppen, psychotherapeutischen Angeboten und Selbstreflexion, die eine Welle der Auseinandersetzung mit der eigenen Persönlichkeit entfacht haben. Dieser Selbstreflexivität setzen Rechtspopulist*innen eine Anti-Selbstreflexivität entgegen, die durch niemanden besser als durch Donald Trump präsentiert wird. Es macht den Eindruck, als seien viele seiner Anhänger*innen gerade dadurch fasziniert, dass er unverschämt, brutal und böse ist und sich dessen nicht schämt, sondern im Gegenteil, dieses Verhalten offen zur Schau stellt, deutlich macht, sich ganz bewusst keine Gedanken über die Folgen zu machen, und damit erfolgreich ist.

Rechtspopulist*innen sind attraktiv, weil der Zugang zu ihnen voraussetzungslos ist. Anders als beispielsweise eine evangelische Kirchengemeinde oder ein grüner Stadtverband – wo (aktive) Mitglieder in der Regel eine gewisse Reflexivität unter Beweis stellen müssen, genderbewusst auftreten sollten und sich etwa über Klimafragen oder den Umgang mit Minderheiten in der Gesellschaft Gedanken gemacht haben sollten – ist der Zugang zu rechtspopulistischen Strukturen völlig voraussetzungslos. „Come as you are", würden Nirvana singen.

5 Ausblick

Für den Umgang der evangelischen Kirche mit Rechtspopulismus und Rechtspopulist*innen sind noch zwei weitere Aspekte interessant.

Dies ist erstens eine Diskussion, die auch in der rechtspopulistischen Agenda immer wieder hervortritt: Es geht um den Opferbegriff und die Opferdefinition. Im Zuge der intensivierten bundesrepublikanischen Auseinandersetzung mit dem Nationalsozialismus ab Mitte der 1980er-Jahre erhält der Begriff des Opfers eine neue Bedeutung. Waren Opfer vorher die Getöteten, Vermissten und Versehrten des Krieges, werden nun bis in die heutigen Tage Opfer zunehmend als sauber, rein und moralisch hochwertig wahrgenommen. Je jünger, weiblicher, schwächer, desto besser. Deswegen sind Anne Frank und Sophie Scholl im Kontext der nationalsozialistischen Verfolgung quasi zu Ikonen des Opferdaseins geworden. Bei Rechtspopulist*innen gibt es deshalb einen ausgeprägten Opferneid („sekundärer Antisemitismus"), weswegen das inszenierte Denkmal der Schande des *Zentrums für politische Schönheit* im Nachbargarten von Björn Höcke exakt den richtigen Adressaten gefunden hat.

Der andere Aspekt, den ich zu bedenken geben möchte, ist die Diskussion, die mit dem Begriffspaar Somewhere und Anywhere bereits angeklungen ist. Es ist unerlässlich, dass sich auch die Evangelische Kirche damit beschäftigt, wie eine wertschätzende Beschreibung derjenigen entwickelt werden kann, die Anhänger*innen des Rechtspopulismus sind und die unter Umständen wieder für die Demokratie zurückgewonnen werden können. Es wird der Evangelischen Kirche und anderen zivilgesellschaftlichen Kräften nicht gelingen, einen authentischen Dialog mit Menschen zu führen, die sich vom Rechtspopulismus angesprochen fühlen, wenn man diesen nicht wertschätzend begegnet. Für diese wertschätzende Begegnung ist zuallererst eine wertschätzende Beschreibung notwendig. Wir müssen als Kirche eine Sprache finden, um wahrhaftig mit „diesen Menschen", bei denen wir noch nicht wissen, unter welchem „Label" wir sie ansprechen sollen, ins Gespräch zu kommen.

Nächstenliebe braucht Klarheit – Schlaglichter aus der Geschichte der BAG K+R

von Henning Flad[1]

Eine wesentliche Anregung für das Forschungsprojekt „Kirchenmitgliedschaft und politische Kultur" im Auftrag der EKD ging von der Bundesarbeitsgemeinschaft Kirche und Rechtsextremismus (BAG K+R) aus. Seit ihrer Gründung setzte sie sich dafür ein, genauer zu untersuchen, wie weit Rassismus, Antisemitismus und andere Formen gruppenbezogener Menschenfeindlichkeit unter Mitgliedern der Evangelischen Kirche verbreitet sind. Auf Impuls der BAG K+R beschloss erstmals 2012 eine Synode der EKD, vorhandene Studien zu sichten, die sich bis dahin mit der Frage beschäftigt hatten, wie weit etwa Rassismus und Antisemitismus unter den Kirchenmitgliedern verbreitet ist. Gegebenenfalls sollte eine eigene Studie durchgeführt werden. Die ersten Vorarbeiten mit Begleitung einer Steuerungsgruppe fanden bereits im März 2013 statt. Die Arbeit an der jetzt vorliegenden Studie begann schließlich im Jahr 2019[2]. Die BAG K+R hatte auf Synoden, im Rat der EKD und im Kirchenamt um Unterstützung geworben und arbeitete dann mit mehreren Personen in der Steuerungsgruppe für die Studie intensiv mit. Mit ihrer Beteiligung wurden über die Jahre verschiedene Teilstudien in Auftrag gegeben, neue Forschungsansätze konzipiert und begleitende Tagungen durchgeführt. Im Folgenden soll die Geschichte der BAG K+R anhand von einigen Schlaglichtern erzählt werden. Was macht ihre Arbeit aus? Welche Themen wurden wann in ihr diskutiert?

Gründung der BAG K+R

Die BAG K+R wurde am 12. Februar 2010 in Dresden von mehr als einhundert Engagierten aus Kirche und Zivilgesellschaft gegründet. Initiiert wurde die Gründung der BAG K+R von Aktion Sühnezeichen Friedensdienste

---

1 Der Autor nahm im Herbst 2011 das erste Mal an einer Veranstaltung der BAG K+R teil. Er war von 2013 bis Anfang 2017 Mitglied des Sprecher*innenrates und ist seit März 2017 für die Projektleitung der BAG K+R verantwortlich.
2 Vgl. auch die Beiträge von Schwaetzer und Rebenstorf in diesem Band.

e. V. (ASF) gemeinsam mit der ökumenischen Arbeitsgemeinschaft „Kirche für Demokratie gegen Rechtsextremismus" in Sachsen, dem Kulturbüro Sachsen, Miteinander e. V. und Pax Christi Deutschland. Seit der Gründung liegt die Trägerschaft der BAG K+R bei ASF.

Von Anfang an war die BAG K+R als ökumenische Vernetzungsorganisation angelegt. Im Einladungstext für das Gründungstreffen hieß es:

> An vielen Stellen engagieren sich Initiativen und demokratische Netzwerke gegen diese Entwicklung. Auch kirchliche Initiativen und Arbeitsgruppen haben sich auf der Grundlage des christlichen Menschenbildes in den vergangenen Jahren immer wieder mit rechtsextremen Erscheinungsformen sowohl innerhalb der Kirche als auch in deren Umfeld auseinandergesetzt. Damit machen sie deutlich, dass menschenverachtende, rassistische, antisemitische und demokratiefeindliche Einstellungen mit dem christlichen Glauben unvereinbar sind. Bislang fehlt innerhalb kirchlicher Strukturen und Werke eine Vernetzungs- und Kommunikationsplattform für solche Initiativen und Arbeitsgruppen, die sich für eine demokratische Kultur gegen Rechtsextremismus einsetzen. Die Unterzeichnerinnen und Unterzeichner dieses Aufrufes wollen mit der BAG Kirche für Demokratie – gegen Rechtsextremismus (BAGKR) ein Forum schaffen, das den Austausch und die Zusammenarbeit dieser Initiativen ermöglicht und als Basis gemeinsamer politischer Interventionen dienen kann.

Bei der Lektüre des Textes fällt auf, dass der Name der Organisation zunächst anders angedacht worden war – bei der ersten Vollversammlung im Januar 2011 in Frankfurt wurde dann beschlossen, die neugegründete Organisation nicht „gegen Rechtsextremismus" zu nennen, sondern die Formulierung „*und* Rechtsextremismus" in den Namen aufzunehmen. Hier sollte nicht postuliert werden, auf der Basis einer simplen Gut-gegen-Böse-Dichotomie zu agieren, sondern vielmehr betont werden, dass eine selbstkritische Perspektive notwendig sei. Es sollte deutlich gemacht werden, dass es auch innerhalb der Kirchen problematische Entwicklungen gibt. Diese Grundhaltung mündete später in den immer wieder zitierten Merksatz, dass nur, wer sich als Teil des Problems begreife, auch Teil der Lösung sein könne.

Bereits in einem Profilpapier für das Gründungstreffen in Dresden wurde die Perspektive, dass auch eine Auseinandersetzung mit innerkirchlichen Problemen notwendig sei, deutlich herausgestellt: „Sie (die BAG K+R, H. F.) will mit ihrer Arbeit rechtsextreme, das heißt fremdenfeindliche, rassistische, antisemitische, homophobe und völkisch-nationalistische Haltungen **innerhalb** (Hervorhebung H. F.) und außerhalb der Kirchen verändern." Und weiter: „Unsere biblischen Grundlagen schließen gruppenbezogene Menschenfeindlichkeit aus. Doch wir haben aus der Geschichte schmerzhaft erfahren, das Christen und Christinnen von rassistischen und antisemitischen Ideologien verführbar sind und Träger dieser Ideologien werden können. Die Geschichte des kirchlichen Antisemitismus ist dabei eine der besonderen Schuldverstrickungen."

Neben der selbstkritischen Perspektive, die notwendig sei, wurde auch explizit eine Verbindung zwischen christlichem Glauben und politischem Selbstverständnis der BAG K+R hergestellt: „Die BAGKR versteht Kirche als Ort, an dem die Liebe Gottes zu dem Volk Israel und durch Jesus Christus zu den Völkern der Welt verkündet und gelebt wird. Sie ist damit auch ein Ort des genuinen Widerstandes gegen nationalistische, antisemitische sowie fremdenfeindliche und rassistische Weltbilder."

Themen der BAG K+R

2.1 Der Neonaziaufmarsch in Dresden

Dresden war als Ort für die Gründung mit Bedacht gewählt. Die Stadt war damals einmal im Jahr Schauplatz eines großen Neonaziaufmarsches, der das Gedenken an die Bombardierung der Stadt im Februar 1945 instrumentalisierte. Tausende Neonazis marschierten jedes Jahr mit Fackeln durch die Stadt, und skandierten Parolen, in denen von einem „Bomben-Holocaust" die Rede war.

Aktion Sühnezeichen Friedensdienste e. V. beteiligte sich bereits seit Mitte der 2000er Jahre an den Protesten gegen den Aufmarsch. Im Jahr 2009 beteiligten sich 200 Menschen am ASF-Block bei den Protesten – doch es gelang nicht, den Neonaziaufmarsch zu verhindern. Zudem frustrierte, dass die Gegenkundgebung trotz guter Beteiligung insgesamt nur wenig größer war als die rechtsextreme Demonstration. In der Konsequenz beschloss ASF, sich im nächsten Jahr schon frühzeitig an der Vorbereitung von weiteren Protesten zu beteiligen – zusammen mit sächsischen Partner*innen – dem Kulturbüro, der Evangelischen Erwachsenenbildung, der AG Kirche für Demokratie gegen Rechtsextremismus Sachsen – und der Amadeu-Antonio-Stiftung.

An einem Friedensgebet in Dresden am 14. Februar 2010 beteiligten sich schließlich rund 1000 Menschen und trugen dazu bei, dass die zivilgesell-

schaftlichen Proteste – wie massenhafte Blockaden sowie eine Menschen-
kette – erstmals seit den frühen 1990er-Jahren einen Neonaziaufmarsch in
Dresden verhinderten.

Es waren die Proteste gegen den Neonaziaufmarsch in Dresden, aus denen der Impuls entstand, die BAG K+R zu gründen. Ein zentraler Gedanke
dabei war, dass es für wirkungsvolle Auseinandersetzung mit Neonazismus
einen Dialog von Kirchenleitungen und Politik auch mit antifaschistischen
Gruppen brauche. Die BAG K+R sollte dabei als in beide Richtungen
gesprächsfähige „Brücke" zwischen verschiedenen gesellschaftlichen Milieus fungieren. Dieses Modell sollte sich dann später wiederholen auch in
der Aufarbeitung der Verbrechen des Nationalsozialistischen Untergrundes
(NSU). Der Protest gegen Aufmärsche von Neonazis begleitete die BAG
K+R in den folgenden Jahren auf vielfältige Weise – in der Unterstützung
von kirchlichem Engagement auch gegen andere Aufmärsche, etwa in Bad
Nenndorf.

Beim Gründungstreffen in Dresden im Februar 2010 wurde eine kom-
missarische Sprecher*innengruppe gebildet – und damit eine erste konti-
nuierliche Struktur für die Arbeit. Die erste offizielle Vollversammlung der
BAG K+R fand am 28. und 29. Januar 2011 in Frankfurt am Main statt. Dort
wurde ein Profilpapier verabschiedet und ein Sprecher*innenrat gewählt.
Im ersten Sprecher*innenrat waren neben Aktion Sühnezeichen Friedensdienste e. V. unter anderem auch das Kulturbüro Sachsen sowie Pax Christi
vertreten. Die Vollversammlung findet seitdem üblicherweise einmal im
Jahr statt, meistens im Frühling. Alle drei Jahre wird der Sprecher*innenrat
neu gewählt, zuletzt im Jahr 2022 in Hamburg.

Von enormer Bedeutung für die ersten Schritte der BAG K+R war die
Unterstützung aus der Synode der EKD und dem Deutschen Evangelischen
Kirchentag. Dessen Präsidium hatte beschlossen, dass ASF für die Arbeit
gegen Rechtsextremismus einen Teil der Kollekte des Evangelischen Kir-
chentags 2011, der ebenfalls in Dresden stattfand, erhalten sollte. Damit
verfügte die BAG K+R über eine erste Anschubfinanzierung. Auch in den
folgenden Jahren gab es immer wieder wichtige Unterstützung aus der
Synode der EKD.

2.2 NSU-Selbstenttarnung

Gut anderthalb Jahre nach der Gründung fand am 11./12. November 2011
in Wittenberg die erste öffentliche Jahrestagung der BAG K+R statt, unter

anderem mit einem Referat des damaligen EKD-Ratsvorsitzenden Nikolaus Schneider. Wenige Tage zuvor waren Uwe Mundlos und Uwe Böhnhardt nach einem Banküberfall von der Polizei tot aufgefunden worden. Kurz darauf setzte Beate Zschäpe ein Haus in Zwickau in Brand. Der NSU hatte sich selbst enttarnt, und die Aufarbeitung der schlimmsten neonazistischen Mordserie in der Geschichte der Bundesrepublik musste beginnen. Dabei stellten sich Fragen, die für die BAG K+R über viele Jahre ein zentrales Thema der Arbeit darstellten: Wie sieht es aus mit Rassismus in den Ermittlungsbehörden? Welches Unterstützungsnetzwerk hatte der NSU? Welche Konsequenzen müssen aus dem Staatsversagen in der Strafverfolgung des NSU gezogen werden? Wie kann den Angehörigen der Opfer eine Stimme gegeben werden? Die BAG K+R veröffentlichte eine Broschüre dazu, organisierte ein Theaterfestival mit, und führte zahlreiche Veranstaltungen durch. Ebenso war sie an der Gründung von NSU-Watch beteiligt, einer Website, auf der regelmäßig Berichte aus dem NSU-Prozess in München veröffentlicht wurden. Gemeinsam mit Kooperationspartner*innen wie der Amadeu-Antonio-Stiftung oder antifaschistischen Initiativen machte sie Lobbyarbeit für die Einrichtung von Untersuchungsausschüssen in Parlamenten und für die Umsetzung der Empfehlungen aus dem Abschlussbericht des Untersuchungsausschusses im Bundestag.

Noch während der ersten Jahrestagung in Wittenberg 2011 sickerten weitere Informationen über die NSU-Selbstenttarnung durch, und sie wurden von den Anwesenden, von denen viele seit etlichen Jahren über die Neonaziszene recherchiert hatten, intensiv diskutiert. Die Jahrestagung fand damals noch unter dem Titel „Ost-West-Konferenz" statt – um die besondere Bedeutung von Diskussionen über die unterschiedliche Situation in Ost und West für die BAG K+R hervorzuheben, bevor sie dann 2017 in „Forum" umbenannt wurde. Das Grundkonzept des Forums, das bis heute gilt, bestand schon damals darin, die Veranstaltung mit regionalen Kooperationspartner*innen gemeinsam vorzubereiten – im Jahr 2011 waren dies die Evangelische Akademie Sachsen-Anhalt e. V. und die AG Kirche und Rechtsextremismus der Evangelischen Kirche in Mitteldeutschland. Die Tagung findet seitdem jedes Jahr in einem anderen Bundesland statt.

2.3 Flyer: Gruppenbezogene Menschenfeindlichkeit

Bereits im Jahr 2011 begann die Arbeit an einem größeren Publikationsprojekt der BAG K+R: einer mehrjährig angelegten Reihe von Handreichungen im Flyerformat zu Erscheinungsformen gruppenbezogener Menschenfeindlichkeit (GMF). Dabei sollte das von einer Forschungsgruppe um Wilhelm Heitmeyer entwickelte Konzept[3] auf den kirchlichen Raum angewendet werden – jeder Flyer sollte je eine Erscheinungsform gruppenbezogener Menschenfeindlichkeit mit einem Einführungstext erläutern, mit Elementen des christlichen Glaubens, die diesem entgegenstehen in Bezug setzen sowie konkrete Handlungsempfehlungen für Kirchengemeinden geben. Der erste Flyer zu Antisemitismus erschien im Jahr 2012, seitdem erschien fast jedes Jahr mindestens ein weiterer Flyer bis hin zu Nummer elf „Diskriminierung aufgrund sexueller und geschlechtlicher Vielfalt" im Juli 2022.[4] Fast alle dieser Flyer wurden zwischenzeitlich neu veröffentlicht, teilweise gründlich überarbeitet.

Bei vielen Themen der BAG K+R gab es unter den Mitgliedsorganisationen immer schon ein hohes Maß an Konsens über gemeinsame Positionen – doch manchmal musste eine Haltung erst entwickelt und gefunden werden. Als die BAG K+R ihren ersten GMF-Flyer zum Thema Antisemitismus schließlich veröffentlichte, waren dem kontroverse Diskussionen vorausgegangen. Umstritten war zunächst insbesondere die auch im Flyer betonte Verbindung zwischen Israelfeindlichkeit und Antisemitismus, und auch die Frage, welche theologischen Postulate unter den ebenfalls im Flyer kritisierten christlichen Antijudaismus fielen. In der Folge positionierte sich die BAG K+R immer wieder deutlich zu diesem Thema, und auch auf vielen Tagungen fanden Workshops über israelbezogenen Antisemitismus und christlichen Antijudaismus statt – und die Notwendigkeit der Aufarbeitung unseliger Traditionen. Die Vollversammlung der BAG K+R im Jahr 2015 in Soest stellte dann in einer Resolution fest:

„Dieser säkulare Antisemitismus der Mitte knüpft an eine jahrhundertelange Geschichte des christlichen Antijudaismus an, die bis heute wirkt. Ein wesentliches Element ist dabei die sogenannte Substitutionstheologie

---

3 Im Rahmen des von 2001 bis 2012 laufenden empirischen Forschungsprojektes gleichen Titels am Institut für Konflikt- und Gewaltforschung der Universität Bielefeld. Siehe für weitere Informationen: https://pub.uni-bielefeld.de/project/P439.
4 Diese Flyer, wie auch die übrigen in diesem Beitrag genannten Publikationen, können auf der Internetseite der BAG K+R heruntergeladen werden: https://bagkr.de/publikati onen/.

oder auch Enterbungstheologie – das heißt der Glaube, der Bund Gottes mit dem jüdischen Volk sei gekündigt, da das Judentum Jesus Christus zurückgewiesen habe. Wir wenden uns gegen alle gegenwärtigen Versuche, an diese unselige Tradition der Enterbungstheologie wieder anzuknüpfen. Wir folgen stattdessen den Grundordnungen der evangelischen Landeskirchen sowie den einschlägigen katholischen Erklärungen, in denen unmissverständlich festgestellt wird, dass der Bund zwischen Gott und dem jüdischen Volk nicht gekündigt ist, und dass die Juden das auserwählte Volk Gottes bleiben."

Und mit Blick auf die kurz vorher auf deutschen Straßen durchgeführten israelfeindlichen Demonstrationen wurde beschlossen:

„Es ist entschieden zu kurz gedacht und wird der Komplexität der Situation im Nahen Osten nicht gerecht, Israel allein in der Rolle des Täters und die Palästinenser in der Rolle der Opfer zu sehen. Wir weisen alle Versuche zurück, das Existenzrecht Israels in Frage zu stellen, es mit NS-Vergleichen zu dämonisieren oder in der oft berechtigten Kritik an der israelischen Regierung Doppelstandards anzusetzen."

2.4 Rechtspopulismus und „Neue" Rechte

Die Stadt Dresden war ein zweites Mal Ausgangspunkt für ein weiteres wesentliches Thema in der Geschichte der BAG K+R: Der Aufstieg einer neuen rechten Bewegung in Deutschland, der mit den PEGIDA-Veranstaltungen in Dresden ab Herbst 2014 und den Wahlerfolgen der AfD sichtbar wurde. Von 2015 an stand die Auseinandersetzung mit Rechtspopulismus und der Neuen Rechten im Mittelpunkt der Arbeit – mit vielen Veranstaltungen, mit stark nachgefragten Publikationen, in vielen Beratungsfällen. Dabei ging es einerseits um die Analyse des Rechtspopulismus und der „Neuen" Rechten- aber auch um die Frage, wie mit ressentimentgeladenen Stimmungen innerhalb von Kirchengemeinden umgegangen werden sollte. Zentral war dabei weiterhin die Erkenntnis, dass die Kritik von Rassismus und Antisemitismus immer im eigenen Raum und bei sich selbst beginnen müsse. Gerade die Kirchen wurden aber auch zum Angriffsziel der neuen rechten Bewegung – da sie sich klar als Unterstützerinnen von Geflüchteten positionierten. Hier ergab sich ein hoher Bedarf nach Information und Sensibilisierung: Wer sind die wichtigsten Akteur*innen der „Neuen"

Rechten? Welches sind ihre politischen Strategien? Wie sieht eine kluge Argumentation gegen rechtspopulistische Stimmungsmache aus?

Die von Rechtspopulist*innen betriebene Hetze gegen Geflüchtete führte nicht nur zur schlimmsten Welle von rassistischen Brandanschlägen in Deutschland seit den 1990er-Jahren, sondern auch zu zahlreichen Anfeindungen gegen haupt- und ehrenamtliche Unterstützer*innen, die sehr oft eng an Kirchengemeinden angebunden waren. Auch sie hatten zu leiden unter gesellschaftlicher Polarisierung bis hinein in Freundeskreise. Von 2015 bis 2018 führte die BAG K+R deshalb regelmäßig Veranstaltungen durch, um Menschen aus der Geflüchtetenunterstützung im Umgang mit Bedrohungen und Angriffen zu beraten. Für viele Engagierte aus den Kirchen war es eine neue Erfahrung, Anfeindungen von rechts ausgesetzt zu sein – Diskussionen über dieses Thema gewannen deshalb im kirchlichen Raum an Bedeutung, und in der Folge wuchs auch das Interesse an der BAG K+R.

Dem kirchlichen Umgang mit Rechtspopulismus widmete sich eine erstmals 2016 erschienene Broschüre der BAG K+R mit dem Titel „Gott hat uns nicht gegeben den Geist der Furcht, sondern der Kraft, der Liebe und der Besonnenheit. Impulse für den Umgang mit Rechtspopulismus im kirchlichen Raum". Die Publikation diente der Einführung in das Thema Rechtspopulismus und „Neue" Rechte, diskutierte aber auch ausführlich in zwei Textbeiträgen Handlungsoptionen für den Umgang in Gemeinden. Die Broschüre wurde mehrmals neu in stark überarbeiteten Fassungen aufgelegt, zuletzt 2020, und ist kontinuierlich die am stärksten nachgefragte Veröffentlichung der BAG K+R.

2.5 Rechte Theologie

Die ernsthafte Beschäftigung mit einem weiteren Thema begann um das Jahr 2018 herum: Die Instrumentalisierung von Theologie durch Vordenker*innen der „Neuen" Rechten. Ein Beispiel dafür ist Karlheinz Weißmann. Im Hauptberuf war der studierte Theologe als Lehrer für Geschichte und evangelische Religion tätig, daneben veröffentlichte er zahlreiche Texte mit christlichen Bezügen – darunter auch ein Buch mit dem Titel „Martin Luther für junge Leser: Prophet der Deutschen"[5]. Auch der Pub-

---

5 Weißmann, Karlheinz (2017): *Martin Luther für junge Leser: Prophet der Deutschen*, Berlin.

lizist Martin Lichtmesz, Stammautor der neurechten Zeitschrift *sezession*, veröffentlichte ein Buch, in dem er sich intensiv aus rechtskatholischer Sicht mit theologischen Fragen befasste[6]. Der Name ist natürlich ein Pseudonym, und darin liegt auch eine Botschaft: Es spielt auf den katholischen Feiertag Maria Lichtmess an. Die Auseinandersetzung mit dieser Problematik begann mit einem Workshop beim BAG K+R-Forum 2018 in Nürnberg, wo in einem Workshop ein Buch von Lichtmesz kritisch analysiert wurde. Vertieft wurde die Auseinandersetzung dann mit einer Schriftenreihe mit dem Titel *Einsprüche*. Seit 2020 erscheint in dieser Reihe jedes Jahr eine Broschüre, in der es um Fragen geht wie: Warum ist für die „Neue" Rechte der christliche Bezug so wichtig? An welchen Themen und Personen zeigt sich dies in besonderer Weise? Wie wird argumentiert? Für die Kirchen ist das Thema besonders relevant – schließlich wird der Angriff von rechts auf sie nicht nur politisch, sondern auch theologisch begründet.

2.6 Geschlechterpolitik und Auseinandersetzung mit Antifeminismus

Die Frage, an welchen inhaltlichen Punkten Rechte auf die Kirchen einwirken, beschäftigte die BAG K+R immer wieder auch in einem weiteren Thema: der Geschlechterpolitik. Die Übereinstimmung vieler Kirchenmitglieder mit rechten Positionen im Bereich der Ablehnung von Gleichstellungspolitik und sexueller Vielfalt war ein wichtiges Ergebnis in der EKD-Studie – gleiches gilt schon seit Langem auch für das Thema „Lebensschutz". Es ist das Feld der Geschlechterpolitik, in dem sich zentrale Brückenthemen nach rechts finden. Dies zeigte sich über Jahre hinweg etwa beim „Marsch für das Leben", einer auch aus dem rechtskirchlichen Milieu getragenen Veranstaltung, die sich insbesondere gegen die Straffreiheit von Schwangerschaftsabbrüchen wendet. Auch die „Demo für Alle", die neben den Demonstrationen auch zahlreiche weitere Veranstaltung durchführt, wird stark vor allem von rechtsevangelikalen Milieus getragen. Sie wendete sich, so der Begriff im rechten Jargon, gegen die „Frühsexualisierung" von Kindern. Die BAG K+R behandelte deshalb das Thema immer wieder im Rahmen ihrer Veranstaltungen, etwa in Beiträgen zu Geschlechtervorstellungen in evangelikalen Gemeinden, und auch in ihren Publikationen, etwa mit einem Beitrag in der „Einsprüche"-Broschüre 3. Im Jahr 2023 wird erstmals eine spezifisch diesem Thema gewidmete Tagung stattfinden.

---

6 Lichtmesz, Martin (2014): *Kann nur ein Gott uns retten? glauben, hoffen, standhalten*, Schnellroda.

2.7 Der weiße Jesus – Rassismuskritik

Mit der Evangelischen Akademie zu Berlin existiert seit Langem eine besonders enge Kooperation – sie ist auch seit vielen Jahren im Sprecher*innenrat vertreten. Die Zusammenarbeit zeigt sich in einer ganzen Reihe von gemeinsamen Publikationen, oft zusammen mit dem eng mit der Akademie verbundenen Netzwerk „narrt – Netzwerk antisemitismus- und rassismuskritische Religionspädagogik und Theologie". Die erste Broschüre mit dem Titel „Vor Gott sind alle Menschen gleich. Beiträge zu einer rassismuskritischen Religionspädagogik und Theologie" erschien im Jahr 2016. Wie kann eine rassismuskritische Theologie aussehen? Wie kann die Einsicht verbreitet werden, dass, wie es in der Broschüre heißt, wir alle von Rassismus betroffen sind, Rassismus uns alle verletzt und aus theologischer Perspektive Rassismus Sünde ist, „die alle von Gott geschaffenen Menschen (sowohl die von Rassismus Betroffenen als auch die von Rassismus Profitierenden) und schließlich Gott selbst verletzt"? Was tun, um den weißen Christus loszuwerden? Über die Jahre folgten weitere Publikationen – etwa zum Begriff der „Identität". Auch fanden mehrere Veranstaltungen statt, in denen es darum ging, christliche Alternativen zu rassistischen Botschaften zu entwickeln. Wichtig war immer wieder auch – besonders im Rahmen der Jahrestagung, dem Forum – die Diskussion über das Verhältnis zwischen Antisemitismus- und Rassismuskritik, mit Blick auf die vielen zum Teil sehr scharf ausgetragenen Konflikte zwischen beiden Feldern. Scharfe Auseinandersetzungen gibt es insbesondere in Diskussionen über das Verhältnis zwischen der Aufarbeitung der Shoa und der Aufarbeitung des Kolonialismus. Die Perspektive der BAG K+R war in diesen Auseinandersetzungen geprägt davon, dass beides, Rassismuskritik und Antisemitismuskritik, zusammengehört und immer zusammengedacht werden muss – und nicht in Gegensatz zueinander. Eine Erscheinungsform von Rassismus, nämlich Rassismus gegen Sinti und Roma, wurde dabei stets besonders intensiv analysiert, mehrfach in gemeinsamen Veranstaltungen in den Jahren 2019 und 2022 mit der Evangelischen Akademie zu Berlin sowie vor allem auch Organisationen aus der Minderheit – dem Dokumentations- und Kulturzentrum Deutscher Sinti und Roma und dem Bildungsforum gegen Antiziganismus.

Organisationsstrukturen der BAG K+R

3.1 Kontinuierliches Wachstum in den Mitgliedszahlen

Sechs Organisationen gaben den Anstoß zur Gründung der BAG K+R (siehe Abschnitt 1), andere schlossen sich in der Folge an. Formell wurde eine Liste der Mitglieder erst ab dem Februar 2011 geführt – die ältesten Anträge auf Mitgliedschaft sind auf Ende Januar 2011 und Anfang Februar 2011 datiert, sie stammen unter anderem von ASF, der AG Kirche und Rechtsextremismus der Evangelischen Kirche in Mitteldeutschland, dem Kulturbüro Sachsen, dem Zentrum Ökumene der Evangelischen Kirche in Hessen und Nassau sowie der Evangelischen Versöhnungskirche in der KZ-Gedenkstätte Dachau. Schnell traten weitere Organisationen bei, die sich bereits an der Gründung beteiligt hatten – so etwa Miteinander e. V. Bis Ende 2011 war die BAG K+R auf 25 Mitgliedsorganisationen angewachsen, auf einer Mitgliedschaftsliste aus dem April 2015 stehen bereits 35 Organisationen. Ein Aufnahmeantrag von einer besonders wichtigen katholischen Mitgliedsorganisation, dem Bund der Deutschen Katholischen Jugend (BDKJ), wurde im April 2012 gestellt – Vertreter*innen des BDKJ waren dann durchgängig seit 2013 Mitglied im Sprecher*innenrat. Seit dem Juni 2012 ist die Evangelische Frauenhilfe Westfalen dabei, und seit dem Jahr 2016 auch die Evangelischen Frauen in Deutschland. Unter den Mitgliedern finden sich Projekte für Demokratieförderung von diakonischen Landesverbänden, die Projektstelle gegen Rechtsextremismus im Evangelischen Bildungszentrum Bad Alexandersbad, katholische Fachverbände für Jugendsozialarbeit, Arbeitnehmende sowie Kinder- und Jugendschutz, altehrwürdige kirchliche Organisationen wie Pax Christi oder die Martin-Niemöller-Stiftung – und auch weitgehend ehrenamtlich arbeitende lokale Gruppen wie der Arbeitskreis Chris*innen gegen Rechtsextremismus im Evangelischen Kirchenkreis Dortmund. Von Anfang an dabei waren auch mehrere wesentliche Organisationen aus dem Feld der zivilgesellschaftlichen Rechtsextremismusprävention – wie die Amadeu-Antonio-Stiftung, die Mobile Beratung gegen Rechtsextremismus Berlin, das Kulturbüro Sachsen sowie Miteinander e. V. Seit vielen Jahren ist die BAG K+R deshalb durch etliche Doppelmitgliedschaften dem Bundesverband Mobile Beratung eng verbunden, ebenso wie durch vielfältige Kooperationen auch dem Verband der Beratungsstellen für Betroffene rechter, rassistischer und antisemitischer Gewalt e. V. Seit der Aufnahme des Erprobungsraums Lorenz*SPACE der Evangelischen Kirchengemeinde Schafbrücke Saarbrücken im Jahr 2020 ist die BAG K+R in allen 16 Bundesländern vertreten. Im Februar 2023 war die BAG K+R mit dem Beitritt der „Projektstelle für die Themen auf Rassismus und Antisemitismus in der Arbeitsstelle für Weltanschauungsfragen der Evangelischen Landeskirche in Württemberg" auf 52 Mitglieder angewachsen.

3.2 Finanzen und die Geschäftsstelle der BAG K+R

Über die Jahre konnte die BAG K+R ihre internen Organisationsstrukturen langsam ausbauen. Der erste Schritt dazu wurde möglich durch Kollektenmittel des Evangelischen Kirchentages in Dresden im Jahr 2011. Mit dem Geld konnte eine Geschäftsstelle in den Räumen von ASF aufgebaut sowie ein Stellenanteil im Kulturbüro Sachsen in Dresden für die Geschäftsführung beziehungsweise Projektleitung finanziert werden. Im Berliner Büro kümmerte sich nun eine studentische Hilfskraft um Tagungsorganisation und Materialversand. Stabilisiert wurden die Strukturen ab 2015 mit der neu erlangten Förderung durch das Bundesprogramm „Demokratie leben!" aus dem Bundesfamilienministerium – diese macht seitdem den weit überwiegenden Teil des Etats aus. Weitere Fördergelder kommen seitdem von der EKD sowie in kleinerem Umfang und jährlich wechselnd unter anderem auch von mehreren evangelischen Landeskirchen und katholischen Bistümern. Dadurch konnte der Stellenanteil der Projektleitung deutlich aufgestockt werden, und auch eine Koordinationsstelle in Berlin eingerichtet werden. Ab Anfang 2017 wurde die Projektleitungsstelle nach Berlin verlegt – ihr Schreibtisch ist seitdem in den Räumen des Bundes der Deutschen Katholischen Jugend (BDKJ) in Berlin angesiedelt, während die Geschäftsstelle selbst in Fußentfernung bei der Trägerorganisation ASF e. V. verblieb.

Mit Beginn der nächsten Förderphase von „Demokratie leben!" ab Januar 2020 und neuen Förderrichtlinien wurde die BAG K+R Teil des neu gebildeten Kompetenznetzwerkes Rechtsextremismusprävention (KompRex). Zu dem seit Januar 2020 bestehenden Netzwerk gehören neben der BAG K+R die Amadeu Antonio Stiftung, Cultures Interactive e. V., Gesicht Zeigen! Für ein weltoffenes Deutschland e. V. und die Lidice Haus Jugendbildungsstätte. Durch die Zusammenarbeit von fünf Organisationen sollte eine stärkere Wirkung der Arbeit in der Rechtsextremismusprävention erzielt werden. Die beteiligten Organisationen sind im KompRex jeweils für unterschiedliche Bereiche zuständig – die BAG K+R für den kirchlichen

Raum. Seitdem führt die BAG K+R auch mit diesen vier Partner*innen gemeinsame Veranstaltungen durch, darunter Fachtagungen und eine Online-Fortbildungsreihe. Auch die Geschäftsstelle wuchs mit Beginn der neuen Förderphase – bei ASF wurde nun eine zweite Koordinationsstelle eingerichtet. Die größere Geschäftsstelle ermöglichte der BAG K+R vor allem seit dem Jahr 2015 und stärker noch seit dem Jahr 2020, Stück für Stück ihre Aktivitäten zu erweitern – sie betreibt eine regelmäßig gepflegte Website und eine Facebookseite, und sie ist mit Veranstaltungen und einem Messestand kontinuierlich bei Evangelischen Kirchentagen und dem Katholikentag vertreten.

Jahrelang setzte sie sich mit Nachdruck zusammen mit ihrer Trägerorganisation ASF sowie anderen zivilgesellschaftlichen Organisationen für ein Demokratiefördergesetz ein, das im Laufe des Jahres 2023 verabschiedet werden soll. Wie sich dies auf die Finanzierung der BAG K+R auswirken wird, zeigt sich wohl erst ab der nächsten Förderperiode von Demokratie leben!, ab Anfang 2025.

3.3 Corona: Die BAG K+R stellt auf Online-Betrieb um

Die Corona-Pandemie ab Anfang 2020 war auch für die BAG K+R zunächst herausfordernd. Schnell mussten Veranstaltungen abgesagt werden, die Geschäftsstelle stellte auf Home-Office-Betrieb um, die Vollversammlung im Frühling 2020 konnte nicht stattfinden. Relativ schnell jedoch gelang die Gewöhnung daran, Veranstaltungen nun online anzubieten. Ebenso wie der Rest der Welt lernte die BAG K+R, Online-Formate auch zu schätzen. Es stellte sich heraus, dass so mit relativ wenig Aufwand relativ viele Menschen erreicht werden konnten. Schnell entwickelte sich eine Routine, und Veranstaltungen fanden oftmals mit mehr Teilnehmenden als bei den Präsenzveranstaltungen in den Jahren zuvor statt. Etwas schmerzhaft war, dass selbst die Feier zum zehnten Jahrestag der Gründung der BAG K+R im Herbst 2020 nur online stattfinden konnte. Die Feier war dann aber doch recht würdevoll, mit Gesprächen mit vielen langjährigen Weggefährt*innen und prominenten Unterstützer*innen. Ebenfalls im Herbst 2020 fand erstmals sogar ein Forum der BAG K+R online statt, eigentlich geplant für Ostritz (Sachsen) – die Pandemie ließ eine Präsenzveranstaltung jedoch nicht zu. Erst die Teilnehmenden des nächsten Forums, im Herbst 2021 in Bonn, trafen wieder direkt aufeinander, mit viel (räumlicher) Distanz und Maskentragen.

Ausblick

Seit der Gründung der BAG K+R sind mehr als zehn Jahre vergangen, sie hat sich in dieser Zeit zu einer im kirchlichen Raum und in der Zivilgesellschaft sehr sichtbaren und gut vernetzten Organisation entwickelt, die in vielen wichtigen kirchlichen Debatten gehört wird. Nicht zuletzt zeigte sich dies auch an der Studie „Zwischen Nächstenliebe und Abgrenzung" der EKD, in deren Steuerungsgruppe sie über viele Jahre intensiv mitarbeitete. Der Abschluss der Studie kann Anlass sein, auch darüber nachzudenken, wie mit den Ergebnissen im kirchlichen Raum weitergearbeitet werden kann – und welche Rolle neben weiteren Akteur*innen etwa aus der kirchlichen Antirassismusarbeit oder der feministischen Theologie auch die BAG K+R darin haben kann. In einem Beschluss der Vollversammlung der BAG K+R in Hamburg im Jahr 2022 hieß es mit Blick auf die abgeschlossene Studie: „Wir plädieren dafür, eine kritische Auseinandersetzung mit Erscheinungsformen gruppenbezogener Menschenfeindlichkeit und den Einsatz für eine inklusive, offene und demokratische Gesellschaft als wichtige kirchliche Regelaufgabe anzusehen. Dies sollte besonders der Fall sein in der Aus-, Fort- und Weiterbildung von Haupt- und Ehrenamtlichen ebenso wie in der Jugend(bildungs-)arbeit und Seelsorge. Dabei sind neben der Diakonie und der theologischen Ausbildung insbesondere die kirchlichen Bildungseinrichtungen in den Blick zu nehmen. Hier gibt es bereits vielfältige Kooperationen, und die BAG K+R ist gerne zu weiterer Zusammenarbeit bereit."

Autor*innen und Herausgeber*innen

Barriga Morachimo, Manuela, M.A., Soziologin und wissenschaftliche Mitarbeiterin am Institut für Sozialwissenschaften der Universität Siegen.

Becher, Martin, Dipl.-Päd., Dipl.-Pol., Geschäftsführer des „Bayerischen Bündnis für Toleranz – Demokratie und Menschenwürde schützen" und Leiter der Projektstelle gegen Rechtsextremismus am Evangelischen Bildungszentrum Bad Alexandersbad.

Diefenbach, Aletta, Dr. phil., Soziologin, Wissenschaftliche Mitarbeiterin am SFB 1171 "Affective Societies" an der Freien Universität Berlin.

Flad, Henning, Politikwissenschaftler, Projektleiter Bundesarbeitsgemeinschaft Kirche und Rechtsextremismus.

Gorski, Horst, Dr. theol., Pastor, bis 2023 Vizepräsident im Kirchenamt der EKD und Leiter des Amtsbereichs der VELKD (Hannover).

Heß, Ruth, Dipl.-Theol., Theologische Studienleitung und Geschäftsführung am Studienzentrum der EKD für Genderfragen in Kirche und Theologie.

Janzen, Olga, Soziologin, Promovendin an der Universität Bielefeld.

Kurschus, Annette, Dr. h.c., Theologin, Präses der Evangelischen Kirche von Westfalen und seit 2021 Vorsitzende des Rates der EKD.

Lämmlin, Georg, Dr. theol., Direktor des Sozialwissenschaftlichen Instituts der EKD, apl. Professor für Praktische Theologie an der Ruprecht-Karls-Universität Heidelberg.

Merle, Kristin, Dr. theol., Professorin für Praktische Theologie an der Universität Hamburg.

Pickel, Gert, Soziologe und Politikwissenschaftler, Professor für Religions- und Kirchensoziologie an der Universität Leipzig.

Pickel, Susanne, Prof. Dr., Politikwissenschaftlerin, Professorin für Vergleichende Politikwissenschaft an der Universität Duisburg-Essen.

Pollack, Detlef, Religions- und Kultursoziologe, Seniorprofessor am Exzellenzcluster "Religion und Politik" an der Universität Münster.

Rebenstorf, Hilke, Dr. phil. habil., Soziologin, Wissenschaftliche Referentin für Kirchen- und Religionssoziologie am Sozialwissenschaftlichen Institut der EKD.

Rehm, Maria, Dr. des. phil., Religionspädagogin und Sozialarbeiterin, Akademische Mitarbeiterin an der Evangelischen Hochschule Ludwigsburg.

Schulz, Claudia, Dr. phil. habil. theol., Sozialwissenschaftlerin und Praktische Theologin, Professorin für Diakoniewissenschaft und Soziale Arbeit an der Evangelischen Hochschule Ludwigsburg.

Watzel, Anita, Diplomtheologin, B.A. Philosophie und Ethnologie, aktuell Promotionsprojekt in Philosophie an der Universität Halle-Wittenberg.

Weisheit, Jil, Dr. rer. pol., Psychologin, Personalberaterin bei der AOK Niedersachsen, ehemalige wissenschaftliche Mitarbeiterin beim Sozialwissenschaftlichen Institut der EKD.

Yendell, Alexander, Dr. phil., wissenschaftlicher Mitarbeiter im Forschungsinstitut Gesellschaftlicher Zusammenhalt am Standort Leipzig und Vorstandsmitglied des Kompetenzzentrums für Rechtsextremismus- und Demokratieforschung an der Universität Leipzig.